VIETNAM

이것이

베트남이다

배양수 지음

dh 다해

이것이 베트남이다

배양수 지음

dh 다해

차 례

제 3 장. 명절, 출산, 장례

제 4 장. 의복과 음식

제 5 장. 종교와 예술 ─────────────

제 6 장. 역사 ──────────────────

제 7 장. 국가

여기는 돈이 굴러다닌다

1989년 2월 하순 호찌민시 렉스호텔 커피숍에서 모그룹을 창업(당시는 명예회장)하신 분의 말이다. 그러면서 덧붙여 "내가 10년만 젊었더라면 여기서 제2의 그룹을 창업하겠다"라고 말씀하셨다. 당시의 나는 서른 살의 직장 생활 8개월 차 풋내기였다.

베트남어를 전공하고 베트남에서 베트남 사람들과 부대끼면서 지낸 지 몇 달이 지났지만, 내 눈에는 '돈'은 안보이고 '먼지'만 보였다. 나만 그렇게 본 것이 아니고, 동행한 몇몇 임원과 부장, 과장도 그렇게 보았다. 당시 그룹 법무팀이 베트남 투자 환경 조사차 와 있었고, 그룹 명예회장이 왔다는 소식을 듣고 호텔로 찾아와 간단하게 브리핑했다. 물론 그 내용은 베트남은 '아무것도 준비되지 않은 리스크가 많은 상황'이라고 보고했다. 그분은 아무 말 없이 "내가 오후에 한 번 둘러보고 얘기하겠다"라고 간단하게 대답했다. 오후에 벤타잉 시장과 빙떠이(쩔런) 시장을 둘러보았다. 저녁 식사 후 차를 마시면서 "내가 점심때 보고받은 것과 좀 다른 것 같다"라면서 "내일 공장을 둘러보고 다시 얘기하자"라고 했다. 다음날 동나이 근처의 공장을 둘러보고는 베트남을 떠나기 전에 하신 말씀이 위에 소개한 내용이다.

35년 전 먼지만 폴폴 날리던 땅, 가장 좋은 호텔도 정전이 수시로 되고, 제대로 된 인프라가 없던 황무지와 같았던 곳, 짐을 옮기는 컨베이어벨트, 검색용 스캐너, 에어컨도 없던 떤선녓 공항, 팩스 서비스가 없어서 텔렉스로 본사와 소통하던 때에 '극동의 진주'인 그 땅의 가능성을 보신 그분의 혜안을 파악하는 데 그렇게 오래 걸리지 않았다.

그리고 지금은 1만여 개의 우리 기업이 진출했고, 20여만 명의 우리 국민이 베트남에서 활동하고 있으며, 동남아 유학생의 90%가 베트남 학생이고, 20만 명이 넘는 베트남 사람들이 노동자로, 결혼이주자로, 사업으로 한국에서 생활하고 있다. 코로나19 팬데믹 직전에는 연 430만 명의 우리 관광객이 베트남을 찾았다. 베트남은 우리의 3대 교역 국가이다. 이제는 경제적으로도 동행해야만 하는 중요한 파트너가 되었다.

이 '전면적 전략적 동반자'를 어떻게 하면 빠르게, 바르게 이해할 수 있을까? 우리는 우리의 필요만을 너무 생각한 것은 아닌지 생각해야 한다. 진정한 동행자가 되기 위해서는 서로를 잘 이해해야 한다. 이해하는 방법 가운데 하나는 원활한 소통이다. 소통에 필요한 것은 언어다. 그런데 모두가 상대방의 언어를 구사할 수는 없는 형편이다. 직접 소통이 안 된다면, 간접 경험을 통해서 그들을 이해할 필요가 있다고 생각한다. 이 책은 그 이해를 돕는 배경지식을 축적하는 데 도움을 주고자 쓰게 되었다.

처음 이 책은 부산외대 베트남어과 학생들의 수업 교재로 나왔던 <베트남 문화의 즐거움>이라는 책이었다. 그런데 출판 과정에서 내용이 많이 수정되었고, 출판 후 시간이 흘러 많은 자료를 수정할 필요가 발생했는데, 결국 이번에 전반적으로 내용 업데이트하면서, 인용 출처를 밝히는 방향으로 수정, 보완하였는데 이 때문에 가독성이 제한받는 느낌이다. 그럼에도 군이 출처를 명확히

넣게 된 것은 관련 내용을 더 깊이 알고자 하는 독자에게 출처를 찾는 수고를 덜어 주고자 함이다.

　끝으로 독자 여러분의 지적을 바라며, 이 책이 나올 수 있도록 도움을 주신 많은 베트남 선생님, 국내 베트남 연구자들 특히 부산외대 베트남어과 동료 교수님들과 학생들에게 감사드립니다. 그리고 책을 만들어 주신 도서출판 다해의 임형택 대표님과 편집부 여러분께 감사의 인사를 전합니다.

2023년 12월 30일
배 양 수

제 1 장

베트남 소개

1 일반 개황

1.1. 국명 quốc hiệu

베트남의 국명은 베트남사회주의공화국_{Cộng hòa Xã hội Chủ nghĩa Việt Nam, Socialist Republic} of Vietnam이다. 이 국명은 베트남이 통일을 이룬 이듬해인 1976년 7월 2일 통일 국회에서 정식으로 채택되었다. 그리고 37년이 지난 2013년 5월에 개최된 13대 국회 5차 회의(5월 20일 개막)에서 베트남의 '1992년 헌법'의 개정에 관한 논의 중, 국명 변경에 관한 토론이 있었지만 그대로 두자는 의견이 다수여서 결국은 현재의 국명을 계속 쓰기로 하고, 하반기 국회 회의에서 재논의하기로 했다 (THẾ DŨNG, 2013.6.4.). 그리고 그해 11월 27일 97%의 찬성으로 헌법 수정안을 통과시켰는데, 국명은 바꾸지 않기로 했다. 이와 같은 국명 변경에 대한 논의가 있었다는 것만으로도 '베트남의 변화'가 감지된다고 추측하기도 했으나, 수정 헌법에서 크게 달라진 점은 없었다.

1975년 이전의 베트남은 남베트남과 북베트남으로 분단되어 있었고, 남베트남의 정식 국명은 베트남공화국Việt Nam Cộng hòa, Republic of Vietnam이었고, 북베트남은 베트남민주공화국Việt Nam Dân chủ Cộng hòa, Democratic Republic of Vietnam이었다. 당시 우리나라에서는 남베트남을 월남(越南), 북베트남을 월맹(越盟)이라고 불렀다. 그리고 지금은 보통 '사회주의공화국'을 생략하고 베트남이라고 부른다. 일부에서 월남이라는 용어를 사용하기도 하지만 이 명칭은 통일 이전의 '남베트남'과 혼동하기 쉬우므로 잘 사용하지 않는다. 또한, 베트남 정부에서도 "베트남"으로 불러주기를 원하는 것으로 알려져 있다.

1992년 수교 이전에 남베트남에서는 우리나라를 다이한Đại Hàn, 大韓으로, 북베트남에서는 남찌에우띠엔Nam Triều Tiên, 南朝鮮으로 부르다가 수교 이후로 꽁화찌에우띠엔Cộng Hòa Triều Tiên 共和朝鮮 Republic of Korea으로 불렀다. 그리고 하노이 주재 한국대사관에서 베트남 외무부에 우리 국명을 다이한전꾸옥Đại Hàn Dân Quốc 大韓民國, 줄여서 한꾸옥Hàn Quốc 韓國[1]으로 불러 달라고 요청하였고, 베트남 정부에서는 1993년 5월 당시 보반끼엣Võ Văn Kiệt 수상이 방한하기 전에 베트남 각 기관에 남찌에우띠엔 대신 한꾸옥으로 부르도록 공문을 보냈다고 한다. 한국대사관의 공문을 받은 보반끼엣 수상은 어떻게 할 것인지 도안마잉쟈오Đoàn Mạnh Giao[2]에게 물었고, 그는 "제 이름이 '쟈오'이고 제가 다른 사람에게 '쟈오'로 불러 달라고 했는데, 주변 사람들이 다르게 부를 권리가 있습니까?"라고 대답했고, 수상은 웃으며 동의했다고 한다(Huy Đức, 2012b, p. 277). 이때부터 베트남에서 한꾸옥을 사용하기 시작했으나, 당시의 베트남 언론에서는 여전히 남조선, 조선공화국,

---

1) 한자를 아는 베트남 사람 중에는 나라 이름 한韓(hàn) 자를 찰 한寒(hàn) 자와 혼동하여 한국을 '추운 나라'라는 의미로 오해하는 경우가 많다. 이와 유사한 오해로, 베트남 사람들은 서울에 있는 한강漢江(Hán giang)을 한강韓江(Hàn giang)으로 오해하는 경우가 대부분이다.

2) 1944년 중부 후에 출신으로 1999~2007년까지 정부행정실 장관과 베트남 초대 골프협회장을 역임하였다.

한국을 혼용해서 사용하다가 1994년 6월에 미국에서 열린 월드컵 축구를 중계하면서 베트남 아나운서가 우리 팀의 경기를 중계할 때 한꾸옥을 사용하면서 널리 사용되게 되었다. 베트남은 월드컵 본선 진출국이 아님에도 불구하고 1994년 월드컵 전 경기를 생중계하였다. 베트남 사람들의 축구 열기와 아시아를 대표한 우리 축구팀의 활약[3]으로 베트남에서 '한꾸옥'이라는 우리나라 이름이 널리 알려지게 되었다. 1994년 월드컵 소식을 전하는 베트남 신문 기사를 소개한다.

죄수들도 월드컵을 시청한다

6월 18일 오전, 양 대륙의 대표인 한국(아시아)과 독일(유럽) 사이의 격적적인 경기가 끝난 후 우리는 하노이 교도소를 방문했다. 교도소장인 응웬반확 상좌는 나를 다시 만나게 된 것에 놀라는 표정이었다. 그는 "1990년 이탈리아 월드컵 때 당신이 '호아로에서의 월드컵'이라는 제목으로 이곳 죄수들이 즐겁게 시청한 일을 썼지요."라고 말했다. 4년 만에 다시 만났지만, 이 지구상에서 축구를 흠모하는 사람들은 아무도 차별하지 않고 있었다. 이곳에 갇혀있는 죄수들 역시 축구에 대한 열정에 부족함이 없었다.

취사반 모범수를 담당하는 간수장 팜딩 상위는 "오늘 아침 우리는 한국과 스페인 경기를 시청하도록 했습니다. 가장 긴박할 때는 90분 경기가 거의 끝나갈 때 한국이 2:2 무승부를 기록할 때였습니다. 죄수들의 응원 소리와 함께 앞줄에 앉은 사람의 어깨를 흔들며, 즐거운 미소를 짓던 모습을 보며 기뻤습니다."라고 말했다.

---

3) 예선 3차전에서 독일에 3:2로 아깝게 졌지만, 한국 팀이 보여준 강인한 정신력과 체력은 베트남 사람들에게 깊은 인상을 주었고, 아시아의 대표로 손색이 없다는 칭찬을 받았다. 한국 팀 체력의 원천이 '인삼'이라는 언론 보도가 나오는 등 우리나라 인삼에 대한 홍보 효과도 컸다.

준수한 용모에 피부가 하얀 수감자인 띠엔은 축구를 무척 좋아하는 것처럼 보였는데, "간수님, 한국 팀이 스페인과 무승부를 기록할 때 저는 너무나 행복했습니다. 그들은 우리 아시아 사람들에게 자부심을 가져다주었어요."라고 말했다. 다른 수감자인 쯔엉, 중, 썬 그리고 사망 교통사고를 내서 2년 형을 받은 60세가 넘은 웬반응옥 씨는 아내가 화를 낼 정도로 이 '왕 스포츠'를 좋아했다고 한다. 항더이 운동장에서 경기가 있는 날에는 응옥 씨는 늘 그곳에 있었고, 큰 경기가 있을 때는 더욱 그랬다. 오늘은 비록 교도소에 있지만 역시 그것에 '취함'은 절대 줄어들지 않았다. 교도소 지도부는 모범수들이 자원하여 모금하여 삼성 텔레비전을 사도록 결정했다. 94년 월드컵에 온 세계가 열광하고 있는 가운데 하노이 교도소의 죄수들 역시 이 한 번뿐인 분위기로 휩쓸려 들어가고 있었다.

판뜨엉(Phan Tường, 1994.06.21.)

한국 팀 역시 침착하다

후반 5분에 이어 10분에 스페인 팀은 연속하여 한국 팀의 골문에 두 골을 기록했다. 텔레비전 앞에 앉아 있던 시청자들은 심장이 멎는 것 같았다.
"체면을 유지할 수 있게 한 골이라도 만회할 수 있을까?"
시간은 도와주지 않고 있었지만, 한국 선수들은 흔들림 없이 공격의 의지를 불태우고 있었다.
페널티 에어리어 밖에서 얻은 프리킥을 한국 선수가 강한 슈팅을 했다. 공이 스페인 수비수의 발을 맞고 방향이 바뀌었고, 골키퍼는 놀라 네트에 박힌 공을 쳐다보았다. 한국과 스페인은 1:2가 되었다.
5분 뒤, 정확히 5분 뒤였다. 한국의 공격이 시작되었고, 한국의 공격수가 드리블하다가 화살 같이 슛했다. 스페인 골키퍼가 방향을 바로 잡았음에도 불구하고 공이 네트에 꽂혔고, 2:2 무승부가 되었다.
이로써 시청자의 멎었던 심장은 다시 터질 듯이 두근거렸다.
한 사람이 침착한 목소리로 "아시아의 한국은 공격 의지가 강한 축구팀이기도 하지만 침착성도 독일에 뒤지지 않는구나."라고 말했다.

응웬응옥판(Nguyễn Ngọc Phan, 1994.06.22.)

할아버지도 좋아해

"한국 팀 너무 잘해! 2:0으로 지다가 5분 만에 무승부라니."

"할아버지가 그렇게 축구를 좋아하는지 몰랐네요."

"애들이 시끄럽게 텔레비전을 켜고 소리를 질러대서 잠을 잘 수가 있어야지. 그래서 깨어나 보다 보니 좋아졌어."

N.B.(N.B., 1994.06.23.)

계속해서 면의 챔피언이 되다

1994년 월드컵에서 타잉찌 현 타잉찌 면 다이동 마을에 사는 쩐티겁 할머니가 1990년 이탈리아 월드컵에서처럼 "텔레비전 시청" 챔피언이 될 수 있을까? 이 면에 사는 텔레비전 수상기를 가진 수천 명의 사람이 이런 질문을 던졌다.

그 해, 할머니는 발을 삐어서 늘 "텔레비전을 끼고 살 수" 있었지만, 올해는 이미 78세가 되었다. 그러나 할머니는 즉시 "여전히 챔피언이 될 수 있어!"라고 대답했다.

건강을 유지하기 위해 할머니는 축구 경기가 벌어지는 시간에는 남편에게 가게를 보도록 했다. 이 부부는 사탕, 과자, 두부 등을 판다고 한다. 자식들은 할머니가 "승리"할 수 있도록 한약거리에서 고려인삼 몇 뿌리를 사다 드렸다고 한다.

면 내의 축구팬들은 이 격정적이고 흥미진진한 챔피언에 관해서 논쟁 중이라고 한다.

쩐득(Trần Đức, 1994.06.23.)

1.2. 국기 quốc kì

베트남 국기가 처음 사용된 것은 1940년 남부 지역의 봉기 Nam Kỳ Khởi nghĩa 때였다. 이후 비엣밍 Việt Minh 越盟의 기로 사용되다가 1945년 9월 독립선언 이후로 북베트남의 국기가 되었다. 현재 사용되는 베트남 국기는 가로와 세로의 길이 비율이 3:2로 된 빨간 바탕의 가운데에 노란색 별이 그려진 "금성홍기_{cờ đỏ} sao vàng"로 1976년 7월 2일 통일 국회에서 확정되었다. 별의 다섯 개 꼭짓점은 지식인, 농민, 노동자, 상인, 군인의 단결을 상징한다. 빨간 바탕은 피, 혈통을 상징하고 노란색은 황인종을 상징한다고 한다.

1.3. 국가 _{quốc ca}

베트남 국가의 명칭은 "진군가_{tiến quân ca}"로, 1944년 작곡가 반까오_{Văn Cao(1923~1995)}가 만들었다. 원곡의 가사 일부를 개작하여 1945년 독립선언 이후 북베트남의 국가로 사용하다가 1976년 7월 통일 국회에서 정식으로 통일 베트남의 국가로 확정되었다. 2절로 되어 있으며, 행사에서는 보통 1절만 부른다.

곡명에서 보듯이 베트남 국가는 '전투적'인 색채를 강하게 띠고 있어서 요즘 일부에서는 가사를 바꾸자는 의견도 제시되었으나 국명을 바꾸는 문제와 더불어 아직 소수 의견으로 남아 있다. 1절의 가사 내용은 아래와 같다.

"베트남 군대는 한마음으로
구국의 발걸음을 울리며 험한 먼 길을 오르며
승리의 피로 물든 깃발은 나라의 혼을 담고
먼 곳 총소리 울리는 곳에 행군가 울리고
적군의 시체로 영광의 길을 만들고
다 함께 힘들여 진지를 만들어 승리하고
인민을 위해 전쟁을 멈추지 않으며
서둘러 전쟁터로 나간다
나가자
함께 나가자
우리 베트남 강산은 튼튼하다."

1.4. 국가 문장 quốc huy

베트남 국가 문장은 초대 국회(1955.9.15.~20)에서 승인한 것으로 쩐반껀Trần Văn Cẩn(1910~1994) 화가에 의해서 수정, 완성되었다. 가운데 상단에 금성이 있고, 주변부를 감싸고 있는 것은 벼로 농업을 상징하고, 가운데 하단의 기어는 공업을 상징한다. 기어 하단에 베트남사회주의공화국이라는 글씨가 있다.

1.5. 행정구역

베트남의 행정구역은 수도thủ đô 首都와 우리의 광역시에 해당하는 타잉포 쪽 투옥 쭝엉thành phố trực thuộc trung ương 城鋪直屬中央 그리고 도에 해당하는 띵tỉnh 省, 구에 해당하는 꿘quận 郡, 군에 해당하는 후옌huyện 縣, 지방 도시 즉 성에 직속된 시에 해당하는 타잉포 쪽투옥 띵thành phố trực thuộc tỉnh 城鋪直屬省 그리고 성 직속 시보다는 작으나 읍보다는 큰 규모의 단위로 티싸thị xã 市社가 있다. 가장 하위의 행정단위는 동에 해당하는 프엉phường 坊, 면에 해당하는 싸xã 社, 읍에 해당하는 티쩐thị trấn 市鎮이 있다. 베트남의 행정체계는 보통 성급 성과 광역시, 현급 구, 현, 성 직속 시, 티싸 그리고 면급 싸, 프엉, 티쩐으로, 3단계로 되어 있다. 따라서 각종 문건에서는 껍띵cấp tỉnh, 성급, 껍후옌cấp huyện, 현급, 껍싸cấp xã, 면급이라는 용어를 사용하기도 한다.

이 3단계의 행정단위를 그림으로 표시하면 아래와 같다.

베트남의 행정구역

중앙정부

광역시
(타잉포 쪽투옥 쭝엉)

도
(띵)

구
(꿴)

소도시
(티싸)

군
(후옌)

성 직속시
(타잉포 쪽투옥 띵)

동
(프엉)

면
(싸)

읍
(티쩐)

출처: 저자 발췌 및 작성

　　2013년 현재 베트남의 광역시는 수도인 하노이$_{Hà Nội}$를 포함하여 5개가 있는 데, 호찌민$_{TP.Hồ Chí Minh}$ 시, 하이퐁$_{Hải Phòng}$ 시, 다낭$_{Đà Nẵng}$ 시, 껀터$_{Cần Thơ}$ 시가 있다. 베트남에서 광역시나 성 직속 시를 얘기할 때 보통 '시'에 해당하는 '타잉포'라 는 단어를 생략하는 경우가 많다. 그러나 '호찌민시'를 말할 때는 반드시 '타잉 포 호찌민'으로 사용해야 한다. 이것은 '호찌민'이 인명이기 때문에 혼동을 피 하기 위한 것이다. 그리고 성은 58개가 있어, 총 63개의 광역시, 도가 있는 셈이 다. 그동안 베트남에서는 성의 통폐합이 비교적 자주 있었고, 2008년 8월부로 하떠이성이 하노이로 편입되어 수도인 하노이의 인구와 면적이 많이 증가하였 다.

행정단위 통계 2022.12.31. 기준 (단위: 개)

성 직속 시	구	티싸	군
82	46	50	
동	읍	면	527
1,737	624	8,248	

출처: 2022년 통계연감 p.41.

베트남에서 지방의 행정구역을 구분하는 원칙은 주로 인구를 기준으로 하여 다음과 같이 구분할 수 있다(Văn Thái, 1993, p. 30).

행정단위	인구수	면적
후옌(평야 지역)	15만 ~ 20만 명	1만 ~ 2만 ha
후옌(구릉지 지역)	5만 ~ 7만 명	2만 ~ 5만 ha
꿴(구)	10만 ~ 20만 명	
성직속 시	10만 ~ 20만 명	
티싸(소도시)	5만 ~ 10만 명	
티쩐(읍)	5천 ~ 2만 명	

베트남 정부는 2009년 도시 등급 분류에 관한 시행령을, 그리고 건설부는 시행규칙을 발표하였고(Bộ Xây Dựng, 2009.9.30.), 이에 따르면 베트남 도시는 특별시와 1급~5급 도시로 분류하고 있다(송정남, 2013, pp. 142~145).

베트남에서는 63개 광역시와 성을 크게 북부, 중부, 남부의 세 지역으로 구분하거나 좀 더 세분하여 6개 권역으로 나눈다. 공식적인 행정구역은 아니지만, 이 권역 구분을 다양하게 사용하고 있어서 이에 대한 지식을 가질 필요가 있다.

베트남어로 '남부'를 지칭하는 단어는 남끼Nam Kỳ 또는 남보Nam Bộ 南部라고 하는데, 1830년대에 밍망 왕이 처음으로 당시 "쟈딩"을 "남끼"로 바꿔 부르면서 시작되었다고 한다. 이어 프랑스도 역시 "남끼"라는 단어를 그대로 사용했고, 1945년 3월 일본이 프랑스 정권을 무너뜨리고 세운 쩐쫑낌Trần Trọng Kim 정부에서 식민지의 잔재를 없애려고 남끼를 "남보"로 바꿔 부르게 되었고, 8월 혁명 이후에도 "남보"라는 단어를 사용했다. 프랑스가 베트남에 다시 들어온 이후에는 다시 "남끼"를 사용하다가, 프랑스가 베트남에서 물러간 이후로는 다시 "남보"라는 단어를 지금까지 사용하고 있다(Nhiều tác giả, 1998a, pp. 87~88). 아래 표는 6개 권역과 그에 속하는 성, 시를 구분한 것이다.

권역별 성, 시 구분

권역명	성,시 수 (인구)	성,시
홍하델타 Đồng bằng sông Hồng	11 (23,454.1천명)	Hà Nội, Vĩnh Phúc, Bắc Ninh, Quảng Ninh, Hải Dương, Hải Phòng, Hưng Yên, Thái Bình, Hà Nam, Nam Định, Ninh Bình
북부 산악지역 / 구릉지 Trung du miền núi phía Bắc	14 (13,021.3천명)	Hà Giang, Cao Bằng, Bắc Kạn, Tuyên Quang, Lào Cai, Yên Bái, Thái Nguyên, Lạng Sơn, Bắc Giang, Phú Thọ, Điện Biên, Lai Châu, Sơn La, Hoà Bình
북중부 / 중부 연해지역 Bắc Trung Bộ Duyên hải miền Trung	14 (20,650.8천명)	Thanh Hoá, Nghệ An, Hà Tĩnh, Quảng Bình, Quảng Trị, Thừa Thiên Huế, Đà Nẵng, Quảng Nam, Quảng Ngãi, Bình Định, Phú Yên, Khánh Hoà, Ninh Thuận, Bình Thuận
서부 고원 Tây Nguyên	5 (6,092.4천명)	Kon Tum, Gia Lai, Đắk Lắk, Đắk Nông, Lâm Đồng
동남부 지역 Đông Nam Bộ	6 (18,810.8천명)	Bình Phước, Tây Ninh, Bình Dương, Đồng Nai, Bà Rịa ~ Vũng Tàu, TP,Hồ Chí Minh
메콩델타 Đồng bằng sông Cửu Long	13 (17,432.1천명)	Long An, Tiền Giang, Bến Tre, Trà Vinh, Vĩnh Long, Đồng Tháp, An Giang, Kiên Giang, Cần Thơ, Hậu Giang, Sóc Trăng, Bạc Liêu, Cà Mau

출처: 2022년 통계연감을 근거로 재작성.

1.6. 인구

베트남은 아세안 국가 중에서 인도네시아, 필리핀 다음으로 인구가 많은 나라이다. 인구밀도는 필리핀과 싱가포르에 이어 세 번째이다. 2014년 기준으로 베트남의 인구는 90.7천여 명이며, 인구밀도는 26.8명/㎢이었다(Tổng cục thống kê, 2015.09.30.).

2022년 말 기준으로는 99,329,145명을 기록했다. UN이 제공하는 자료에 따르면 2023년 12월 20일 현재 베트남 인구는 100,036,229명으로, 세계 인구의 1.24%를 차지하며, 인구가 많은 나라 15위이고, 평균 나이는 33.7세이다(Dân số Việt Nam, 2023.12.20.).

주요 도시와 성의 인구

구분	인구(만 명)	
	2014년	2022년
하노이	684	844
호찌민시	768	939
하이퐁	190	209
다낭	97	122
껀터	121	125
타잉화성	340	372
예안성	290	342
동나이성	240	326
라이쩌우성	37	48

출처: 베트남 통계연감 2015년과 2022년을 근거로 재작성.

베트남 인구의 특징은 농촌인구 67.7%와 도시인구 32.3% 사이의 격차가 크고, 15세 이하의 인구가 1999년 대비 2012년에는 10.8%가 감소하였고, 65세 이상의 인구는 1999년 5.8%에서 2012년에는 7.1%로 증가하여, 급격히 고령화가 진행되는 것으로 나타났다(Cầm Văn Kình, 2013.5.20.).

베트남은 젊은 층의 인구 비율이 높은 '젊은 국가'라는 특징을 갖고 있다. 그러나 베트남 정부의 꾸준한 가족계획 정책 시행에 대한 국민의 이해가 상승하고 또 도시지역 주민들의 자발적인 산아제한 정책 참여로 인구 증가율이 둔화하고 있다. 현재 베트남 정부는 산아제한 정책을 철폐했다. 2022년 인구증가율 추정치는 0.97%이다. 한편 초혼 평균 나이는 2018년 25.5세에서 2022년

26.9세로 점점 늦어지고 있다(Tổng cục thống kê, 2023 & Niên giám thống kê 2022.). 나이별 노동인구 추이를 보면 15세에서 24세의 인구가 상당히 감소하고 있음을 알 수 있다.

나이별 노동인구 (명)

구분	15~24세	25~49세	50세 이상	합계
2010년	9,251,300	30,988,800	10,233,400	50,473,500
2016년	7,521,900	32,443,000	14,517,900	54,482,800
2022년	5,220,500	32,669,300	13,815,100	51,704,900

출처: 2022년 통계연감 p.165.

2 지형과 기후

2.1. 지형

베트남은 인도차이나반도의 동쪽에 위치하며 북으로는 중국, 서북쪽은 라오스, 서쪽은 캄보디아와 국경을 접하고 있으며, 동남부는 태평양과 접하고 있다. 베트남 해안선의 길이는 3,260km이고, 육지의 국경선 길이는 3,730km이다. 북쪽 끝 지점에서 남쪽 끝 지점까지의 직선거리는 1,650km이다. 동서로 폭이 가장 넓은 곳은 북부지역으로 약 600km이고, 남부 메콩 삼각주에서 폭이 가장 넓은 곳은 400km이며, 폭이 가장 좁은 곳은 중부 꽝빙성으로 50km가 안된다. 베트남의 지형은 남북으로 가늘고 긴 S자형 모양의 영토를 갖고 있다. 지형적 특징을 요약하면 북고남저北高南低, 서고동저西高東低 형이라고 할 수 있다. 구릉지와 산이 전 국토의 2/3 이상을 차지하고 있다.

베트남의 산악지역은 크게 4곳으로 분류할 수 있는데, 동북 지역에서 북부

만에 이르는 지역으로, 이곳에서 가장 높은 산은 떠이꼰링$_{Tây Côn Lĩnh}$ 산으로 해발 2,431m이다. 이 지역을 동북 산악지역이라고 부른다. 다음으로는 서북 산악지역으로 북부 국경선에서 타잉화성 서부에 이르는 지역으로 산림이 울창하고, 베트남에서 가장 높은 해발 3,140m의 판시빵$_{Phan Xi Păng}$ 산이 있다.

이어서 북 쯔엉선 산악지역으로 타잉화성 서부지역에서 꽝남, 다낭시에 이르는 지역으로 하이번$_{Hải Vân}$ 고개와 응앙$_{Ngang}$ 고개가 유명하고, 특히 베트남전 당시에 북베트남의 군대와 물자를 수송하던 호찌민 루트가 있는 곳이다. 마지막으로 남 쯔엉선 산악지역으로 남중부 각 성의 서쪽 지역을 일컫는다. 산맥이 이어지다가 아주 넓은 평원이 나오는데 이곳을 서부 고원$_{Tây Nguyên}$ 지대라고 부른다. 이곳에는 휴양지로 유명한 달랏$_{Đà Lạt}$이 있다.

베트남뿐만 아니라 라오스, 캄보디아, 일부 태국과 미얀마를 포함한 동남아지역 대부분은 쯔엉선 산맥을 경계로 기후가 나뉘어 있다. 쯔엉선산맥은 위도상으로 북위 11°~ 19.7°에 걸쳐 1,500km 이상 뻗어 있다. 그러나 중간에 끊어진 부분을 연결하면 쯔엉선산맥은 티베트에서 시작해서 중국의 윈난으로 뻗은 난링산맥과 연결된다. 베트남의 서북쪽에서부터 쯔엉선산맥은 호앙리엔선$_{Hoàng Liên Sơn}$산맥과 나란히 서북쪽에서 동남쪽으로 뻗고 있다. 계속해서 서북에서 동남쪽으로 뻗어 쯔엉선산맥은 후어판$_{Hua Phan}$ 고원과 연결된다. 북위 20° 선에는 닝빙$_{Ninh Bình}$성의 높이 1,219m의 찌링$_{Chí Linh}$ 봉과 타잉화성의 높이 2,451m의 푸호앗$_{Phu Hoạt}$ 봉이 연결되어 있고, 북위 19.3°에는 예안$_{Nghệ An}$성의 높이 2,711m의 푸싸이라이렝$_{Pu Xai Lai Leng}$ 봉이 북 쯔엉선산맥[4]을 이룬다.

---

4) 쯔엉선산맥은 많은 산을 포함하고 있는데 서북에서 동남 방향으로 나란히 뻗어 있다. 북위 18°에서 시작하여 각 지류가 서쪽에서 동쪽으로 태평양에 근접할 정도로 가로로 뻗어 있다. 북위 20° 아래 즉, 베트남 타잉화성 이남만 본다면 쯔엉선산맥은 1,000m에서 2,000m에 이르는 약 30개의 봉우리를 갖고 있다. 북 쯔엉선산맥의 정상은 예안성에 있는 2,711m의 푸사이라이렝 봉으로 베트남과 라오스의 국경에 걸쳐 있다. 남 쯔엉선산맥의 정상은 빙딩$_{Bình}$ $_{Định}$ 성에 있는 2,598m의 응옥링$_{Ngọc Lĩnh}$ 봉이다. 특히 서부 고원지대에는 2,000m가 넘는

이 지류에서 쯔엉선산맥은 높이 상으로는 호앙리엔선산맥에 뒤지지만, 넓이와 길이에서 동남아에서 가장 큰 산맥이다. 이 산맥을 살펴보면, 여러 가지 흥미로운 사실을 발견할 수 있다. 대략 평균 1,000m 높이로 인도차이나반도를 종단하다 보면 쯔엉선산맥은 30개 이상의 1,000~2,598m의 봉우리를 갖고 있다. 따라서 쯔엉선산맥은 기후의 경계선일 뿐만 아니라 아주 오래전부터 문화의 경계선이었다. 쯔엉선산맥의 높이, 넓이, 험난한 지세는 동서 교통에 장애가되었다. 과거 수천 년 전부터 쯔엉선산맥의 동쪽에서는, 더 정확하게는 바다와 만나는 곳 ~ 호아잉선 곶 ~ 에서부터 북쪽에 이르는 지역은 중국 문화의 영향을 받았다. 호아잉선 산맥 이남, 특히 4개의 동남아 국가를 포함해서 쯔엉선산맥의 서쪽 지역은 문화적으로 인도화 된 곳이다. 베트남 남부 지역은 10세기 이전에는 인도화 된 옥에오_{Óc Eo}와 참파 문명이 찬란하게 번창했었다. 10세기 이후로 베트남 사람들의 남진으로 인해 비로소 인도 문화의 영향은 점점 약화하였다(Vũ Sơn Thủy, 2002).

국토의 1/3을 차지하는 평야 지역은 북부의 홍하델타와 남부의 메콩 삼각주 그리고 해안을 따라 내려오면서 평야가 있다. 홍하델타_{Đồng bằng sông Hồng}는 북부 평야 지역이라고도 불리는데 면적은 약 15,000㎢이다. 홍 강은 중국 윈난 고원 달리_{Dali} 호수에서 시작하는데 길이가 거의 1,200km에 이르고 베트남 영토 내에서 흐르는 길이는 500km 이상이다. 이엔바이_{Yên Bái} 즉, 베트남 중국 국경에서 대략 170km에 떨어진 곳에 이르러 홍 강은 비로소 실질적인 큰 강이 된다. 그러나 그곳에서는 홍 강이라고 부르지 않고 타오_{Thao} 강이라고 부른다. 그것은 옛날 그곳에 살던 따이_{Tày} 족이 따오_{Tao} 호리병이라고 부른 것에서 유래한다.

지금으로부터 약 4,000년 전 베트남에 처음 국가가 존재하였던 지역인 비

고봉 9개가 이어져 있다. 꽝응아이_{Quảng Ngãi} 지역에서 쯔엉선산맥이 끝나는 지역인 판티엣_{Phan Thiết}까지의 구간에는 1,000m에서 2,000m에 이르는 봉우리가 17개 있다. 그리고 예안성의 서쪽에는 99개의 봉이 있다.

엣찌_{Việt Tri}로부터 그것이 다_{Đà} 강과 로_{Lô} 강의 지류와 만나면서 비로소 홍 강이라는 이름을 가진 큰 강이 된다. 이 강은 충적물을 운반하여 홍하델타를 형성하지만, 또한 무시무시한 홍수를 일으키기도 한다. 지금으로부터 1억7천~2억년 전 홍하델타는 바다였다고 한다. 그 후 물이 빠져 델타가 형성되었으나 매우 작았다고 한다. 10세기부터 베트남은 홍수를 막기 위해 제방을 쌓았으며, 현재까지 홍 강 제방 총길이는 1,670km 이상이고, 이는 베트남 사람들의 가장 위대한 토목 사업으로 여겨진다. 그리고 타이빙_{Thái Bình} 강은 더 작은데 동북쪽 활모양 산등성이로부터 시작하여 꺼우_{Cầu} 강, 트엉_{Thương} 강과 룩남_{Lục Nam} 강이 서로 합해져서 만들어진다. 홍 강과 타이빙 강에 의해 만들어진 홍하델타는 베트남 문화의 '요람'이 되었다.

메콩 삼각주는 구룡강 델타_{Đồng bằng sông Cửu Long} 또는 남부 평야 지역이라고도 하며, 면적은 홍하델타보다 두 배가 넘는 36,000㎢이다. 베트남에는 크고 작은 강이 아주 많다. 그래서 해안선을 따라 내려오면서 거의 20㎞마다 강의 하구가 있다. 이에 따라 베트남은 수로 교통이 편리하다.

2.2. 기후 khí hậu

베트남은 열대 몬순 기후대에 있으며 연평균 기온은 22~27℃이고, 연중 비가 오는 날은 약 100일 정도이며, 연평균 강우량은 1,500~2,000mm이다. 습도는 평균 80% 내외이며, 연평균 일조시간은 1,500~2,000시간이며, 지역에 따라 편차가 있는데 2011년 통계를 보면, 가장 적은 곳은 남딩_{Nam Định}으로 1,164시간이고, 가장 많은 곳은 붕따우_{Vũng Tàu}로 2,435시간이다(Tổng cục Thống kê, 2012). 같은 위도에 있는 다른 동남아 국가들과 비교해서 베트남의 기후는 여름에는 덜 덥고 겨울에는 더 춥다. 겨울에 베트남 북부지역에는 북동 계절풍이 불기 때문에 체감온도가 낮다.

베트남의 계절은 중부 이남은 우기와 건기로 계절을 구분하지만, 북부에서는 4계절로 구분한다. 남북으로 길게 뻗은 지형적인 특징으로 인해 베트남의 기후는 지역별로 상당한 차이를 보인다. 베트남 기상대에서는 9개 지역으로 나누어 일기예보를 한다.

앞에서 언급한 것처럼 쯔엉선산맥은 베트남 국토의 척추가 되었고, 남북 기후의 경계가 되었다. 이처럼 길고 높은 산맥이 서북~동남 방향으로 누워있어, 즉 지구의 자전축과 같은 방향이어서 쯔엉선산맥은 남풍뿐만 아니라 북풍 대부분을 막게 되었다. 여름에는 인도양으로부터 불어오는 남서풍을 막아 산의 서부지역에 큰비를 내려서 메콩강의 주요 원천을 만들었다.[5] 메콩강은 1조 4,000억㎥의 유량을 지니고 있다. 매년 1억 톤이 넘는 충적토를 옮기며 끊임없이 메콩 삼각주를 비옥하게 만들었고, 캄보디아의 수도인 프놈펜에서부터 베트남의 동부 해안 지역까지 길게 형성되어 있다(Vũ Thế Bình, 2012, p. 9; Lê Bá Thảo, 1977, pp. 243~244). 그러나 여름에 들어서면 남서풍이 쯔엉선산맥의 서쪽에 비를 다 뿌려서 베트남 중부지역에는 아주 무더운 기류가 밀려오는데 그것을 "라오스 바람gió Lào"라고 부른다. 이 지역은 여름의 막바지에 오는 비를 지닌 습한 남동풍에 의해 '회생'한다. 이때 쯔엉선산맥의 동쪽은 우기이고, 서쪽은 건기다.[6] 북쪽에서 남쪽으로 뻗어 가는 중간에 쯔엉선산맥 중 일부 지류는 베트남 중부지역에서 해안가로 뻗어 있다. 이것이 베트남 남부와 태국, 캄보

---

5) 메콩강의 원천은 히말라야산맥과 티베트고원에서 녹아내린 물이다. 그러나 라오스의 루앙프라방Luangprabang에서부터 비로소 강의 형태로 흐르기 시작한다. 즉 쯔엉선산맥으로부터의 큰 지류가 합쳐지면서 메콩강은 아시아에서 가장 큰 강이 되었다.

6) 쯔엉선산맥 서쪽 지역에 내리는 비는 주로 라오스와 캄보디아의 기후에 영향을 준다. 반면 태국의 동북부와 미얀마의 동부는 더 적은 영향을 받는다. 라오스에 부는 5월에서 10월까지의 서남풍은 수증기를 동반하여 연간 강우량의 75%를 점하고 있고 평균 강우량은 1,300~1,500mm이다. 라오스의 남부는 쯔엉선산맥의 영향을 더 받는데, 이 지역의 비는 3,000mm를 넘는다. 캄보디아 대부분 강우량도 5월에서 11월 사이에 일어난다. 평균 강우량은 1,375~1,400mm이고 해양 근처인 바탐방 Batambang에는 4,000mm까지 내린다.

디아, 라오스에 부는 겨울 북풍의 추위를 막고,[7] 타잉화성에서 중부 아래쪽까지는 이슬비를 내리게 한다. 이러한 조건에 의해 베트남 남부와 태국 일부, 라오스, 캄보디아와 미얀마의 겨울은 춥지 않게 된다. 북회귀선보다 아래쪽에 위치하기 때문에 베트남 남부 지역은 연중 일조시간이 1,900시간이 넘는 혜택을 받는다.

쯔엉선산맥이 추위를 막아 맑은 날이 많고, 높은 강우량과 습도로 인해 베트남 남부는 매우 안정된 온도를 지닌 지역이 되었고[8] 메콩 삼각주는 아시아 대륙에서 유일하게 1년 내내 벼농사를 지을 수 있는 지역이 되었다. 20세기 중반까지도 메콩 삼각주의 하류 지역은 여전히 '야생 벼Lúa trời' 지역이었다. 모내기하거나 물을 대거나 돌볼 필요 없이 벼가 익기만 하면 농민들은 들판에 나가서 벼를 베면 되었다. 1980년대 초까지도 롱쑤엔Long Xuyên과 동탑므어이Đồng Tháp Mười에는 여전히 수천 헥타르에 이르는 천연의 야생 벼 지대가 있었다. 농민은 단지 수확만 하면 되었다(Bùi Huy Đáp, 1985, p. 7). 이곳에서의 농사는 단지 '놀고먹는 일'이었다. 19세기에 조안우언Doãn Uẩn은 "심고 나면 돌볼 필요가 없었고 또 물 부족을 걱정하지 않았다. 7, 8, 9월이 되면 계속하여 논을 갈고, 11, 12월이 되면 벼를 베어 묶어서 논밖에 두었다가 1, 2, 3월에 물소를 시켜 밟아서 벼를 턴 다음, 집으로 가져왔다(Thạch Phượng, Hồ Lê, Huỳnh Lứa, & Nguyễn Quang Vinh, 1992, p. 57)"라고 묘사하고 있다. 쯔엉선산맥의 동쪽은 해안과 접하고 있어서 여름이 되면 남태평양에서 불어오는 다습한 동남풍을

---

7) 가장 중요한 것은 호아잉선 산맥은 하띵Hà Tĩnh성과 꽝빙Quảng Bình성의 경계를 이루고, 하이번Hải Vân 고개는 후에Huế와 다낭Đà Nẵng의 경계를 이룬다는 것이다. 그 후 위도 14°에서 11° 사이에는 해안으로 연접된 산맥 ~ 쯔양신Chư Yang Xin, 랑비앙Lang Biang, 따릉Ta Rưng, 브라이안Brai An 등과 봉푸Vọng Phu 산, 다이라잉Đại Lãnh 곶, 나이Nạy 곶, 징Dinh 곶 그리고 네Né 곶이 거대한 기후의 방패가 되었다 ~ 는 것에 대해 이해할 필요가 있다.

8) 메콩 삼각주 지역의 평균 온도는 26.9℃이다. 최고 기온은 거의 30℃이고 최저 기온은 25℃이다. 최고 최저 온도 차는 5℃를 넘지 않는데 이는 수경 벼에 가장 적합한 온도이다.

가로막고 있어서, 판티엣에서 타잉화성에 이르는 남북으로 1,500km 이상의 지역에 1,500 ~ 1,600mm의 큰비를 내리게 한다. 이 지역에서 큰비가 내리는 곳은 항상 고봉 지역이다.[9] 후에Hué 지역은 1,000m가 넘는 6개의 산봉우리에 가까이 자리 잡고 있어서 중부 해안 지역에서 가장 많은 강우량인 2,890mm에 이른다. 그리고 달랏과 냐짱Nha Trang 사이 지역은 해발 2,000m 이상에 달하는 고원지대인데, 강우 일수가 1년에 251일에 이른 기록도 있고, 강우량이 가장 적은 달에도 100mm에 이른다.

그처럼 많은 강우량은 쯔엉선산맥 동쪽의 이 지역에 있는 200개 이상에 이르는 강의 수원水原이 되었다. 특히 쯔엉선산맥 남쪽 끝부분은 큰 강의 발원지이다. 그것은 동나이Đồng Nai 강으로, 사이공 강 등 7개의 지류로 나뉘어서 바다로 흘러간다.

동북의 활모양 산이 겨울에는 북풍을 가로막아서 홍하델타를 덜 춥게 하고, 수증기를 운반하여 가랑비를 한 달 내내 지속하게 할 때도 있다. 이러한 비는 단순히 안개비와 같은 형태이지만 식물이 겨울에 성장할 수 있도록 하는 상당한 습도를 제공하는 원천이라서 매우 중요한 의미가 있다. 맑은 날 수가 겨울에는 50%밖에는 안 되고 가랑비가 지속하는 현상은 서기 초부터 홍하델타 지역에 겨울 벼농사를 출현시켰다. 최근에는 새로운 품종 개발로 인하여 이 겨울 벼는 전통적인 여름 벼보다 더 높은 생산량을 기록하고 있다. 그러나 홍하델타 지역은 북부 만灣의 안쪽에 깊이 자리 잡고, 서북동 3면이 산에 가려 있어 아열대 몬순기후의 변형된 형태가 나타난다. 즉, 건기와 우기 두 계절의 차이는 모호해지고 봄 여름 가을 겨울이 분명한 사계절의 기후가 나타난다. 물

---

9) 해발 1,009m에서 1,624m에 이르는 꽝빙성의 꼬따룸Co Ta Rum, 바렌Ba Rèn, 우보U Bò, 꼬롱Co Rong 산의 아랫자락의 강우량은 약 2,000mm이다. 해발 2,598m인 빙딩성의 응옥링Ngọc Lĩnh 산 아래는 4,000mm에 이른다. 해발 1,070~2,405m에 이르는 서부 고원지대 산자락에는 2,500~3,000mm의 강우량을 보인다.

론 베트남 북부의 사계절은 우리나라의 사계절과는 확연히 차이가 난다. 그러나 베트남 사람들은 이러한 계절 변화를 확연히 구분한다. 이곳의 평균 기온은 23℃이고 1월에는 15.5℃, 7월에는 29℃로 약 14℃의 차이가 있다. 때때로 이 차이는 더 벌어지고 충적지는 같은 위도상의 다른 지역들보다 낮은 온도를 띠는 경향이 있다.[10]

3 농산물과 광물

3.1. 벼 lúa

베트남에는 벼가 전국적으로 재배되고, 중북부 지역에서는 연 2기작이 가능하고 남부 지역에서는 연 3기작이 가능하다. 베트남은 도이머이 이전에는 식량이 부족하여 식량을 수입하던 국가였다. 그러나 도이머이 정책을 편 이후로 농업 생산이 급증하였고 특히 쌀 수출이 급증하여 세계 3위의 쌀 수출국이 되었다가 지금은 세계 제1의 쌀 수출국이 되었다. 2012년에는 약 8백만 톤을 수출하였다. 2012년 누적 벼농사 재배 면적은 총 약 775만 ha, 총생산량은 4,366만 톤이었다(Niên giám Thống kê, 2012, pp. 165~167).

---

10) (Naval Intelligence Division USA, 1943, p. 72). 월~중 국경지대에 접한 서북쪽 높은 산 정상에는 가끔 눈이 온다. 1916~1930년까지 15년간 8차례 눈이 내린 황리엔선 산의 밑에 있는 사파Sapa에서 증거를 찾을 수 있다.

벼 재배 면적과 생산량 (단위: 천 ha, 천 톤)

연도	봄 벼		가을 벼		겨울 벼	
	면적	생산량	면적	생산량	면적	생산량
2010	3,085.9	19,216.8	2,436	11,686.1	1,967.5	9,102.7
2016	3,128.9	19,646.6	2,872.9	15,232.1	1,735.3	8,230.4
2022	2,992.3	19,976.0	2,564.0	14,456.0	1,552.6	8,223.6

출처: 2022 통계연감을 근거로 재작성.

3.2. 옥수수 ngô[11]

베트남에서 옥수수 재배는 전국적으로 이루어지고 있으며, 서부 고원지대
와 남부에서도 많이 재배하고 있다. 2011년 옥수수 생산은 단위 면적당 생산
량에서 미국과 비교해 약 58%로 현저히 낮았다고 한다(Dương Đình Tường,
2011.09.08.). 옥수수는 구황 작물로 쌀 다음으로 주요한 식량원이기도 하다.
2017년 이후로 점차 생산 면적과 생산량이 줄고 있다.

옥수수 재배 면적과 생산량 (단위: 천 ha, 천 톤)

연도	봄 벼	
	면적	생산량
2010	1,125.7	4,625.7
2016	1,152.7	5,246.5
2022	887.0	4,423.2

출처: 2022 통계연감을 근거로 재작성.

---

11) 남부에서는 '밥 bắp'이라고 부른다. 두 단어를 합하여 '밥 응오 bắp ngô'라고도 한다.

3.3. 고무 cao su

베트남에서 고무나무가 재배되기 시작한 것은 프랑스 식민지 시대 때부터 이다. 프랑스 식민지 당국은 베트남에서 경제적 이익을 극대화하기 위해 장기적인 개발 전략을 세웠고, 그 목적으로 과학자들을 동원하여 경제 조림에 관해 연구하기 시작했는데, 그중에 우선적인 것이 고무나무였다. 그리고 1877년에 고무나무 씨를 들여다 사이공 식물원에서 시험 재배를 했지만 실패하였고, 1897년에는 투저우못Thủ Dầu Một과 냐짱Nha Trang에 연구소를 세워 고무나무 재배에 성공을 거둔 후, 묘목과 씨앗을 전국에 보내 재배했지만 대부분 실패하였다. 그리고 1904년에 시험 재배 농장에서 재배에 성공을 거두면서 남부 베트남에 고무나무 농장이 설립되었다. 이 고무나무 재배 성공에 가장 공헌한 사람은 냐짱 연구소의 예르신Yersin이다. 그리고 고무나무 재배 및 고무 채취 기술의 성공으로 인도차이나 고무 플랜테이션 회사가 1906년 설립된 것을 시작으로 이후 여러 회사가 설립되어 고무 농장을 개설하였다(Nguyễn Thị Mộng Tuyền, 2012.07.25.).

이렇게 시작된 고무나무 재배는 꾸준히 발전하여 2012년 말 기준으로 베트남의 고무나무 재배 면적은 910,500ha이고, 863,600여 톤의 천연고무를 생산하였다. 2010년에는 811,600톤을, 그리고 2022년에는 929,500ha 면적에서 129만 톤을 생산했고, 수출 금액은 약 104억 달러였다(ANH TUÁN, 2023.03.28.).

주요 재배 지역은 동남부 지역의 송베성, 떠이닝성, 동나이성이며, 서부 고원지대와 중부 연안 지역에서 일부 지배되고 있다(Nguyễn Thị Song An, 1991, pp. 19~20).

2018년 수출			2022년 수출		
천 톤	백만 달러	달러/톤	천 톤	천 달러	달러/톤
1,563.4	1,117.3	714.7	2,144.9	3,151.8	1,469.4

출처: 2022년 통계연감을 근거로 재작성.

3.4. 사탕수수 mía

설탕의 원료인 사탕수수는 베트남 전국에 걸쳐 재배되고 있으며, 생산량이 가장 많은 곳은 떠이닝성이다. 2022년 전국 재배 면적은 169,451ha이고, 생산량은 11,083,000톤이었다(Niên giám Thống kê, 2022, pp. 635~637). 설탕을 만들고 남은 찌꺼기인 당밀molasses은 사료나 조미료의 원료로 사용한다.

3.5. 차 chè

남부에서는 차를 남부에서는 '짜trà'라고 부른다. 차는 베트남인들의 가장 보편적인 음료이며, 2012년 현재 재배 면적은 129천 ha이고, 미가공 상태의 생차 기준으로 923천 톤(Niên giám Thống kê, 2012, p. 172)을 생산했으며, 재배 면적으로는 세계 5위, 생산량으로는 세계 6위를 차지했었다(Cổng thông tin Lâm Đồng, 2023.07.13.). 2012년에는 8만여 톤의 차 제품을 수출했다. 2022년에는 123,400ha에서 1,116,700톤을 생산했다. 주로 북부지역에서 많이 생산되며 중남부 지역의 럼동성에서 가장 많이 생산되고 있다. 품질로는 북부 타이응웬성에서 생산되는 차chè Thái를 높게 평가한다.

3.6. 커피 cà phê

커피는 쌀 다음으로 중요시되는 베트남의 전략 농산물이다. 커피 원두의 종류는 크게 고지대에서 자라는 아라비카종과 해발 1,000m 이하, 온도 24~29℃에서 자라는 로부스타종이 있다. 로부스타종은 제초제나 살충제를 사용하지 않고도 수확량이 아라비카보다 두 배 정도이다. 베트남에서 생산되는 원두는 90%가 로부스타이고, 2012년부터 베트남은 로부스타종 커피를 가장 많이 수출하는 국가가 되었다. 전체 커피 원두 생산량으로 보면 브라질에 이어 2위이다. 2012년 재배 면적은 622천 ha, 생산량은 129만 톤, 금액은 34억 달러에 이르렀다. 주요 수출국으로는 독일과 미국, 이탈리아와 스페인 등 에스프레소 커피를 많이 마시는 나라로 수출된다(Bình Nguyên, 2012.11.09.).

2022년에는 655.9천 ha에서 1,954천 톤을 생산했고, 1,777.5천 톤을 수출하여 40억 5천5백만 달러를 벌어들였다(Niên giám Thống kê, 2022, pp. 643~741).

재배 지역은 주로 서부 고원지대이며, 그 중심지는 부온마투옷 Buôn Ma Thuột 인데, 토양[12]과 고도, 기온이 로부스타종에 아주 적합하다고 한다. 아라비카종은 케사잉 Khe Sanh 과 서북지역에서 재배된다(Bình Nguyên, 2012.11.05.).

17~8세기에 유럽의 선교사들이 베트남에 커피를 가져왔다. 그러나 베트남에서 커피가 최초로 재배된 것은 1857년 아라비카종을 시험 재배하면서부터이다. 로부스타종보다 아라비카종을 먼저 시험한 것은 가격이 비싸고, 고도가 높은 지역에 적합하였기 때문이었다. 그리고 1925년부터 대규모로 커피 재배를 시작했으며 농장주는 프랑스인이었고, 노동자들은 주로 소수 종족이었다

---

12) '반철점토ferralsols'라고 하며, 코코넛, 고무, 또는 커피 등의 나무 작물에 적합한 붉은색을 띤 흙으로 베트남어로 'đất bazan' 또는 'đất đỏ bazan'이라고 한다.

(Bình Nguyên, 2012.07.15.).

현재 베트남에는 150여 개 커피 회사가 있는데 가장 규모가 크고 유명한 회사는 쯩응웬_Trung Nguyên 커피로, 1996년 설립되었다. 1998년에는 베트남 교포가 하일랜즈_Highlands 커피를 설립했는데 현재는 외국인이 운영한다. 그리고, 비나카페_Tập đoàn cà phê quốc gia Việt Nam, Vietnam National Coffee Corporation 등이 있다. 베트남 커피 산업은 "풍년이 들면 가격이 내려가고, 흉년이 들면 가격이 상승하는" 현상이 반복되고 있어서 커피 재배 농가들이 많은 어려움을 겪고 있다. 따라서 인건비를 건지기 힘들 때는 수천 헥타르의 커피 농장을 갈아엎는 일도 벌어진다. 또한, 오래된 커피나무를 새로 심어야 하는 등의 투자도 이루어져야 한다. 무엇보다도 외국의 다국적 기업과 경쟁해야 하는 어려움에 직면해 있다. 즉, 재배 기술, 가공 기술의 향상과 시설 투자를 위한 자본 문제를 해결해야 할 숙제가 남아 있다(Bình Nguyên, 2012.11.12.).

3.7. 후추 tiêu

중세 유럽에서는 후추가 '블랙 골드'로 불리는 귀한 물품이었다. 종류로는 흰색, 검정, 초록색 그리고 붉은색 후추가 있다. 이 중에서 흰색, 검정, 초록색 후추는 같은 나무에서 얻는 것으로, 수확하는 시기에 따라 색깔이 달라진다. 주 재배 지역은 서부 고원지대와 서남부 지역이다(Hiệp hội Hồ Tiêu Việt Nam, 2014.07.15.).

2012년 전체 재배 면적은 58,900ha이고, 총생산량은 112,700톤이었다. 그런데 수출량은 116,800톤으로 생산량보다 수출량이 더 많다. 어찌 된 일인가? 정확한 자료가 없어 증명하기는 어렵지만, 그 초과량은 인접국인 캄보디아에서 재배된 것을 베트남이 다시 수입한 것으로 추측할 수 있다. 베트남 정부는 베트남 회사가 캄보디아 국경지대 부근에서 재배한 농산물을 수입할 때 면세 혜택을 주고 있다(Bộ Tài Chính, 2012.11.16.).

후추의 재배 면적이 꾸준히 증가하여 2022년에는 119,600ha에서 272,200톤을 생산하여, 10년 전과 비교하여 두 배 정도 증가하였다.

베트남 남부 지역의 캄보디아 국경 지역은 베트남 주민들과 캄보디아 주민들이 별도의 절차 없이 자유롭게 왕래하는 모습을 볼 수 있다. 마치 이 동네에서 저 동네로 놀러 가거나 품을 팔러 가는 모습처럼 보이기도 한다. 국경 검문소가 있지만 국경 지역 주민들은 국경 검문소 앞을 걸어서 지나가야 하는 것이 규정이라고 한다. 즉 차나 자전거, 오토바이를 타고 검문소 앞을 지날 수는 없고 내려서 걸어가면 된다. 어떤 증명서 검사도 없다. 검문소에서 주민들의 얼굴을 알고 있기 때문으로 보였다. 그들은 국적은 다르지만, 같은 생활권에서 살고 있다.

3.8. 캐슈너트 hạt điều

캐슈너트 나무는 강우량이 500mm~3,000mm, 고도 0~1,200m에 이르는 지역에서도 잘 자라기 때문에 재배 지역이 아주 넓고, 경제성이 매우 높은 과실수이다. 캐슈너트를 직접 먹는 것 외에도 캐슈너트를 짜서 얻은 기름은 마가린이나 약품의 원료로 사용한다. 캐슈너트 껍질에서 짠 기름은 각종 페인트의 원료, 염료, 절연체, 향료, 화장품 등 아주 다양한 쓰임새가 있다. 과일은 비타민 B_2와 C를 많이 함유하고 있으며, 탄닌 성분도 있어서 가죽 가공에 사용한다. 또 과일주를 담그거나 식초를 만들기도 하고 사탕도 만든다. 나무는 섬유질이 길어서 펄프를 만든다. 수액은 살충 효과가 있어서 뜨거운 물에 녹여서 살충제로 사용하기도 하고, 접착제를 만들기도 한다(Nguyễn Thị Song An, 1991, pp. 90~92).

베트남에서 캐슈너트를 재배하는 지역은 주로 중부 이남 지역으로 23개

성에서 재배되고 있으며 가장 많이 재배하는 곳은 빙프억성이며 가장 적게 재배하는 성은 롱안성이다(Tỉnh Bình Phước, 2013.07.18.).

2018년에는 약 33억 7천여만 달러, 2020년에는 33억 4천만 달러, 2021년에는 36억 4천만 달러를 수출했다(Niên giám Thống kê, 2022, p. 739).

3.9. 코코넛 dừa

코코넛만큼 쓰임새가 많은 나무도 없다. 우선 코코넛 파이버와 야자유가 있다. 코코넛 파이버는 가볍고, 질기며 염분에도 잘 견뎌서 밧줄, 매트 외에도 방음, 방열제품의 원료, 매트리스, 비행기 의자 등에도 사용된다. 야자유는 버터, 마가린, 식용유, 비누 제조에 사용되고 화장품의 주요 원료인 글리세린의 원료이다. 코코넛 과육을 짜면 야자유를 얻고, 신선한 코코넛 과육은 코코넛 사탕의 원료가 된다. 또 코코넛 분유를 만든다. 이것은 말레이시아에서 최초로 개발되었는데, 보관이 쉽고 오래 보관할 수 있어서 빠르게 확산하였다. 잎사귀로는 지붕을 이거나 삿갓, 바구니를 만들고, 나무로는 젓가락, 수저, 빗 등 각종 수공예품을 만든다. 기름을 정제하고 난 찌꺼기는 사료의 원료로 사용된다. 겉껍질을 탄화시키면 활성탄이 된다. 이렇듯 코코넛 나무는 경제성이 높으면서도 심고 기르는 데 공이 많이 들지 않는, 대단히 유용한 식물이다(Nguyễn Thị Song An, 1991, pp. 107~108).

코코넛 나무는 북부에서 남부 지역까지 베트남 전국에서 재배한다. 특히 이 나무는 염분이 있는 땅에서도 자랄 수 있어서 바닷가에서도 흔히 볼 수 있다. 코코넛을 가장 많이 재배하는 지역은 벤째Bến Tre성인데, 이곳에서는 2010년부터 매년 "코코넛 페스티벌"이 열린다. 코코넛은 과일 상태로 또는 과육을 갈아 건조한 상태로 또는 과육과 속껍질을 말린 상태로 수출한다. 베트남 코코넛이 과일 형태로 우리나라에 수입되기도 했다. 처리를 잘하면 40~50일간 야자수를 과일 상태로 보관할 수 있다고 한다(VOV, 2013.07.18.).

3.10. 뽕나무 cây dâu

뽕나무는 대부분 잎을 얻어서 누에를 치기 위한 목적으로 재배한다. 뽕나무는 충분한 햇빛과 25~32℃의 적정한 온도 그리고 수분을 공급하면 좋은 품질의 잎을 얻을 수 있다. 프랑스 식민지 이전에는 주로 북부에서 재배되었고, 프랑스가 식민지 지배를 하면서 규모가 크게 확장되었다(Nguyễn Thị Song An, 1991, pp. 169~171).

한서漢書에도 베트남이 "일 년에 두 번의 벼농사와 여덟 번의 누에를 친다(Chu Quang Trứ, 2000, p. 158)"라고 기록되어 있다. 조선의 사신이었던 이수광이 이 책을 읽었던 것 같다. 그래서 1598년 중국의 연경에서 만난 베트남 사신 풍깍꽌[13]에게 이수광이 물었다. "귀국에는 일 년에 두 번 익는 벼와 여덟 번 치는 누에가 있다는데, 사실인가?" 그러자 풍깍꽌이 "일 년에 두 번 익는 벼와 보리가 있고, 여덟 번 치는 누에와 삼이 있다."라고 대답하였다고 지봉집에 기록되어 있다(崔常壽, 1966, p. 86). 베트남에는 "사람이 예쁜 것은 비단 때문이고, 벼가 좋은 것은 거름 때문이다. Người đẹp vì lụa, lúa tốt vì phân."이라는 속담이 있다. 사람의 멋을 드러내는 데는 비단만 한 천이 없다는 것을 강조한 말일 것이다.

베트남의 유명한 실크 생산지는 하노이 하동구의 반푹Vạn Phúc 마을이다. 일반적으로 "하동 실크lụa Hà Đông"로 알려져 있다. 누에를 가장 많이 치는 곳은 서부 고원지대의 럼동성이다. 개방 이후, 실크 제품의 문양과 염색, 디자인을 개발하여 성공한 기업들이 많이 생겨났으며, 외국 관광객들로부터 많은 호응을 받고 있다.

---

13) Phùng Khắc Khoan(馮克寬, 1528~1613), 하떠이성, 현재는 하노이 출신으로 후레 왕조의 관리, 문필가로 이름을 떨쳤다.

3.11. 카사바 sắn

카사바cassava는 타피오카tapioca라고도 하며 키가 2~3m이며, 보통 6~12개월이면 수확이 가능한 뿌리 식물이다. 뿌리의 껍질을 벗기고 물이 담가 독성을 제거한 후, 찌면 거의 고구마와 같은 맛이다. 뿌리의 머리와 끝은 옛날에는 대체 식량으로 많이 사용하였지만, 현재는 공업용으로 많이 사용된다. 주정, 사료, 조미료, 라이신, 구연산 등의 원료로 사용되며, 갈아서 정제하여 말리면 전분을 얻는다. 세계에서 가장 많이 생산하는 나라는 나이지리아, 태국, 인도네시아 순이다. 베트남은 세계 10위 내외이며 서부 고원지대와 동남부 각 성에서 많이 지배한다. 우리나라는 베트남에서 2022년에 97,400톤에 3천1백5십만 달러에 해당하는 타피오카를 수입했다(농림축산식품부·한국농수산식품유통공사, 2023, p. 324).

3.12. 석탄 than đá

베트남의 석탄 매장량은 약 484억 톤으로 추정하고 있으며, 2012년에 약 1,500만 톤을 수출하였고, 그중에서 우리나라도 약 1백만 톤을 수입하였다(Tổng cục Thống kê 2013). 2021년에는 약 120여만 톤을 수출하여, 약 4억 1천만 달러를 벌어들였다(Tổng cục Thống kê, 2023, p. 739). 주 생산지는 유명 관광지인 하롱베이가 있는 꽝닝Quảng Ninh 성이다.

3.13. 원유 dầu thô

베트남 원유는 붕따우 동남부 대륙붕에서 집중적으로 개발, 생산되고 있다. 미국 에너지 정보관리국EIA에 따르면 베트남 동쪽 바다의 원유 매장량은

110억 배럴과 1,900조 입방피트의 천연가스가 매장되어 있다고 한다. 이 지역은 중국의 남부, 인도네시아의 북부, 말레이시아와 부루나이의 서북쪽, 싱가포르의 동북쪽에 있는 바다로, 각국 간에 영해 분쟁이 발생하고 있는 지역이다 (Linh Phương, 2013.2.9.).

2012년 베트남의 원유 수출량은 928만여 톤이며, 우리나라는 91만여 톤을 수입하였다. 2018년 396만 톤, 2021년에는 312만여 톤을 수출했다(Tổng cục Thống kê, 2023, p. 741). 산유국임에도 불구하고 베트남은 많은 양의 석유를 수입한다. 2022년에 우리나라로부터 3백22만 톤의 석유를 수입하였는데, 금액으로는 34억 달러에 해당한다. 특히 2023년 4월까지, 베트남 석유를 가장 많이 수입하는 나라는 캄보디아다(Nguyễn Quốc, 2023.05.16.).

4 과일 (Vũ Thế Bình, 2012, pp. 126~132)

풍부한 일조량과 강수량으로 베트남은 과일이 풍부하다. 우선 자몽bưởi이 있다. 자몽은 종류가 많은데, 주로 산지의 지명을 붙여서 종류를 구별하는 경우가 많다. 우리나라에서 팔리는 수입 자몽보다 훨씬 크다. 북부지역에서 유명한 것은 도안훙 자몽bưởi Đoan Hùng, 중부에서는 푹짜익 단 자몽bưởi đường Phúc Trạch, 남부에서는 떤찌에우 자몽bưởi Tân Triều이 있다.

쫌쫌chôm chôm은 람부탄이라고 하는데, 리치와 같은 과에 속하며 껍질에 털이 돋아 있는 것이 특징이다. 과육은 희고 두꺼우며, 리치보다 즙이 덜하다. 비타민 C와 미네랄이 풍부하다. 쫌쫌의 뿌리는 물과 같이 끓여서 해열제로 사용하기도 한다.

베트남에서는 파인애플dứa을 "과일의 왕vua của các loại quả"이라고 하며, 토종 파인애플dứa ta과 서양 파인애플dứa tây의 두 종류가 있으며, 토종이 크기는 더 크지만, 신맛이 더 강하다. 전국에서 재배되지만, 북부 구릉지와 남부 지역에서 많이 재배된다.

파파야du đủ는 서민적인 과일이며, 비타민 A와 C가 풍부하다. 남부 지역에서 재배하는 파파야는 과육이 붉고, 두껍고 향기가 좋으나 단맛은 덜하다. 긴 호박 모양이며, 메콩 삼각주 지역과 캄보디아 국경 지역에서 많이 재배한다. 겨울에 북부지역에서는 추위 때문에 과일이 더디게 익으므로 많이 재배하지 않는다.

번여지custard apple는 북부에서는 나na라고 하고, 남부 지역에서는 망꺼우mãng cầu라고 부른다. 마치 솔방울 같은데, 간혹 한국 사람들은 수류탄을 연상하기도 한다. 겉은 초록색이며 과육은 희고 씨는 검다. 남부의 닝투언성과 붕따우성에서 많이 재배되고, 길쭉한 호박 모양으로 가시가 있는 형태의 것도 있는데 과일이 아주 크고, 과육도 두꺼우며, 신맛이 난다.

잭 푸루트라고 하는 밋mít은 열량이 높은 과일이다. 나무줄기에서 과일이 열리며, 때로는 밖으로 돌출된 뿌리에 열리기도 한다. 종류도 다양하며 메콩 삼각주 지역에서 많이 재배한다. 과육은 노란색이며 단맛이 있다. 밋 나무는 귀한 목재로 인쇄용 목판, 조각 등에 사용하고 씨는 음식 재료로 사용된다. 과일은 타원형이며, 표면에 작은 돌기가 있다.

용안은 냔nhãn이라고 부르며, 리치, 람부탄과 같은 과에 속한다. 남부와 북부에서 모두 재배하지만, 종류가 다르다. 북부지역의 냔은 나무가 크고, 과육이 얇고 씨가 크다. 흥이엔성의 냔이 유명하고, 남부에서는 동탑성의 냔이 유명하며 과육이 두껍고, 물이 많으며 씨가 작다. 과육을 말리면 한약재로 사용되는 용안육이 된다. 나무 역시 귀한 나무로 치며, 냔이 풍년 들면 그해에 비가 많이 온다는 속설이 있다.

두리안은 서우지엥sầu riêng이라고 부른다. 옛날에 베트남 남부 지역의 한 청년이 돈을 벌기 위해 캄보디아에 갔고, 이 청년이 그곳의 병든 처녀를 고쳐주었다. 그리고 그녀를 아내로 삼았다. 둘은 행복하게 살았지만 얼마 되지 않아 아내가 죽었다. 청년은 고향으로 돌아와 아내를 그리워하며 씨를 심었다. 그리고 과일이 열리자, 그것을 따서 아내에게 제사를 지낸 다음 동네 사람들에게 나누어 주었다. 동네 사람들은 맛있다고 칭찬했다. 그러고 나서 수확 때가 되기 전에 그 청년도 죽었다. 동네 사람들은 안타까워하며 그 과일의 이름을 서우지엥(고독)이라고 지어주었다는 전설이 전해진다. 이 두리안은 그 향이 너무 진해서 먹을 수 있는 사람에게는 아주 특별한 향기로 느끼지만, 그렇지 않은 사람에게는 역겨운 냄새로 느껴진다. 비행기나 고급 호텔 등에서는 반입 금지 품목으로 지정되어 있다. 과일은 아주 크고 1~4kg, 날카로운 가시가 있다. 메콩 삼각주 지역의 띠엔장, 밴째, 껀터에서 많이 재배된다.

리치는 바이$_{vải}$라고 하는데, 북부 국경 지역에서 재배되기 시작했다. 여러 지역에서는 "검은 뻐꾸기 과일$_{quả\ tu\ hú}$"이라고 부른다고 한다. 이것은 과일을 수확기에 검은 뻐꾸기가 울기 때문에 붙여진 이름이다. 껍질은 붉은 갈색이며 얇고, 표면이 울퉁불퉁하다. 과육은 달고 씨는 짙은 갈색이다. 하이즈엉성 타잉하 지역에서 나는 바이가 유명하며 바이 티에우$_{vải\ thiều}$라고 한다. 음력 5월에서 7월 사이에 수확하고, 장에 좋다고 하여 여러 약재로도 사용된다. 단기간에 수확하기 때문에 다 소비시킬 수 없어서 건조하여 팔기도 한다.

밀크 푸루트라고 하는 부스어$_{vú\ sữa}$는 남부에서 재배되기 시작하여 북부로 퍼져나갔다. 크기는 작은 사과만 하고 둥글며, 껍질은 초록색 또는 짙은 보라색을 띤다. 가로로 자른 단면은 별이 박혀있는 모양이라고 하여 '별사과$_{táo\ sao}$'라고도 부른다. 칼로 잘라서 먹지 않고, 손으로 주물러서 부드럽게 하면 즙이 많이 나오고, 그 즙은 마치 우유와 같다. 즙을 마신 다음에 과육을 먹는다.

망고는 소아이$_{xoài}$라고 하며, 베트남의 여러 과일 중에서 비교적 귀한 과일에 속한다. 음력 4, 5월에 수확을 시작하여 7월까지 이어진다. 일조량이 많은 지역에서 나는 것이 맛이 있다. 전국에서 재배되지만, 북부에서는 선라성, 남부에서는 끼엔장 성 지역이 많이 재배한다. 종류도 다양하며 잘 익은 것은 달고 덜 익으면 신맛이 난다. 덜 익은 것은 요리에 신맛을 낼 때 사용하기도 한다. 열량이 아주 높고, 주스를 만들거나 건조 가공하여 수출도 한다(Vũ Thế Bình, 2012, pp. 126-132).

제 2 장

종족, 언어, 교육제도

---

1 종족 các dân tộc

베트남은 여러 종족으로 이루어진 국가인데, 현재까지 알려진 베트남의 종족 수는 다수 종족인 베트남족을 포함하여 54개 종족이 있다. 그중 1999년에 출판된 "베트남 54 종족과 기타 명칭"에 소개된 10만 명이 넘는 종족 수는 13개였다(Bùi Thiết, 1999, pp. 9~12). 가장 인구가 적은 종족은 약 428명으로 예안성에 사는 어두ơĐu족이다. 그리고 2009년 4월 기준의 베트남 통계총국의 자료를 보면 인구가 10만 명이 넘는 종족 수가 20개였고, 2019년 통계로는 21개 종족이다. 또 새로운 종족이 발견되었다는 얘기도 있다(VTC, 2013.08.15.). 여기에서는 인구가 비교적 많은 14개 종족을 간략히 소개한다. 각 종족의 인구 수는 2019년 조사 자료에 근거했다. 그동안 대부분의 소수 종족 인구가 증가했지만, 화교가 줄어든 것이 특징이다.

1.1. 낑Kinh 족

낑족은 베트남족을 종족으로 구분할 때 쓰는 이름이다. 인구 82,085,826명으로, 다수 종족이다. 베트남 전국에 걸쳐 살고 있으며, 특히 평야 지역에 밀집되어 살고 있다. 옛날에 양쯔강 이남에 살던 백월족 중의 하나였으며, 베트남 서쪽과 서북쪽에 살던 종족이 기원전에 중국에 동화되어 따이Tày족과 타이Thái족이 되었고, 평야와 구릉지에 살던 종족은 중국의 문화를 받아들였지만 동화되지 않고 고대 베트남족의 문화를 유지하고 있었다. 한편 중부지역에는 인도 문화를 받아들인 종족인 짬족이 있었고, 북부지역에 있던 베트남족이 938년 중국으로부터 독립하여 그들의 문화를 유지하고 발전시키면서 오늘날에 이르렀다.

1.2. 따이Tày 족

북부 구릉지와 산악지역에 살며 인구는 1,845,492명이다. 논농사를 주로 하며, 목축과 가금, 차, 유실수를 재배한다. 직조와 대나무 공예 등의 수공업이 발달했고, 사냥과 채집의 전통도 유지하고 있다. 15~20호가 모여 마을을 이루고 지상 가옥과 일반 주택이 있으며, 집안에서는 남녀가 방을 따로 사용한다. 엄격한 가부장제를 유지하며, 혼례와 장례 등의 절차가 아주 번거롭다. 조상숭배를 대단히 중시하며 많은 민간신앙이 존재한다. 고유문자 없고 "놈따이Nôm Tày"라고 하는 한자를 이용한 문자를 사용하나 아주 제한적이다.

따이족은 태몽에서 넓은 숲을 보거나 많은 나무를 자르면 사내아이로, 채소를 수확하거나 푸른 들판을 보면 딸이라고 여겼다. 아이가 태어나면 파란 나뭇잎을 문 앞에 걸어서 사람들에게 알리고 3일 동안은 외부 사람이 들어오지 않도록 했다. 이 3일 동안은 집안사람들도 남의 집에 가지 않으며, 새로운 나무와 이상한 물건을 산모 방에 가져가지 않는다. 9일 동안에 남편은 총이나 칼을 사용해서도 안 되며, 말뚝을 박거나 못을 박아서도 안 된다. 3일 후에 점쟁이를 불러 제를 지내고 생강차를 마신다. 이것은 마귀를 쫓고 아이의 건강을 기원하는 의미이다. 한 달이 되면 형편에 따라 돼지 또는 닭을 잡아 잔치하고, 외할아버지는 요람을 선물하고, 외할머니는 아기 띠를 선물한다. 그리고 이름을 짓는다. 생후 40일이 지나면 산모는 일상적인 생활을 한다(Phạm Minh Thảo, 2000, pp. 39~40).

1.3. 타이Thái 족

서북 및 중서부 지역에 모여 살며 인구는 1,820,950명이다. 논농사가 아주 발달하였고 도자기, 직조 등의 수공업이 유명하다. 여성은 흰 윗도리에 검정 치마를 입는다. 씨족 별로 금기사항이 있는데, 어떤 성씨는 호랑이 고기, 새 고기를 먹지 않는 등의 금기가 있다. 조상숭배의 신앙과 농업 생산과 관련된 의례가 많고, 고유한 문자를 갖고 있다.

서북지역에 사는 타이족은 남녀가 서로 사랑하면 남자 쪽 집에서는 집안의 여자를 여자 쪽 집에 보내 의견을 묻는다. 여자 쪽 집에서 만족해하면 술 네 병과 떡 백 개, 빈랑 두 봉지와 생 차 두 봉지와 함께 남자 중매쟁이를 보내서 의견을 묻는다. 여자 쪽 집에서 동의하면 중매쟁이와 신랑 일행이 예물을 들고 여자 쪽 집을 방문하고, 예비 신랑은 결혼식 때까지 여자 쪽 집안일을 도우면서 지낸다. 결혼식 역시 남자 쪽 집에서 예물과 음식을 가지고 여자 쪽 집으로 가서 잔치를 베푼다. 신부를 데려가도록 결정하는 사람은 신부의 큰아버지 또는 작은아버지다. 그러므로 결혼식 날 이들은 아주 정중한 대우를 받는다. 신붓집에서의 의례를 치른 후 신랑 집에 도착하면 집 안으로 들어가기 전에 신랑 집의 어린아이에게 약간의 돈을 주는 풍습이 있다. 3일 후에 신랑과 신부가 다시 신붓집으로 가서 첫날밤을 보낸다. 이때 아이를 많이 낳은 여자가 돗자리를 깔아준다. 그리고 1년에서 3년 동안 처가살이를 한 후에 남자 집으로 돌아온다(Phạm Minh Thảo, 2000, pp. 93~96).

1.4. 므엉_{Mường} 족

호아빙성과 타잉화성 서북쪽에 집중적으로 모여 살며 인구는 1,452,095명이다. 그들 자신은 몰_{Mol}, 모아이_{Moai}, 모_{Mo}족이라고도 부른다. 므엉이라는 명칭은 100여 년 전부터 사용되었는데, 므엉은 원래 산악지역 행정단위의 명칭이었다. 므엉족과 베트남족은 본래 한 종족이었던 것으로 알려졌다. 평야 지역에 살던 종족이 베트남족이 되고 산악지역에 살던 종족이 므엉족이 된 것이다. 벼농사를 주로 하나 목축과 채집 생활의 전통을 유지하고 있다. 세습 가부장제의 전통에 의한 사회조직이 잘 되어 있고, 지상 가옥에 살며 부엌을 중심으로 집안 생활이 이루어진다. 결혼 풍습은 베트남족과 유사하며 장례 의식은 엄격하고 비용이 많이 든다. 므엉어의 80%가 베트남어와 같다.

므엉족 중에서도 므엉비_{Mường Bi}족의 장례 절차를 보면, 사람이 죽기 전에 징을 세 시간 간격으로 세 번 쳐서 친척들에게 알려, 임종하도록 한다. 사망하면 징을 연속적으로 친다. 그런 다음 자몽 잎사귀 물로 목욕을 시키고 나서 나뭇잎과 흰색 천 4장을 깔고 집안 가운데에 안치한다. 위에 면 이불과 수십 장의 홑이불을 덮고, 양쪽에 두 장의 비단 천을 깐다. 그러고 나서 집안의 연장자가 석탄을 바닥에 놓고, 망자에게 옷과 천을 건네주며 독경한다. 망자 주변은 커튼을 두르고, 친척들은 상복을 입는다. 장남은 조상의 제단 문 앞에서 칼을 뽑아 세 번 내리친다. 이것은 이제부터 장남이 조상에 대한 제사를 모시는 사람인 것을 알리는 의미이다. 이어서 징 소리를 크게 울리고, 친척들이 울기 시작한다. 그리고 제사장을 모셔다가 제를 준비하면서 정식으로 장례가 시작된다(Phạm Minh Thảo, 2000, pp. 388~389).

1.5. 크메르Khmer 족

주로 메콩델타 지역의 각 성, 특히 속짱과 짜빙성에 많이 거주하고 하고 있으며, 크메르어를 사용한다. 인구는 1,319,652명이다. 캄보디아에 사는 크메르족과 구별하기 위해 메콩델타에 거주하는 크메르인을 "크메르 크롬"이라고 부르기도 한다. "크롬"은 캄보디아어로 "아래"라는 뜻이라고 한다. 논농사를 주로 하며, 남부 베트남 평야 지역에 맞는 그들만의 독특한 농기구를 만들었으며, 어업과 돗자리, 직조 등도 발전했다. 토기는 낮은 온도 600~800℃에서 구운 단순한 것이다. 음식은 쌀과 생선, 채소와 독특한 느억맘이 유명하다. 주로 시고 매운 것이 특징이다. 대부분 일부일처제의 소가족이나 3~4대가 같이 사는 대가족도 있으며, 모계사회의 영향이 아직도 많이 남아있다. 결혼식을 처가에서 거행하며, 신랑이 처가에 몇 년 동안 또는 자식을 낳을 때까지 머물다가 독립한다. 화장이 보편화하여 있고, 유골은 절에 있는 탑에 안치한다. 남자아이는 3~5년 동안 출가하여 절에서 수행한다.

1.6. 호아Hoa 족

화교를 말하는데 인구는 749,466명이다. 진나라와 한나라 때부터 화교가 있었다고 하지만 그들은 대부분 베트남인과의 혼혈로 베트남족에 동화되었고, 오늘날 화교라고 하는 것은 주로 중국 명나라 이후로 베트남에 정착한 중국인을 말한다. 베트남 남부의 도시는 물론 농촌에도 널리 퍼져있다. 부계사회와 대가족제도, 조상숭배의 전통을 갖고 있다. 가장 두드러진 집단 거주지로 호찌민시의 쩔런Chợ Lớn이 있는데, 이들은 주로 수공업과 상업에 종사한다. 쩔런이라는 의미는 "큰 시장"이라는 뜻이다.

화교가 남부 베트남에 거주하기 시작한 것은 중국 강서성 무관이었던 양언적楊彦迪 일행이 응웬 군주의 심복이 되어 1679년 지금의 미토에 정착하였고, 광둥성의 무관이었던 진상천陳上川 일행이 지금의 비엔호아에 정착했다가, 1698년 사이공으로 이주하여 밍흐엉 마을에 정착한 것으로 전해진다(Nhiều tác giả, 1998, pp. 21~22). 1975년 통일 당시 남부 베트남에는 약 150만 명의 화교가 거주하고 있었다고 한다. 그러나 통일 이후 많은 화교가 자발적으로 또는 타의에 의해 베트남을 떠났다. 특히 1979년 2월 17일 발발한 중월전쟁 이후 화교의 베트남 탈출이 급증하였다. 이와 관련하여 후이득은 주목할 만한 내용을 소개하고 있다. 베트남 경찰이 공식적으로 금을 받고 배를 알선하여 화교들의 탈출을 조장하였다고 한다. 비밀리에 수행된 이 작전명은 "두 번째 방안 phương án 2"이라고 불렀다. 비밀을 유지하기 위해 문서를 남기지 않고 말로 전달되었다고 한다(Huy Đức, 2012a, pp. 122~123).

1.7. 눙Nùng 족

베트남 북부 산악지역에 흩어져 살며 인구는 1,083,298명이다. 밭벼, 옥수수, 과실수를 재배하고 일부는 논농사도 한다. 직조, 도자기 제조 등의 수공업이 있고 사냥과 채집 생활의 전통도 유지하고 있다. 주택은 주로 앞에는 논이고 뒤에는 밭인 언덕에 짓는데, 지상 가옥 또는 기와집, 흙집 등이 있다. 돼지기름을 사용해서 볶은 음식을 좋아하며 따이족과 유사한 풍속을 갖고 있는데, 며느리는 시아버지, 남편의 형제들과 엄격한 거리를 둔다. 그러나 남편의 형제와 결혼하는 풍속을 가진 예도 있으며, 조상숭배, 불교, 민간신앙을 숭배한다.

눙족 여인은 자신의 방에서 산파의 도움 없이, 낮은 의자에 앉아 양손으로 기둥을 잡고 아이를 출산한다. 아이가 나오면 산모가 칼로 탯줄을 끊는다. 탯줄은 통에 넣어, 딸이면 침상 밑에 묻고, 아들이면 벽에 걸어둔다. 눙족 중에서도 눙짜오Nùng Chao족은 탯줄을 대나무 통에 넣어 다른 사람들이 보지 못하도록 집에서 멀리 떨어진 풀밭에 잘 묻는다. 능로이Nùng Lời족은 탯줄을 한지로 싸서 산모나 할머니의 옷장 밑에 둔다. 첫 이레 동안 산모는 보통 방 안에 있어야 하고, 만약 방 밖으로 나갈 때 실로 허리를 묶고 나가야 한다. 이는 마귀가 산모와 아기에게 침입하는 것을 막기 위한 것이라고 한다. 이 마귀는 아이의 얼굴색을 바꾸는 마귀라고 한다. 아이가 태어나면, 반쯤 태운 자몽 가지를 계단 앞에 꽂아 놓아, 외부 사람들에게 아이를 출산했다는 것을 알린다. 3일 동안은 외부인이 들어갈 수 없다. 아이가 태어난 지 3일째에 아이의 건강을 기원하는 제를 지내고 이어서 그 아이를 위한 산파 신 제단을 만들어 제를 지낸다. 산파 신 제단은 보통 조상의 제단 옆에, 그리고 조금 낮게 만들고, 그 아이가 결혼하면 철거한다. 이어 아이의 아버지가 아이를 안고 나와 조상에게 고하고, 친가와 외가의 식구들에게 소개한다. 그리고 한 달이 되면 아주 큰 잔치를 벌인다. 눙안Nùng An족은 아이의 이름을 친숙한 동물인 개, 고양이 등으로 짓고, 성년이 되었을 때 비로소 정식 이름을 짓는다. 눙지Nùng Dih족은 이름을 두 개 짓고, 첫 번째 이름은 15일까지 사용하고, 15일 이후로 청년이 될 때까지는 두 번째 이름을 사용한다고 한다(Phạm Minh Thảo, 2000, pp. 34~36).

1.8. 몽Mông 족

흐몽H'mông이라고도 한다. 북부와 중부 고지대에 살고 있으며, 인구는 1,393,547명이다. 메오Mèo, 미에우Miéu족이라고 불렀다. 계단식 농업이 발달했고, 벼 외에도 옥수수, 보리, 약재를 재배한다. 목축과 사냥, 채집 생활도 한다. 주로 씨족 별로 마을을 이루어 산다. 화려한 색으로 수를 놓은 옷을 입으며, 자유연애, 동성 금혼의 풍속이 있다. 남자 집이 너무 가난하여 결혼식을 치를 형편이 안 되면 부모의 동의하에 은밀한 곳에서 여자를 만나 집에 데려오는 습속이 있다. 또한, 다양한 구비문학이 전해진다.

이들에게 죽음은 조상과의 재회를 이루는 것으로 생각하기 때문에 장례식에서의 슬픔이 덜하다고 한다. 이들이 가장 두려워하는 것은 망자가 조상을 만나지 못하는 것이라고 한다. 사망이 확인되면 총을 쏴서 알리는데, 노인은 9발, 중년은 7발, 청년은 5발, 아이는 3발의 총성을 울린다. 망자에게 목욕시키고, 수의를 입히고 신발을 신겨 방의 가운데에 안치한다. 친족은 망자의 길 안내인을 선택하고, 닭을 잡아 간은 제사를 지내고, 나머지는 망자의 머리맡에 걸어둔다. 길 안내인이 망자의 혼을 안내한다. 사망의 피리를 분다. 이것은 망자의 혼과 집안의 마귀가 이별하고, 묘를 찾아가는 것을 알리는 의식이다. 그러고 나서 망자가 말에 오르는 의식의 피리를 분다. 다음에 피리를 부는 사람과 친척들이 집 주변을 3~4바퀴 돈다. 그리고 친척들이 협의하여 장례 업무를 담당할 사람을 지정한다. 문상객은 정해진 날에 와야 하며 그렇지 않을 때는 영접하지 않는다고 한다. 여자 쪽 사돈은 반드시 닭 2마리와 소시지를 예물로 내야 한다. 저녁이 되면 망자의 삶과 죽은 이유에 관해서 이야기하는데, 보통은 다음 날 아침까지 이어지기 때문에 상주는 돼지를 잡아 접대한다. 그리고 발인한다. 중간에 휴식하는데, 이때 관 주변에 매어둔 소를 잡는다. 이어서 장지로 가서 매장한다. 매장 직전에 장례를 집전하는 사람이 칼로 망자의 옷을 찢고, 휴대한 물건들을 부순다. 가족들은 고인의 마지막 얼굴을 볼 수 있다. 13일 후에 탈상한다(Phạm Minh Thảo, 2000, pp. 378~380).

1.9. 자오Dao 족

891,151명의 인구가 있고, 중국 및 라오스 국경 지역과 내륙의 구릉지에서 살고 있다. 벼농사와 구황 작물을 재배하고, 직조, 목재 가공, 종이 제조, 채유 등의 수공업은 물론 목축과 어업에도 종사한다. 강가나 물을 쉽게 끌어들일 수 있는 지역에 마을을 형성하고, 주변에서 쉽게 얻을 수 있는 재료로 집을 짓

는다. 따라서 일반 주택은 물론 지상 가옥, 반지상 가옥 등이 있다. 여성의 장신구 형태에 따라 종족이 세분되기도 한다. 12살 이상이 되어 죽으면 화장하고, 장기 혹은 단기간의 데릴사위제가 있다. 문자가 없어 한자를 이용해서 적는데 이러한 문자를 "놈자오"라고 부른다.

자오족의 출산은 산모가 앉아서 혼자 낳거나 남편의 도움을 받아서 출산하고, 외부 사람에게 의지하는 경우는 아주 드물다고 한다. 아이가 울음을 터트리면 따뜻한 물로 목욕을 시킨다. 탯줄을 잘라서 바구니에 넣어 나뭇가지에 올려둔다. 이는 아이가 시원하고 건강하여지라는 의미가 있다고 한다. 또한, 탯줄을 말려서 약제로 사용하고, 산모는 식사 때 생강과 술을 같이 마신다. 출산을 알리는 표시는 푸른 나뭇가지나 바나나꽃을 걸어둔다. 만일 출산을 알리는 표시를 하기 전에 외부 사람이 집안에 들어왔고, 그 사람이 남자라면 그 사람은 양부가 되고, 아이의 이름을 "손님"이라고 지어야 한다고 하는 풍습이 있지만 아주 드문 경우이다. 산모는 제사를 지내는 곳, 부엌에 가면 안 되었다. 만일 남녀 쌍둥이를 낳았을 때는 제를 지내야 아이를 키울 수 있다고 생각했다. 태어난 지 3일 후에 산파 신 제단을 만들고 잔치를 벌인다(Phạm Minh Thảo, 2000, pp. 25~26).

1.10. 자라이_{Gia Rai} 족

인구는 513,930명이며, 자라이성에 주로 집중되어 있고 부근의 꼰뚬성과 닥락성 일부에 살고 있다. 화전을 일구어 밭벼를 재배하나 기술이 낙후되어 있다. 그러나 목축과 가금이 발달했고 아직도 사냥과 채집 생활을 유지하고 있다. 주택은 에데족의 것과 같고, 계곡이나 산등성이에 집을 짓는다. 모계사회의 전통을 갖고 있으며 생산과 관련된 여러 신을 믿는다. 전통 악기와 음악이 있고 특히 춤을 좋아한다.

자라이족은 결혼 상대자를 자유롭게 고를 수 있으며, 특히 여성이 주도적으로 남성을 선택한다. 마음에 드는 총각을 찾은 처녀는 중매쟁이를 통해서 총각에게 자기 팔찌를 보낸다. 총각은 동의하면 팔찌를 받고, 동의하지 않으면 팔찌를 거절한다. 거절당한 처녀는 2~3번 계속해서 팔찌를 보낼 수 있고, 끝까지 거절하면 결혼은 성사되지 않는다. 상대방이 동의하면 중매쟁이를 통해서 만날 일시와 장소를 정하고, 그날 처녀는 팔찌를 돌려받는다. 이날에 처녀 집에서는 전통술을 한 통은 중매쟁이에게, 한 통은 총각에게 그리고 한 통은 자신들이 마실 것으로 준비한다. 남자 집에서는 돼지 한 마리를 준비한다. 그리고 한 달 후에 처녀 집에서 결혼식이 거행된다. 방 가운데에 전통 술통[1]을 놓고 남녀가 출입구를 향하여 나란히 앉는다. 중매쟁이가 옆에 앉아서 전통술을 마시게 하고, 두 사람이 팔찌를 교환하도록 한다. 이것은 여자가 남자를 버리면 여동생을 남자에게 주어야 하고, 남자가 아내를 버리면 4마리의 물소로 배상해야 한다는 것을 서약하는 의미가 있다. 그리고 그날 밤 꿈을 중매쟁이에게 알린다. 줄을 잡고 있거나 풀을 베거나 대나무를 자르는 꿈을 꾸면 좋지 않은 꿈이라고 하여 중매쟁이가 신에게 나쁜 일을 일 년 뒤로 미루어 달라고 기원한다. 그리고 다시 나쁜 꿈이 나오면 헤어져야 한다. 그러나 그것을 감수하고 같이 살 수도 있다고 한다. 결혼식 2~3일 후에 총각은 자기 집으로 돌아온다. 처녀는 다시 술 한 통과 닭 한 마리를 가지고 남자 집으로 찾아와 남자를 달라고 요청한다. 보통 남자 집에서는 거절하고, 한 달 후에 여자가 다시 찾아와서 시어머니에게는 옷을, 남편에게는 닭 한 마리를 선물하고, 3일 동안 남자 집에 머물면서 땔감을 구하고, 물을 긷고, 천을 짜는 등 며느리 역할을 한다. 그러고 나서 남자를 자기 집으로 데려오면 결혼식이 끝나는 것이다(Phạm Minh Thảo, 2000, pp. 141~142).

---

[1] 이 술은 베트남어로 'rượu cần'라고 하는데 항아리에 긴 대나무 빨대를 여러 개 꽂아 놓은 것으로, 술을 따라 마시는 것이 아니라 각자 빨대에 대고 마신다. 항아리의 크기는 다양하다.

1.11. 에데Ê Đê 족

인구는 398,671명으로 중부의 닥락성과 자라이성 남부, 푸이옌성과 카잉호아성 서쪽에 살고 있다. 화전과 목축, 사냥, 채집 생활을 한다. 목재를 사용해서 강가나 언덕에 가로로 긴 집을 짓는다. 여성들은 은이나 구리로 된 장신구를 좋아하고, 복장은 화려한 색깔의 천으로 치마와 짧은 윗도리를 입는다. 많은 신화와 전설이 있으며 "담산"이라는 서사시가 유명하다.

에데족은 모계사회의 전통을 갖고 있어, 여자는 어머니 성을 따르고, 집안의 중요한 일을 여자가 결정한다. 장성한 에데족 처녀는 주도적으로 남편 될 사람을 찾아야 한다. 이러한 기회는 마을의 잔치나 축제, 제사 등의 기회를 이용한다고 한다. 특히 봄에 벌어지는 각 축제가 좋은 기회라고 한다. 여성이 맘에 드는 남성을 고르면 집에 와서 부모에게 말하고 중매쟁이를 통해서 남자 집에 의사를 물어보도록 한다. 남자의 부모는 자식의 의견을 물어서 대답한다. 남자 측에서 동의하면 여자 측에서는 중매쟁이를 통해 구리 목걸이와 술 한 통을 예물로 남자 집에 보낸다. 남자 집에서도 정혼의 의미로 구리 목걸이를 여자 집에 보낸다. 그리고 남자 집에서는 여자 집 식구들에게 잔치를 베푼다. 그리고 보통 남자 집에서 여자 집에 요구하는 재물이 있는데, 물소 한 마리, 타잉라thanh la라고 부르는 꽹과리 한 개, 닭 한 마리, 술 10통, 구리 또는 금으로 된 목걸이 2개를 요구한다고 한다. 많은 경우, 여자 집에서 이 재물을 지급할 수 없어서 결혼식이 몇 년씩 연기되기도 한다. 또 남자 집에서 양해하는 경우 결혼식을 올리고, 이 재물을 나중에 갚는 예도 있다고 한다. 결혼식은 이틀 동안 이루어지는데, 첫날 여자 집에서는 소와 돼지를 잡고 신랑을 데려온다. 그리고 밤새 노래와 춤을 춘다. 둘째 날에는 모두 모여 돼지를 잡고 신랑 신부를 축하한다. 이때 신랑과 신부는 술잔을 나누고, 양가 부모와 어른들로부터 당부와 덕담을 듣는다. 결혼식 후에 신랑은 아내의 말을 잘 듣겠다는 서약을 한다. 특히 아내가 외출할 때는 질 통을 메고 따라갈 것을 약속한다고 한다(Phạm Minh Thảo, 2000, pp. 154~156).

1.12. 바나_{Ba Na} 족

몬~캄보디아 어군에 속하는 소수 종족으로 베트남 중서부 산악지역에 흩어져 살고 있다. 인구는 286,910명이다. 화전 농업으로 옥수수, 밭벼, 구황 작물 등을 경작하고, 목축과 직조 그리고 연금술이 뛰어나다. 원두막 같은 형태의 주택으로 지붕이 높고 경사가 가파르게 되어 있으며, 마을을 이루어 산다. 상속의 균등, 결혼의 자유 그리고 자식이 결혼하여 아이를 낳으면 분가하는 풍습이 있다. 남자는 '동코'라고 하는 마치 스모선수들이 입는 옷을 입고, 여자는 천을 둘러서 치마로 입고 소매 없는 윗도리를 입는다. 다양한 제례와 음악, 춤 등 고유한 풍속을 갖고 있다.

바나족은 사람이 죽으면 상가가 장례를 치르도록 동네 사람들은 마을을 떠난다고 한다. 집 한구석에 기둥을 세우고 사체를 세워서 안치한다. 사체 앞에 예물을 놓고 제를 지내고 꽹과리와 징을 치며 곡을 한다. 불붙은 석탄을 집어 가슴에 대거나 칼로 가슴을 치고, 여자는 기둥에 머리를 찧는다고 한다. 이러한 행동은 망자에 대한 유감을 표현하는 것이라고 한다. 제사에 사용한 음식은 사체 앞에서 먹으며 그 음식을 사체의 입에 넣기도 한다. 장례 기간은 가정 형편에 따라 다르며, 제사 의식이 끝나면 천으로 사체를 싸고 나무로 묶어서 운구한다. 매장 전에는 토신에게 제사를 지내고, 봉분을 높이 쌓고, 울타리를 만든다. 매장이 끝나면 마을 사람들이 돌아와 일상생활을 영위한다. 묘지는 1년이 지나면 제사를 지내고 봉분을 허물어서 평평하게 한다. 이후로는 아무도 찾지 않는다고 한다. 상을 당한 사람은 장신구를 하지 않고 머리를 짧게 잘라서 상중에 있음을 표현한다고 한다(Phạm Minh Thảo, 2000, pp. 359~360).

1.13. 산짜이Sán Chay 족

베트남 북부 산악지역에 흩어져 살며 인구는 201,398명이다. 따이~눙어와 유사한 말을 사용하는 그룹과 고대 광둥어를 사용하는 그룹으로 나뉜다. 논농사를 주로 하며, 30~40호가 모여 마을을 이룬다. 옛날에는 따이족의 것과 유사한 지상 가옥에 살았으나 요즘은 일반적인 주택에서 산다. 부계사회의 전통이 있고, 결혼 후에 여자는 아이를 낳을 때까지 친정에서 살다가 출산 후에 시가로 와서 산다. 다양한 음악, 춤 등을 즐긴다.

1.14. 꺼호Cơ Ho 족

몬~캄보디아 어군에 속하고, 베트남 중남부 지역인 럼동성과 인근에 산재하고 있으며 인구는 200,800명이다. 화전을 이용한 밭벼와 논농사를 겸하고 있다. 과실수를 기르고, 요즘에는 커피, 뽕나무도 재배한다. 부계사회이지만 모계사회의 전통이 강하게 남아있어, 남녀가 평등하고, 혼인의 자유가 있다. 붉은색을 좋아하는데, 이는 권력과 즐거움, 부유함의 상징이기 때문이다. 장신구를 좋아하고 다양한 예술 활동을 즐긴다.

2 언어와 문자

서기 1세기경부터 한자를 사용하기 시작한 것으로 추정되며, 20세기 초까지 2천 년 동안 사용되었고, 13세기부터 사용된 쯔놈은 19세기까지 비공식 문자로 사용되었다. 현재 베트남 사람들이 사용하는 문자인 국어는 19세기부터 사용되기 시작했다. 따라서 국어의 역사는 약 150년 정도라고 할 수 있다.

2.1. 한자

'베트남에서 문자가 언제 출현했느냐?' 하는 문제는 베트남 언어학자와 사학자들에게도 관심거리였다. 그들은 선사시대부터 베트남 말이 있었기 때문에 어떠한 형태로든 문자가 존재했을 것이라는 가설을 세우고, 그 흔적을 찾기 위한 노력을 계속했지만 아직은 선사시대의 베트남 문자에 관한 새로운 흔적을 찾아내거나 설득력 있는 설명을 못 하는 실정이다(Phụng Nghi, 1993, p. 9).

따라서 현재까지 알려진 베트남에서 문자 생활은 중국의 지배B.C.111 – A.D.938를 받으면서부터 시작된 것으로 보고 있다. 이에 관해서는 당시에 베트남을 다스리던 중국인 지배자 중에서 선의로 베트남인들을 교육하기 위해 글을 가르친 경우로 한나라 평제 때의 교지 군 태수였던 석광錫光, AD. 29~33까지 구진 군 태수였던 임연壬延, A.D.187~226년까지 교지 군 태수였던 사섭士燮, 진 나라 말기의 교주 차사差使였던 두혜도杜慧度의 예가 있고, 왕망의 난(AD. 8~23)과 189년 한나라 영제가 죽은 후 혼란을 피해서, 여러 한학자가 베트남으로 내려와서 한학을 전파한 경우, 그리고 2~3세기에 중국에서 난을 피해 베트남으로 온 승려들에 의해 불교가 전파되면서 한학도 전파된 것으로 전해지고 있다(Dương Quảng Hàm, 1993, pp. 68~72).

이렇게 유입된 한자는 20세기 초까지 베트남에서 공식 문자로 사용되었다. 구체적으로 베트남에서 한학에 의한 과거제가 폐지된 것은 북베트남에서는 1915년, 중부 베트남에서는 1919년에야 이루어졌다. 즉, 오늘날의 라틴어화한 베트남 문자는 1919년 이후로 전국적으로 널리 사용되었고, 한자와 그들의 민족 문자인 '쯔놈'은 점점 사라져 갔다(Phụng Nghi, 1993, p. 13).

한학은 베트남이 중국으로부터 독립을 이룩한 이후(938년)부터 20세기 초까지 떠이선西山 정권의 통치기를 제외하고는 봉건 왕조의 공식 문자로 자리 잡게 되었다. 꽝쭝 황제는 쯔놈을 국가의 공식 문자로 선포하고, 1789년 예안Nghệ An에서 과거를 실시했는데, 이때는 한학에 의한 과거시험이 아니라 쯔놈에 의한 과거시험을 치렀다. 그러나 꽝쭝 황제가 1792년에 사망함으로써 한자가 다시 공식 문자로서 자리를 차지하게 된다.

2.2. 쯔놈

타국 문자인 한자로는 베트남 사람들의 생각과 감정을 모두 표현하는 데에 한계가 있었다. 그래서 자신들만의 고유한 문자의 필요성을 인식하면서 베트남 민족의 문자인 '쯔놈'을 만들어 냈다. 쯔놈은 "𡨸喃"이라고 쓰며 현재의 베트남어로는 'chữ Nôm'으로 적는다. chữ는 '글자'를 의미하며, Nôm이란 '베트남 사람의 일상적인 말'이라는 의미의 고유 명사이다. 일부에서는 한자에 대응되는 개념으로서 '남방南方'이라는 뜻으로 사용하기도 하는데, 그 근거로 놈Nôm자가 '조놈'gió nồm, 동남풍에서 유래되었다는 점을 든다. gió는 바람, nồm은 동남향을 뜻하며, "gió nồm"은 여름철에, 동남향에서 불어오는 다습하면서도 시원한 바람을 가리키는 말이다. 그 nồm이라는 글자에서 Nôm이라는 글자가 유래되었다고 설명하기도 한다. 그래서 일부에서는 쯔놈을 "Southern script, chữ Nôm"라고 표기하기도 한다(Huỳnh Sanh Thông, 1985, p. 39). 어찌 되었든 간에 '쯔놈'이란 '베트남 사람들의 글자'라는 의미이고, 국음quốc âm이라고도 부른다. 따라서 우리 일부에서 쯔놈을 "字喃"이라고 표기하고, '자남'이라고 읽는 것은 옳지 않다.

또한, 우리가 한 가지 주의할 것은 '𡨸喃'이라는 글자는 중국인들에게는 아무런 의미도 없는 글자이다. 언뜻 보기에 그것은 한자 같지만, 한자가 아니고 한자를 빌려서 만들어진 베트남 사람의 문자이기 때문이다. 쯔놈은 한자가 변형된 형태의 문자였기 때문에, 한자를 잘 모르는 사람들이 보면 쯔놈을 한자라고 생각하기 쉽다. 그런데 실제로 쯔놈은 비록 글자의 형태가 한자와 같다고 하더라도 뜻이 다른 경우가 많았다.

쯔놈의 출현 시기에 관해서는 연구자마다 의견이 서로 다르다. 상고시대부터 있었다는 의견과 중국 산둥성 출신으로 6대째 베트남에 살면서 현지 토착민 즉, 베트남인들과 좋은 관계를 유지하면서 통치했고, 그의 사후에 베트남인들은 사당을 지어 그를 숭배했다는 시니엡Sĩ Nhiếp 士燮(137~226) 때부터 있었다는 설과 풍흥Phùng Hưng 馮興(761~802) 시대부터 있었다는 의견이 있다. 그러나 이와 같은 의견들은 가설에 불과하고 확실한 증거를 제시하지는 못하고 있다(Lê Văn Quán, 1981, p. 17).

789년에 풍흥이 당나라 통치에 대항해서 봉기를 일으켜 791년 봉기에 성공한 후에 백성들이 그를 존경하여 보까이다이브엉Bố Cái Đại Vương 布蓋大王이라 불렀다는 기록이 있는데, '보bố 布'는 아버지, '까이cái 蓋'는 어머니를 뜻하는 순수한 베트남어 즉, 쯔놈이다. 따라서 적어도 8세기 말에는 쯔놈이 있었다는 근거를 제시하고 있다(Dương Quảng Hàm, 1993, p. 128). 그러나 이것 역시 간접적인 근거일 뿐이다.

근래에 들어와서 한월어漢越語의 발음과 중국어의 발음을 대조해서 한월어의 형성 시기를 확정하여 쯔놈의 출현 시기를 유추하려는 연구가 진행되었는데, 그것은 현재도 한월어가 사용되고 있고 쯔놈은 한월어에 기초를 두고 만들어진 문자이기 때문이었다. 그렇게 해서 얻어진 결론은 베트남이 중국으로부터 독립을 쟁취하려던 시기인 8~9세기경에 쯔놈이 출현했으며, 오랜 기간 과도기를 거쳐서 12세기에 이르러서 쯔놈으로 쓴 문건과 창작물이 나타나게 되었다는 것이다. 따라서 쯔놈은 바로 리 왕조와 쩐 왕조시대에 형성되었다고 보는 것이 베트남의 역사적 상황과 부합한다고 할 수 있다(Lê Văn Quán, 1981, p. 69).

쯔놈이 나타난 이후로, 널리 사용될 때까지 긴 과도기를 거친 이유는 쯔놈이 어떤 특정인 또는 특정 그룹에 의해 동시에 창제된 것이 아니라 당시의 식자들이 글을 쓰면서 몇 자씩 쯔놈을 사용한 것을 후대의 사람들이 계속 보충하는 식으로 전해졌고, 12세기에 들어서야 비로소 당시까지 전해진 쯔놈을 가지고 창작활동을 할 수 있을 정도로 쯔놈의 어휘가 풍부해졌으며, 쯔놈을 읽을 수 있는 식자층도 두꺼워졌기 때문으로 추정된다.

쯔놈의 출현은 베트남 역사에서 매우 큰 의미가 있다. 쯔놈은 민족 자강의 의지와 베트남어의 지위를 높이고자 하는 의식 속에서 탄생한 것이다. 쯔놈의 창제는 베트남이 중국으로부터 독립을 쟁취하려는 민족 자주의 정신 속에서 당시 사회의 정치, 경제, 문화에 대한 욕구를 충족시킬 수 있는 충분한 문자의 필요성에서 나왔고, 동시에 중국 문화에 대항할 수 있는 수단을 마련한 것이었다(Lê Văn Quán, 1981, p. 17).

2.3. 쯔놈의 구조

쯔놈의 구조는 크게 두 가지로 나누어 볼 수 있는데, 한자의 원형을 그대로 유지하고 있는 형태와 한자 두 자를 결합한 형태이다. 이 두 형태를 요약하면 다음과 같다(Dương Quảng Hàm, 1993, pp. 128~130).

1. 한자의 원형을 그대로 유지하고 있는 형태.
   1) 음과 뜻이 모두 그대로인 것.
      才tài, 따이, 命mệnh, 멩
   2) 의미는 같지만, 음이 조금 다른 것.
      孤còi, 꼬이, 局cuộc, 꾸옥[2]

---

2) 한월어에서 孤자는 cô꼬, 局자는 cục꾹으로 쓴다.

3) 음은 같으나 의미가 다른 것.

沒một, 못 = 하나, 戈qua, 꽈 = 건너가다

4) 의미는 같으나 음이 아주 다른 것.

味mùi, 무이, 役việc, 비엑[3]

2. 두 자의 한자를 결합하여 한 글자를 만든 형태.

1) 한 자는 뜻을, 한 자는 음을 나타내는 글자를 합하여 만든 형태.

至뜻 + 典음 = 𦥃 đến : 덴 도착하다

南음 + 年뜻 = 𧢮 năm : 남 년

百뜻 + 林음 = 𤾓 trăm : 짬 백100

口뜻 + 內음 = 呐 nói : 노이 말하다

2) 뜻이 같은 두 글자를 결합한 만든 형태.

天뜻 + 上뜻 = 𡗶 trời : 쩌이 하늘

3) 두 글자를 결합하여 만든 쯔놈에 다시 부수를 보태서 만든 형태.

𡗶 음 + 口뜻 = 𡗶 lời: 러이 말

한자를 결합해서 만든 쯔놈은 두 글자 중에서 한 자는 음을 한 자는 뜻을 나타내고 있다. 뜻을 나타내는 글자의 위치는 특정한 규칙이 없이 위의 예에서 보는 바와 같이 좌측에 때로는 우측에 때로는 위에 위치하기도 한다. 그것은 위에서 언급한 바와 같이 쯔놈은 어떤 한 사람이 만든 것이 아니기 때문이다. 그래서 후대로 내려오면서 고정되지 않고 변화를 보이는 쯔놈 글자도 상당수 가 있다. 예를 들면, '~ 안에'라는 뜻의 '쫑trong'이라는 쯔놈은 15세기의 작품 속에는 <竜內>이라고 썼다. 그런데 17세기 작품부터는 <𧄺> 이라는 글자도 같은 뜻으로 사용되었으며, '손'이라는 뜻의 '따이tay'는 15세기에서 17세기 작

---

3) 한월어에서 味 자는 vị비, 役 자는 dịch직으로 쓴다.

품에는 <手思>로 쓰이다가 18~9세기 작품에서는 <抴>로 쓰였다(Lê Văn Quá, 1981, p. 180).

한자를 결합해서 새로 창조해 낸 쯔놈의 수는 전체 쯔놈 단어 수에서 14~16세기에는 약 10.3%에서 17세기에는 10~12%, 18~19세기에는 약 20%까지 되었다고 한다(Lê Văn Quán, 1981, p. 179).

한자는 상형문자이고 표의문자이며 획수가 많아 베트남 사람들이 배우고 기억하기 어려웠으며, 현재의 라틴어화 된 베트남어와 같이 운韻을 나타낼 수 없고, 공부를 한 사람이라도 계속해서 공부하지 않으면 잊기 쉬운 글자였다. 그런데 한자의 변형인 쯔놈은 상당수의 글자가 한자에 획수를 더 보탠 것이었기 때문에 배우기가 더 어려웠고 기억하기 힘들었다. 그래서 쯔놈을 공부하려면 많은 한자를 알아야 했다. 따라서 일반인들에게 널리 사용되는 데는 어려움이 있었다(Phụng Nghi, 1993, p. 10).

현재 전해지는 쯔놈의 기록은 비문碑文, 시詩, 부賦, 쯔놈 소설 등 많은 작품이 남아있다. 그중에서도 끼에우전Truyện Kiều은 베트남 문학의 최고봉으로 인정받고 있다. 쯔놈의 출현은 비록 한자를 빌린 것이었지만 베트남인들이 그들 고유의 민족 문자를 만들어서 민족문화 창달에 이바지했다는데 큰 의의가 있다고 하겠다.

2.4. 꾸옥응으(국어)

오랫동안 한자를 공식 문자로 써오던 베트남에 17세기 초가 되면서 유럽의 많은 선교사가 들어왔다. 선교사들의 목적은 교리를 전파하는 것이었고, 그러한 임무를 수행하기 위해서 현지인과의 접촉은 필수적이었다. 이때 의사소통은 매우 중요했으며, 그것을 이루기 위해서 선교사들은 당시에 베트남에서 사용되던 한자와 쯔놈을 공부하였다. 그 과정에서 선교사들은 베트남어를 듣고

라틴어 알파벳으로 적기 시작하였고, 그것이 현재의 베트남어 즉, 꾸옥응으_{quốc}

ngữ 國語의 모태가 되었다.

베트남어 발전과정

년도	관여자	내용	비고
1621년	João Roiz, Gaspar Luis	베트남에 관한 보고서에 라틴어 표기로 된 베트남어 단어가 있음	성조 표시 없음
1631년	Chintofozo Bossi	중부 베트남에 관한 이탈리아어로 된 보고서에 베트남어 문장이 있음	성조 표시 없음
1633년	Gaspar d'Amaral	북부지역의 교회, 정치, 지리에 관한 보고서에 베트남어가 있음	성조 표기 있음
1644년	Alexandre de Rhodes	선교보고서에 베트남어 문장이 있음	성조 표시 없음
1651년	Alexandre de Rhodes	베트남어~포르투갈~라틴어 사전	성조, 품사, 문법에 관한 설명
1772년	Pigneau de Béhaine	안남~라틴어 사전	부수와 획수로 쯔놈 찾는 법, 복자음 삭제 등 많은 개선이 이루어짐
1777년	Pigneau de Béhaine	국어교리성요國語敎理聖要	
1838년	Taberd, Phan Văn Minh	「안남~라틴어 사전」과 「라틴~안남어」 사전	오늘날의 베트남어와 유사
1878년	프랑스 식민당국	베트남어 사용 허용	1882년 1월1일부로 공문서와 학교에서 베트남어 사용을 허가
1906년	프랑스 식민당국	베트남어 과목을 부과목으로 인정	

출처: Phụng Nghi 1993. pp.10~14.

그러므로 베트남어는 어느 한 사람이 창제한 것이 아니고, 오랜 기간에 걸쳐 여러 사람이 참여해서 다듬어진 결과로 만들어진 것이다. 이 과정에서 천주교 선교사들이 주된 역할을 하였지만, 베트남인들도 많이 참여하였다.

2.5. 베트남어의 특징

베트남어는 6성을 가진 성조어_{tonal language}이며, 단어가 활용이 안되는 고립어_{isolated language}이고, 소리나는 대로 적을 수 있는 표음문자이며, 단음절어_{monosyllabic language}가 많은 언어라는 특징 외에도, 문법적인 면에서 보면, 우리말과는 달리 수식어가 피수식어의 뒤에 오고, 단어의 형태가 문장 상황에 따라서 결합을 달리하며, 다른 단어와 결합하여 품사가 바뀐다는 특징을 갖고 있다(Bùi Đức Tịnh, 1992, pp. 26~35).

또한 기본적인 단어의 구조를 보면, 대부분이 한 개의 형태소morpheme hình vị로 된 단순어từ đơn simple word이고, 두 개의 형태소로 이루어진 복합어từ ghép compounding word 그리고 중첩에 의한 복합어từ láy reduplicative word가 있다(Hoàng Văn Thung, 1994, pp. 15~10).

중첩에 의한 복합어는 초성 자음 또는 각운rhyme을 중첩하여 만드는 복합어로 예를 들면, chúm chím입을 오므리다은 초성 자음을 중첩한 것이고, thắc mắc막히다은 각운을 중첩한 것이다.

그 외에도 순수 베트남어로 된 복합어 중에는 두 형태소의 위치를 전후로 바꾸어도 뜻이 변하지 않는 단어가 있는 반면에 일부 한월어로 된 복합어는 형태소의 위치를 바꾸면 완전히 뜻이 달라지는 예도 있다(Phụng Nghi, 1993, pp. 28~29).

3 교육제도

3.1. 과거제도

베트남에 과거제도가 도입된 것은 리 왕조의 인종 때인 1075년에 당시의 수도였던 탕롱, 지금의 하노이에서 '삼장'이라고 불리는 과거시험이 실시되면서 시작되어 1919년 응웬 왕조의 카이딩 왕(1885~1925) 때 과거제도가 폐지되면서, 845년간을 이어온 한학에 의한 과거제도가 막을 내렸다. 과거제도는 왕조마다 조금씩 다르게 변천되었지만 리 왕조, 쩐 왕조, 호 왕조 과거시험의 공통적인 특징은 조정에서 직접 관장했다는 점이다(Nguyễn Q. Thắng, 199, p. 28).

리 왕조는 베트남 독립왕조로는 처음으로 과거제도를 실시했으나 정형화되지 못했고, 필요할 때마다 실시되었던 것으로 보인다. 이때의 과거시험은 삼장三場이라 해서 유교, 도교, 불교의 내용을 모두 시험에 출제했다고 전한다.

쩐 왕조의 과거시험은 당시 최고 교육기관인 국자감에서 공부하던 학생을 대상으로 시험을 치는 과거인 태학생시太學生試가 있었고, 여기에서 합격한 학생을 태학생이라 불렀다. 또한, 다이띠Đại ty라는 과거가 있었는데, 이 시험에 응시할 수 있는 자는 관리의 자제로 숭문관, 유림관, 수림국에서 공부하는 자나 관리의 자제로 어전 6국에서 관리로 근무하며 공부하던 자, 왕, 왕자, 공주, 왕 친척의 자제로서 관리로 임명된 자, 태학생, 품계를 받은 관리 등이었다.

다이띠는 태학생 시험 사이에 치르는데 쩐 왕조에서는 7번 실시되었다(1246, 1247, 1256, 1266, 1275, 1304, 1374년). 이 시험에서는 장원壯元, 방안榜眼, 탐화探花를 뽑았다. 즉 1등은 장원이고, 2등은 방안, 3등은 탐화라고 불렀다. 이 시험을 궁전에서 쳤기 때문에 정시廷試라고 불렀다. 따라서 1246년 이후로 정시가 출현했는데, 당시에 정시는 조정에서 주관하는 과거시험의 최종단계를 의미했다.

1396년 쩐 왕조의 순종은 과거를 향시鄕試, 회시會試, 정시廷試 의 3단계로 구분하는 조령을 발표했다. 그러나 이는 실제로는 호뀌리의 정책이라고 할 수 있다. 1395년 1월 예종이 사망한 후부터 호뀌리는 사실상의 전권을 갖고 있었기 때문이다. 이 중에서 회시와 정시는 조정에서 직접 주관했는데, 회시 합격자들이 정시를 쳤다. 향시는 지방에서 실시하는 과거였다. 따라서 지방에서 주관하는 과거시험이 생겼다(Phan Huy Chú & Long Điền, 1969, pp. 20~26).

쩐 왕조에서는 수도에 있던 공립학교인 국자감 외에도 제2의 수도로 불리던 상황上皇이 머물던 곳인, 지금의 남딩 지역에도 1281년에 공립학교가 설립되었다. 향시를 치기 위해서 지방에 많은 학교를 설립할 필요성이 제기되었고, 호꿔리는 1397년에 지방 교육을 담당하는 관리를 두고, 교육용 토지인 학전學田을 지급하였다.

1396년부터 호조가 끝나는 1407년까지는 다이띠는 없었고 오직 태학생시만 존재했다. 그 후 명나라에 예속되었다가 1428년 레 왕조가 창건되었으나 레 왕조 초기에는 오랜 전쟁으로 인해 과거시험을 실시할 겨를이 없었다. 그러다가 1442년부터 향시, 회시, 정시의 과거제도가 정규 과거로 자리 잡아서 이후 478년 동안 이어졌다. 레 왕조1428~1788는 명목상으로는 약 360년간 존재했으나 막당중의 왕위 찬탈로 잠시 멸망되었다가 왕조 부흥 운동으로 재건되었다. 그러나 찡씨 가문과 응웬씨 가문이 실권을 쥐고, 남북으로 양분되어 대립했다 (Nguyễn Tiến Cường, 1998, pp. 67~72).

1750년 히엔똥은 과거시험에 드는 비용을 마련할 목적으로 세관의 돈을 납부하는 자에게는 과거 자격시험을 면제토록 하는 조처를 내림으로써 과거시험이 문란해지기 시작했다. 누구나 돈만 내면 과거를 볼 수 있었기 때문에 응시자가 몰려서 밟혀 죽는 일까지 벌어졌다고 하며, 대리시험이나 서적을 들고 과거장에 들어가거나, 관리들이 대신 답안을 작성해 주는 일이 빈번해졌다고 한다(Nguyễn Q. Thắng, 1998, pp. 38~39). 본래 베트남 과거시험은 그 감독이 아주 철저하고 엄격했었다. 다른 수험생의 답안을 보지 못하도록 수험생들은 각각 나뭇잎이나 대나무로 짠 마치 오늘날의 텐트 모양의 집 속에서 시험을 쳤고, 심지어 연못 속에 서서 시험을 치기도 했다고 한다.

마지막 봉건 왕조인 응웬 왕조1802~1945 초기에는 더욱 교육제도와 과거제도를 정비하였다. 그러나 프랑스 식민지로 전락한 후인 1867년 남부 지역에서는 한학에 의한 과거시험을 폐지하였다. 1906년에는 향시의 과목 중에서 한학 부문을 줄이는 대신 국어, 오늘날의 베트남어와 지리, 상식, 수학이 추가되었다. 1908년부터 향시는 1차 과목이 유교 경전에 관한 필기시험과 문장, 윤리, 역사,

정치, 인도차이나 법에 관한 구술시험, 2차 과목은 두 편의 한문 작문이, 3차는 국어 작문과 선택과목으로 불어를 국어로 번역하는 과목이, 4차는 한문 및 국어 작문 시험을 시행했다. 그러나 베트남 조정은 북부에서는 1915년에 중부에서는 1919년에 과거제도를 폐지하기로 프랑스 식민당국과 타협함으로써 베트남 과거제도는 막을 내리게 된다(Nguyễn Q. Thắng, 1998, pp. 46~48).

3.2. 향시 Thi Hương

향시는 지방에서 실시하는 과거로, 향시에 응시하기 위해서는 두 가지 자격을 갖추어야 했다. 첫째는 이력이 분명하고 도덕성을 갖추어야 했다. 불효자, 불륜자, 대상大喪을 당한 자, 역적 그리고 직업적 가수는 자신은 물론 자손도 시험을 칠 수 없었다. 이력서는 싸쯔엉편장이나 지방관의 확인이 있어야 했다. 둘째는 사서오경의 내용을 외워서 쓰는 예비시험을 통과해야 했다. 초기에는 이 예비시험을 향시 직전에 실시하였으나, 나중에는 예비시험이 너무 간단하다고 하여 향시를 치기 한 달 전에 향시와 같이 4단계 시험을 모두 보았다. 그러나 이것은 본격적인 향시가 아니라 단지 향시 응시자를 선발하기 위한 예비시험이었기 때문에 합격해도 아무런 학위를 주지 않았다. 수석 한 사람에게는 스xứ라는 호칭으로 불러주었다.

최초의 향시는 쩐 왕조 때인 1373년에 실시되었다. 그러나 이때는 위에 언급한 규정이 없었다. 위와 같은 규정은 레 왕조 때인 1462년부터 생겨났고, 왕조 초기에는 조정에서 규정한 공통의 규범에 따라 향시를 실시하였다. 조정에서 감찰관이나 채점관을 파견했다. 레 왕조 때부터 향시는 4단계의 시험을 1달 가까이 쳤다. 첫 단계는 경전과 글의 의미를 둘째 단계는 조, 제, 표를 셋째 단계는 시와 부를 넷째 단계는 문책을 시험 보았다. 단계별로 채점해서 통과하면 다음 단계로 진출했고, 떨어지면 고향으로 돌아갔다. 셋째 단계를 통과하고 넷째 단계에서 떨어지면 생도生徒라는 학위를 줬고, 모두 합격하면 향공鄕貢이란 학위를 줬다. 이 명칭은 1466년 레 왕조의 성종이 붙인 것인데, 1828년 밍멩왕 때 수재秀才, 거인擧人이란 이름으로 바뀌었다.

응웬 왕조 초기에 이 향시는 레 왕조와 같았으나 밍멩왕1834년 때부터 둘째 단계를 없애고 3단계로 간소화했다. 그러나 1850년에 3단계가 너무 간소하다고 하여 뜨득 황제는 다시 첫 단계는 경전과 글의 의미를 둘째 단계는 문책을 셋째 단계는 조, 제, 표를 넷째 단계는 시와 부에 대해서 시험을 보았다.

채점은 레 왕조와 마찬가지로 1825년까지 이어 오다 밍멩왕은 모두 응시생에게 4단계의 시험을 치게 했고, 3일간의 간격을 두고 각 단계의 시험을 쳤다. 단계별로 채점해서 합산하여 우열을 가렸다.

향시의 최종합격자 수는 지역과 응시생 수를 고려하여 조정에서 결정했는데, 레 왕조 때는 대략 9~10명의 생도 중에서 한 명의 향공을 뽑았고, 응웬 왕조에서는 2명의 수재 중에서 1명의 거인을 뽑았다(Nguyễn Tiến Cường, 1998, pp. 161~206).

3.3. 회시 Thi Hội

회시는 중앙조정 즉 예부에서 실시하는 과거로 3년마다 실시되었다. 거인회시擧人會試, 공사회시貢士會試라고도 불렀다. 회시는 향시에 급제한 거인, 공사들이 수도에 모여 시험을 친다고 하여 회시라고 불렸다. 회시는 레 왕조의 타잉똥 시기인 1442년에 처음 실행되었고, 채점 방식은 향시와 같이 우優, 평平, 차差, 열劣의 네 등급으로 구분 지어, 열을 받은 자는 불합격이고, 4단계 모두에 합격하면 회시 합격자로 부르고, 정시를 치르지 않으면 향시에서 얻은 학위를 그대로 사용했다. 반드시 정시를 쳐서 합격해야 진사進士라고 불렸다. 1829년 밍멩왕 때부터 회시 합격자를 '정방', 추가 합격자를 '부방'으로 나누어 불렀고, 채점도 11단계로 나누어 객관성을 기하였다(Nguyễn Tiến Cường, 1998, pp. 207~232).

3.4. 정시 Thi Đình

정시는 왕이 직접 주관하는 과거로, 회시의 연장선에 있는 시험이라 할 수 있다. 정시는 보통 회시가 끝난 뒤 1개월에서 3개월 후에 쳤다. 정시는 회시 합격자들의 서열을 정하는 과거로 합격과 불합격을 판정하는 과거는 아니었다. 최종 판정권자는 왕이었지만 왕의 판정을 돕는 별도의 관리가 있었는데 이를 독권讀卷이라 불렀다(Nguyễn Tiến Cường, 1998, pp. 232~240).

3.5. 현대교육

베트남에 현대 교육체계가 도입된 것은 1918년 과거제도를 폐지하면서부터라고 할 수 있다. 인도차이나 통계연감에 따르면, 1937~1938년에 전국적으로 평균 3개 마을에 한 개의 초급학교가 있었다. 이 초급학교는 초등학교 3학년까지의 교육과정인데, 이마저도 전체 인구 중 2%만이 초급학교에 갈 수 있었다. 1941~1942학년도 통계를 보면 당시의 인구는 약 2천2백만 명으로 추산되고 있는데, 이 중 약 3%가 교육을 받을 수 있었다(Phạm Minh Hạc, 1999, pp. 45~46).

1941~1942 베트남 보통교육 현황

구분	공립학교		사립학교	
	학교수(개)	학생수(명)	학교수(개)	학생수(명)
고등학교	3	652	49	11,203
중학교	16	5,521	234	29,573
초등학교	503	58,629	906	48,675
초급학교	8,775	486,362		
합계	9,297		1,189	89,453

출처: Phạm Minh Hạc 1999. p.45.

1945년 8월 혁명이 성공하고, 베트남민주공화국_{월맹}이 수립된 후, 국무회의에서 호찌민 주석이 "무식의 적을 물리치자"라고 제안한 후, 대대적인 문맹 퇴치 운동을 벌임으로써 1년 뒤에는 전국에서 2백만이 넘는 사람들이 문맹에서 벗어났다. 이 운동의 효과를 극대화하기 위한 여러 방안이 제시되었고, 그중에는 가족 전체가 글을 깨친 가정에 대해서 상을 주는 것도 있었다. 또 종이가 부족한 주민들은 종이 대신 나무껍질을 사용하였다.

1951년부터 베트남 정부는 뛰어난 노동자, 군인, 공무원을 대상으로 보충교육을 하여 9학년 과정을 단기에 수료할 수 있도록 하였다. 이러한 교육체계를 통해서 베트남은 전투에 참여하여 단계적으로 통상적인 보통의 정규교육을 받을 수 없는 군인, 공무원들의 학업에 대한 욕구를 해결하였다.

3.6. 북베트남의 교육 1954~1975년

대프랑스 항전에 승리함으로써 반쪽만의 평화를 찾은 것이었지만 북부 베트남은 완전히 사회주의 체제에 놓이게 되었다. 그러나 대프랑스 항전은 베트남에 적지 않은 경제 사회적 어려움을 남겨 놓았다. 원래 낙후된 경제였지만 그나마 다 파괴되었고, 프랑스군이 북베트남에서 철수하면서 대량의 기계설비, 원료, 제품을 실어 냄으로써 베트남 경제를 더욱 어렵게 만들었고, 상당수의 교원이 그들을 따라 남하함으로써 교원의 부족을 가져왔다.

또한, 1954년 이후로 남부 지역 주민들이 수천 명의 초등학생과 중학생을 데리고 월북하였다. 교육 당국은 이들의 문제 해결을 위해서 남부 출신 학생들을 위한 18개의 학교를 설립했다. 또한, 빠르게 증가하는 교육수요를 충족시킬 재정이 필요해졌고, 이에 부응하기 위하여 민간의 후원을 받는 동시에 학비를 징수하도록 결정했다. 각 급의 공무원들은 단기속성 과정을 통해서 교육과정을 이수하도록 했다.

그러나 미국과의 전쟁이 시작되면서 많은 학교가 파괴되었다. 전쟁 초기 몇 년 동안에 거의 1,600개의 학교가 파괴되었다고 한다. 특히 대도시 및 중소 도시에서의 집중적인 강의를 유지할 수 없어서 각 학교는 농촌과 산악지역으로 피신하였다. 학생들은 민가에서 식사를 해결토록 하고 학급을 소규모로 세분하였고, 산중에 임시 거처를 마련하였으며, 주변에 울타리를 쌓고 안전하게 숨을 수 있는 방공호와 연결되는 교통로를 확보하였다. 수업 시간은 대개 폭격 활동이 적은 밤이나 이른 새벽 시간에 배치하였다. 이때 사범 분야와 중공업 분야의 발전이 두드러졌다. 남부를 지원할 교원을 빨리 양성하기 위하여 각 사범학교는 교육의 강도를 높여야 했으며, 어떤 때는 시간을 단축하여 3년 과정을 2년으로 했고, 사립 초등학교와 중학교 교원을 국립 교원으로 편입시켰으며, 일부 하급 교원을 상급 교원으로 격상시켰다(Hà Huy Thành, 1990, pp. 335~339).

1975년 통일 이후에는 남과 북이 다른 교육체계를 통합하는 것 또한 과제였다. 1954년 이후 남부는 여전히 프랑스 교육모형을 유지하고 있었다. 즉, 초등학교 5년제, 중학교 7년제 그리고 대학 과정의 교육체계였다. 응오딩지엠이 정권을 잡은 뒤로, 점차로 미국식 교육체계로 전환하였다. 1960년부터 많은 미국의 교육전문가들이 남부 베트남에 와서 조사했고, 1964년에 미국은 남부 베트남에서 '전국 교육대회'를 소집하였다. 이 대회에서 미국은 프랑스의 구 교육체계를 타파하는 데 중점을 두는 동시에 미국식 12년제 교육제도, 강의와 학습 프로그램의 실용화, 학교의 지방화, 프랑스식 교육제도에 의한 시험제도의 개선을 건의하였다.

1968년 구정 공세 이후로 미국은 "전쟁의 베트남화" 계획을 수립하기 시작하여, 남부 베트남 교육을 완전히 미국식 실용 교육으로 바꾸어 놓았다. 1969년 10월 6일 자로 응웬반티에우_{Nguyễn Văn Thiệu}는 베트남공화국의 교육을 대중화 및 실용화의 원칙에 따라 철저하게 초등학교 교육을 공동화하며 종합중학교를 확대하고 프랑스식 교육의 영향을 받은 중학교들을 실용화 종합화한다고 선언하였다(Hà Huy Thành, 1990, pp. 339~342).

3.7. 통일 후 교육 1975~1990년

남베트남을 통일한 뒤 얼마 지나지 않아 1975년 7월 15일 자로 베트남공산당은 남부 지역의 교육 문제에 관한 지침을 하달했다. 그 내용은 적극적으로 문맹을 퇴치하고 단기속성 교육 운동을 강력히 추진하며, 보통교육을 널리 확대하고 발전시키며 사립학교를 없애고 사회주의 방향에 따른 교육 내용으로 개혁하고, 교육 관리 조직을 설립하며, 구체제의 교원 대다수를 현직에 그대로 두는 대신에 업무와 정치에 관해서 그들을 재교육시키고, 교원이 부족한 학교를 위한 교원양성 사범학교를 설립한다는 것이었다.

1975년 10월 19일부터 남부 베트남의 각 학교가 신학기 개강을 하였는데, 4백만이 넘는 유치원생과 초중고생, 10만이 넘는 교원이 등교하였다. 교육체계는 여전히 12년제였지만 내용은 완전히 새로운 것으로, 새로 바뀐 교과서를 사용해서 교육했다.

특히, 1975년 4월 이전에 남부에는 2,500개의 사립학교가 있었는데, 그중의 절반은 종교단체에 소속되어 있었다. 그러나 통일 이후에 일부는 공립화하고 나머지는 폐교했다. 이로써 베트남 교육체계는 모두 공교육 체계로 전환하게 되었다(Hà Huy Thành, 1990, pp. 343~347).

교육 등급별 베트남 학년제 변화현황

학교별	학년체계					
	북베트남				남베트남	전국
	1945~1954		1954~1981	1981~1989	1945~1994	1989~1994
	프랑스 점령지	해방구				
초등학교	5년제	4년제	4년제	5년제	5년제	5년제
중학교	4년제	3년제	3년제	3년제	4년제	4년제
고등학교	3년제	2년제	3년제	3년제	3년제	3년제
합계	11년	9년	10년	11년	12년	12년

출처: Tổng cục thống kê 2000, Điều tra NKH giữa kỳ 1994, Sổ tay điều tra viên. Hà Nội.

3.8. 현재의 교육체계

베트남 교육법에 따르면, 크게 유아교육, 보통교육, 직업교육, 대학교육으로 나누고 있는데, 교육체계 및 기간은 아래 표와 같다.

베트남 교육체계

취학연령	학교 등급	교육기간
3개월~3세	유아원	1년
3~6세	유치원	3년
6세	초등학교	5년
11세	중학교	4년
	단기 직업학교	1년
15세	고등학교	3년
	실업/직업학교	3~4년
18세	대학교	4~6년
	전문대	3년
22세 이상	석사과정	2년
24세 이상	박사과정	3년 이상

출처: Pham Minh Hac 1999, p.54를 근거로 재작성.

소유 형태별 학교를 보면, ① 국가 소유의 공립학교trường công lập ② 소유는 국가에 속하나 학교가 자체적으로 재정을 충당하는 반 공립학교_{trường bán công} ③ 사회조직에 의해서 설립된 민립학교_{trường dân lập} ④ 개인 또는 몇몇 개인에 의해 투자된 사립학교_{trường tư thục}가 있다.

3.9. 대학 교육 (정연식 & 배양수, 2012, pp. 30~67)

베트남에 현대식 대학 교육제도가 최초로 도입된 것은 프랑스 식민지 시대인 1904년 하노이에 '인도차이나 전문대'가 설립되면서부터이다. 인도차이나 전문대는 1918년 고등교육에 관한 규정이 발효되면서, 명칭이 '인도차이나대학'으로 바뀌었고 기존의 전문대들을 하나로 묶어 종합대학의 면모를 갖추었는데, 당시 의약대학, 법과대학, 사범전문대, 수의대학, 공정전문대, 농경전문대, 상업전문대 등이 소속되었다. 이 전문대들은 1927년 이후로 확대되거나 축소, 해산되는 등 여러 변화를 겪게 된다. 인도차이나대학의 교수는 대부분 프랑스인이었고, 수업도 프랑스어로 이루어졌으며, 베트남 학생들의 수는 그리 많지 않았다.[4]

당시의 전문대와 대학은 제도와 교육 내용 측면에서 차이가 크게 났다고 한다. 전문대는 시험을 치러 선발된 자만 입학하고, 재학 기간에 전원 장학금을 받았으며, 졸업 후에는 관료로 일정 기간을 근무해야 했고 이를 이행하지 않으면 모든 비용을 배상해야 했다. 즉 전문대는 국비로 국가 운영에 필요한 인재를 양성하는 기관과 같은 역할을 했다고 볼 수 있다(Nguyễn Q. Thắng, 2005, pp. 263~265). 대학은 전문대와 달리 나이 제한이나 정원 제한 없이 고등학교 졸업장만 있으면 누구나 시험 없이 입학할 수 있었다. 장학금도 없었

---

[4] (Hà Huy Thành, 1990, p. 349; Phạm Minh Hạc. 1999, p. 47). 엄밀히 말해 가장 먼저 설립된 전문대는 1902년에 설립된 의약전문대이다. 그러나 하노이국가대학교의 전신을 인도차이나대학으로 삼으면서 1904년을 최초의 대학 설립일로 잡고 있다.

고, 졸업 후에도 자유롭게 직업을 찾아야 했다. 대학 역시 전공 분야가 있었지만, 당시 전문대와 견주어 위상이나 실질적인 교육 수준이 높지 않았던 것으로 보인다(Nguyễn Q. Thắng, 2005, pp. 265~266). 전문대이건 대학이건 기본적으로 극소수의 베트남인들에게만 혜택이 주어졌다. 베트남인들이 본격적으로 고등교육의 혜택을 받기 시작한 것은 1940년대에 들어선 이후였다(Phạm Minh Hạc, 1999, pp. 47~48).

1945년 프랑스로부터 독립을 선포한 베트남 정부는 1945년 11월 15일 북부지역에 있던 기존의 대학들이 학생을 모집하여 개강하도록 지시했는데, 이때 개강한 대학은 의과대학, 약학대학, 치과대학, 과학전문대, 미술전문대, 공정전문대, 영농전문대, 수의전문대 등이었다(Hà Huy Thành, 1990, p. 350). 이와 더불어 대학에서 그동안 프랑스어로 되어 있던 교재를 베트남어로 번역하는 작업을 추진한 결과 1950년 이후로는 대부분 대학에서 베트남어 교재로 강의와 학습이 이루어지게 되었다. 교재를 제외한 나머지 부분에서는 대부분 프랑스식 교육방식을 그대로 이어갔다.

그러나 베트남이 독립을 선포한 지 얼마 되지 않아 다시 프랑스와 전쟁을 하게 되면서 대학 교육에 큰 위기가 닥치게 된다. 많은 학생이 직접, 간접적으로 전쟁에 참여해야 했고 대학들 역시 폭격을 피해 비교적 안전한 지방과 서북 산악지역으로 피난하였다. 인적 물적 자원이 부족한 전시 상황에서도 대학은 명맥을 유지하였고 북베트남 정부는 대학 교육의 초점을 주로 초중등 교원과 과학기술자 양성에 두고 지원하였다(Hà Huy Thành, 1990, pp. 350~351).

1954년 북베트남 정부가 하노이를 수복하자, 당시 하노이에 있던 대부분의 전문대와 대학들은 제네바협정에 따라 남부의 사이공으로 이전하여 남베트남 정부 산하의 대학이 되었다. 이러한 상황에서 북베트남 정부는 대학들이 떠난 자리에 신규로 대학을 설립하여 대학 교육을 유지해야 했다. 하노이대학을 포함한 북부지역의 대학들은 대부분 이때 설립된 것이다.

남부로 옮겨간 대학들은 그 후 1975년 남북이 통일된 후에 정부에 의해 해체되었다가 다시 인가를 얻어 남부 지역의 대학 교육을 담당하게 되었다. 호찌민시 농업대학, 인문사회대학, 의과대학, 약학대학, 치과대학, 법과대학, 자연과학대학 등 현재 호찌민시 국가대학교 산하의 대부분 대학은 1954년 이후로 북에서 이전한 대학인 것이다(Nguyễn Q. Thắng, 2005, pp. 267~289). 그 외에도 호찌민시 사범대학의 전신 또한 원래 하노이에 있었던 인도차이나 사범전문대이다. 인도차이나 사범전문대는 1917년에 설립되어 문학과와 과학과 2개 학과에 3년제로 운영되었는데, 1954년 사이공으로 이전한 후 1958년부터 사이공대학교 산하의 사이공 사범대학으로 있다가 1975년 해체된 후 다시 호찌민시 사범대학이 된 것이다.

　　한편 북베트남에서는 하노이 수복 이후에 소련 및 동유럽의 대학 체계를 도입해 대학 교육을 재건한다. 먼저 대프랑스 항전기에 설립되었던 의약대학과 사범대학을 재정비하였다. 1956년 기술사범대와 문학사범대를 합쳐서 사범대학으로 개편하고, 문학, 역사, 수학~물리, 화학~생물 등 4개 학과로 하노이 종합대학교, 현재의 인문사회과학대와 자연과학대를 설립했다. 같은 해에 하노이 공과대학과 농림대학이, 1957년에 하노이 미술대학이 설립되었고, 1959년에는 빙Vinh 사범대학과 재정경제대학이 설립되었다. 이리하여 1960년 당시 북부지역에는 50개 전공 분야에 8개 대학이 있었다. 전체 대학생 수는 1955~1956학년도에 1,140명에서 1959~1960학년도에는 8,000명으로 급증하였고, 1965년에 13개의 대학이 신설되어 1965~1966학년도에는 총 21개의 대학에 34,200명의 대학생이 있었다(Hà Huy Thành, 1990, pp. 355~357).

　　비슷한 시기인 1967~1968학년도 기준 남베트남에는 전문대를 포함해 총 12개의 대학이 있었다. 이들 대학은 사이공대학교, 후에 대학교, 달랏 대학교, 반하잉 전문대, 껀터 대학교, 쟈딩 미술전문대, 공정전문대, 국가기술대, 전기전문대, 농림가축전문대, 후에 미술전문대, 국가행정대학이다. 학생 수는 국가기술대 88명, 쟈딩 미술전문대 98명, 달랏 대학교 1,000명, 사이공대학교 23,300명, 후에 대학교 3,000명이었다(Hà Huy Thành, 1990, p. 359).

　1960년대 말부터 1975년 남북통일이 되기까지 남부와 북부 모두 대학 수와 학생 수에는 거의 변화가 없었다. 통일 후 몇 년간은 남북의 다른 대학 교육 체계를 단일 체계로 통일시키는 데 모든 역량이 집중되었다. 그 후 수년간 대학 수가 80여 개로 급증하게 된다. 전쟁이 끝남으로써 고등교육에 대한 수요가 많이 증가한 데 따른 결과였다. 베트남 정부는 이러한 수요에 부응하고 사회주의 체제 건설에 필요한 전문 인력을 확보하기 위해 대학을 설립하고 교원을 확보하는 데 역점을 두었다. 그러나 1980년을 기점으로 더 대학이 늘어나지 않게 되었다. 인구가 증가했음에도 불구하고 이처럼 대학이 늘지 않은 이유는 교육에 대한 수요가 어느 정도 충족된 데 반해 전후 세대는 아직 대학에 진학할 연령층이 되지 않았기 때문이다. 또한, 1980년부터 캄보디아에 베트남군이 주둔하면서 이후 10년간 막대한 재정지출로 인해 교육에 투자할 여력이 없었기 때문이기도 하다. 이러한 상황은 도이머이, 즉 개혁개방정책이 시행되고 베트남군이 캄보디아에서 철수하는 1980년대 말까지 이어졌다.

　시장경제가 활성화되어 개혁개방정책이 본격적인 궤도에 오르게 되는 1993년 이후로 대학과 학생 수가 다시 증가하게 되는데, 이는 이 시기가 전후 출생한 세대의 대학 진학 시기와 맞물려 있고 시장경제 도입으로 고급 인력에 대한 수요가 새롭게 창출된 데 따른 현상으로 볼 수 있다. 베트남군의 캄보디아 철수로 국방비 지출이 줄고 경제가 성장함에 따라 정부 재정도 확대되어 베트남 정부는 신규 대학 설립을 통해 이러한 사회경제적 요구에 부응할 수 있었다. 2000년 신입생 모집 현황을 살펴보면 베트남 전국에 군사학교, 경찰학교, 예술학교 등을 포함해 171개의 공립 전문대와 대학이 있었던 것으로 나타난다(Bộ Giáo dục và Đào tạo, 2000, pp. 6~11). 1989년 자료와 비교해 보면 비교적 짧은 기간 안에 대학의 수가 70% 가까이 증가했음을 알 수 있다.

3.10. 대학 현황

2000년대에 들어서도 베트남의 대학 수는 꾸준히 증가해 2011년 기준으로 베트남의 대학은 196개 특수대학 28개 포함, 전문대 185개, 석사 및 박사과정을 개설한 연구소/연구원이 22개인 것으로 나타났다(http://vi.wikipedia.org, 2012.2.10.). 그런데 이 수치는 아래 표의 교육부 자료와 약간의 차이가 있다. 교육부 자료에서는 일부 특수대학과 연구원을 포함하지 않았기 때문으로 추정할 수 있다.

통일 후 북베트남 정부에 의해서 재정비된 베트남 대학 체계는 도이머이 정책이 시행된 1986년 이후에도 그대로 유지되다가 개혁개방이 본격적으로 실시되는 1993년부터 대대적인 변화를 겪게 된다. 가장 큰 변화는 하노이 종합대학을 포함하여 하노이 사범대, 하노이 외국어사범대를 묶어서 하노이 국가대학교Đại học Quốc gia Hà Nội를 출범시킨 것이었다. 그 후 단과대학을 늘려 현재 하노이 국가대학교는 6개의 단과대학과 4개의 학과로 구성되어 있다. 이 4개의 학과는 단과대학에 소속되어 있지 않고 국가대학 직속 학과들이다. 하노이 사범대학교는 1999년에 하노이국가대학교로부터 분리되었다.

2011년 베트남 대학 현황

구 분		학교 수(개)	학생 수(명)	교원 수(명)
전문대	공립	193	581,829	19,933
	사립	30	144,390	3,689
대학	공립	113	1,246,356	43,396
	사립	50	189,531	7,555
합계	전문대	223	726,219	23,622
	대학	163	1,435,887	50,951

출처: 1999~2011 베트남 교육현황, 베트남 교육훈련부 자료를 근거로 재작성.

한편 남부에서는 1995년 호찌민시 대학, 호찌민시 공과대학, 경제대학, 호찌민시 사범대학, 호찌민시 건축대학 등, 호찌민시 지역의 9개 대학을 병합해 호찌민시 국가대학교$_{Đại học Quốc gia Thành phố Hồ Chí Minh}$가 설립되었다(Chính phủ Việt Nam, 1995.01.27.). 하지만 대학 본부만 별도로 설치하고 실제로는 각 대학의 자율성이 계속 유지되었다. 앞에서 언급한 것처럼 이 대학들은 대부분 과거 북부에서 이전해 온 대학들이다. 이후 일부 단과대학들은 다시 교육부 산하 대학으로 분리되어 현재 6개의 소속 대학과 1개 학부, 그리고 1개의 연구소로 구성되어 있다.

한 가지 유의해야 할 점은 대학 서열 혹은 입학생 선호도 측면에서 두 국가대학이 모든 분야에서 최상위를 점하고 있지 않다는 사실이다. 예컨대 북부지역에서 최고의 공과대학으로 간주하는 대학은 하노이 국가대학 소속 공업대학이 아니라 하노이 공과대학$_{Trường Đại học Bách khoa Hà Nội}$이다. 전자는 하노이 국가대학이 종합대학의 면모를 갖추기 위해 최근에 설치한 단과대학으로서 전공 분야와 교원의 수, 그리고 시설 면에서 후자에 크게 못 미친다. 반면 남부 지역에서는 학생들이 호찌민시 국가대학 소속 호찌민시 공과대학$_{Trường Đại học Bách khoa Thành phố Hồ Chí Minh}$을 가장 선호한다. 그러나 경제학의 경우 호찌민시 국가대학에서 분리된 호찌민시 경제대학$_{Trường Đại học Kinh tế Thành phố Hồ Chí Minh}$이 호찌민시 국가대학 경제학과보다 우위에 있다. 이러한 현상은 거의 모든 분야에서 나타나는데, 대체로 학생들은 각 전공 분야에서 가장 오래된 대학을 가장 선호하는 경향이 있다.

이러한 연유로 각 대학의 역사가 중요한 쟁점이 되고 있다. 지금까지 살펴본 바와 같이 베트남 대학의 역사는 베트남 현대사의 굴곡과 함께하며 이전, 전환, 폐쇄, 병합 등의 과정을 겪으면서 복잡하게 얽혀있다. 이에 따라 현재 각 대학이 소개하는 대학 내력에는 중복되거나 오해를 살 수 있는 내용이 있다. 베트남 대학들, 특히 북베트남 지역의 대학들이 과거에는 각 대학의 연원을 호찌민의 북베트남 정부가 설립한 연도로 잡고 있었다. 그러므로 하노이의 각 대학은 그동안 대학의 역사를 소개할 때 식민지 시대의 대학 역사에 대해서는 전혀 언급하지 않았다. 이는 민족주의 이데올로기가 지배했던 시기에 정치적인 고려를 한 데 따른 것이었다. 그런데 최근에 들어와 각 대학은 자신의 역사를 식민 지배기에 프랑스가 세웠던 기점으로 거슬러 올라가고 있다. 예컨대 하노이 국가대학교는 2006년에 100주년 기념행사를 했다. 인도차이나대학이 설립된 1906년을 기준으로 계산한 결과이다. 하노이 국가대학교가 개교 이후 식민 지배기에 세워진 인도차이나대학 건물을 계속 사용해 왔다는 점에서 어느 정도 근거는 있다. 아마도 역사와 전통을 과시하고 무엇보다도 베트남 최초의 대학이라는 명예를 남부로 이전해 버린 대학에 뺏기지 않기 위해 그런 것 같다. 거기에 더해 수도이자 권력의 중심인 하노이에 명실상부한 베트남 최고의 대학이 있어야 한다는 심리적인 배경도 작용한 것으로 추측된다. 남부의 대학들도 과거에는 정치적인 이유로 서술하지 못했던 대학의 역사를 이제는 다시 쓰는 추세여서 향후 이 문제를 둘러싸고 대학 역사 편찬에 적지 않은 혼란이 예상된다. 외부의 입장에서는 이러한 역사적 배경에 대한 이해를 바탕으로 각 대학의 역사를 수용해야 할 것이다.

다시 대학 체계를 살펴보면 하노이 국가대학교와 호찌민시 국가대학교 외에 지역별로 7개의 지역거점대학이 있는데 이 가운데 5개 대학, 즉 다낭 대학교Đại Học Đà Nẵng, 타이응웬 대학교Đại Học Thái Nguyên, 후에 대학교Đại Học Huế, 빙 대학Trường Đại Học Vinh, 껀터 대학Đại Học Cần Thơ이 중점대학으로 지정되어 있다. 중점대학이란 국가대학에 따르는 법적 제도적 지원을 받는 대학을 지칭한다. 또한, 교육훈련부 및 관련 부서 산하에 82개의 공립대학이 있는데, 이 가운데 8개가 중점대학이다. 이 8개의 중점대학은 하노이 공과대학Trường Đại học Bách khoa Hà Nội, 국민경제대학Trường Đại Học Kinh Tế Quốc Dân, 호찌민시 경제대학Trường Đại Học Kinh Tế Thành Phố Hồ Chí Minh, 하노이 농업대학Trường Đại Học Nông Nghiệp Hà Nội, 하노이 사범대학Trường Đại học Sư phạm Hà Nội, 호찌민시 사범대학Trường Đại Học Sư Phạm Thành Phố Hồ Chí Minh, 호찌민시 의약대학Trường Đại

Học Y Dược Thành Phố Hồ Chí Minh, 하노이 의과대학Trường Đại Học Y Hà Nội이다. 여기에 군사기술학원Học Viện Kỹ Thuật Quân Sự을 합하여 총 16개의 중점대학이 있다.

또한, 우리의 도립 또는 시립대학에 해당한다고 볼 수 있는 대학이 21개가 있고, 사립대학이 56개가 있으며, 185개의 전문대학이 있다. 학사과정에서부터 박사과정에 이르기까지 학위를 수여할 수 있는 연구소/연구원이 22개가 있으며, 군사대학 및 군사대학원이 22개, 경찰대학과 경찰대학원이 6개가 있다.

2012년 유형별 대학 수

구분	유형		대학수(개)	비고
1	국가대학교		2	하노이국가대학 10개 호찌민시 국가대학 7개
2	지역거점대학		7	지역별 중점대학 4개 대학은 국가대학 체계
3	일반대학		82	8개 대학은 중점대학
4	시도립대학		21	
5	사립대학		56	
6	연구원/아카데미		22	호찌민음악원, 행정연구원 등
7	전문대학		185	공립, 반공립, 사립 포함
8	특수대학	군사	22	
		경찰	6	

출처: http://vi.wikipedia.org 근거로 재작성(2012년 3월 10일 접속).

사립대학은 개혁개방정책으로 시장경제 체제를 도입한 후 1988년부터 설립이 인가되었는데, 특히 2000년대 대도시 지역을 중심으로 소득이 많이 증가하여 대학 교육에 대한 수요가 급증함에 따라 사립대학의 수도 크게 늘었다. 그러나 일부 사립대학들은 교육 시설과 교원을 충분히 확보하지 못해 양질의 교육을 제공하지 못하고 있어 문제가 되고 있다. 2012년 1월 11일 베트남 교육훈련부는 2개의 사립대학과 1개의 사립 전문대에 대해서 교원 1인당 학생 비율이 과도하게 높고, 학교 용지가 아주 협소하거나 신규로 건축할 토지가 없다는 이유로 2012년도 학생 모집을 중지하라는 결정을 내렸다(Quyết định của Bộ Giáo dục và đào tạo, 2012.1.11.). 사립대학은 초기의 어려움을 극복하고, 시장의 수용에 맞는 학과를 개설하고, 과감한 시설 투자로 상당한 성공한 대학이 점차 증가하고 있다. 호찌민시의 반랑대학교, 홍방대학교 하노이의 탕롱대학교 등이며, CMC대학교, 페니카대학, FPT대학 등은 IT 관련 기업이 세운 대학이다.

3.11. 대학의 성격과 명칭

베트남의 대학 체계가 복잡한 만큼 대학의 명칭도 상당히 복잡한 체계를 갖고 있다. 그런데 대학의 명칭은 대학의 법적 지위와 성격을 나타낸다. 대학을 명칭 기준으로 다시 나열해 보면 우선 하노이와 호찌민시에 소재한 국가대학교Đại Học Quốc Gia가 있으며, 지역별로 7개의 지역거점대학이 있다. 이 가운데 5개 대학, 즉 타이응웬 대학교, 후에 대학교, 다낭 대학교, 껀터 대학교는 국가대학교와 같은 체계를 갖고 있다. 국가대학교는 그 산하에 여러 개의 대학 또는 학과를 두고 있는 형태이다. 따라서 국가대학교는 우리의 종합대학교에 해당한다고 할 수 있고, 국가대학교 산하의 대학들과 일반대학들은 모두 단과대학으로 간주할 수 있다.

베트남어로는 대학의 명칭을 구별하고 있는데, 대학교는 다이혹Đại học, 대학은 쯔엉다이혹Trường Đại học이라 칭하고 전문대학은 쯔엉까오당trường cao đẳng이라 칭한다. 현재 베트남에서 다이혹이라는 명칭을 사용하는 대학은 6개로, 하노이 국가대학교, 호찌민시 국가대학교, 타잉응웬 대학교, 후에 대학교, 다낭 대학교, 껀터 대학교이다. 하노이와 호찌민시를 지역적으로 고려하면 결국 이들 6개 대학은 인구수 중심으로 주요 지역을 대표하는 대학임을 알 수 있다. 제도적으로 지역거점대학에 지정된 대학 중 쯔엉다이혹 명칭을 쓰는 대학은 지리적으로는 지역중심지에 자리 잡고 있지만, 인구수에서 이들 6개 지역에 크게 못 미치는 경우로 대학의 규모가 크지 않고, 따라서 중점대학으로 지정되지 않은 것이다. 다만 빙 대학만이 예외적으로 쯔엉다이혹이면서 중점대학으로 지정되어 있다.

다이혹과 쯔엉다이혹을 구분하지 않으면 대학을 정확히 구별하지 못할 수 있는데, 예컨대 하노이의 경우 2개의 하노이대학이 있게 된다. 하나는 하노이 국가대학교, 즉 다이혹이고 다른 하나는 하노이 대학_{Trường Đại Học Hà Nội}, 즉 쯔엉다이혹이다. 후자는 과거 하노이외국어대학이었는데 최근 하노이대학으로 명칭을 변경한 것이다. 영어 명칭은 이러한 혼란을 더욱 가중한다. 베트남에서는 모든 대학이 영문으로 university를 사용하고 전문대학만이 college를 사용한다. 즉 베트남어로 다이혹인 국가대학교도 university이고 국가대학교 소속 단과대학도 university로 표기한다. 그리고 일반 단과대학들도 모두 university로 표기한다. 이러한 관례로 인해 많은 오해를 살 수 있는데, 예컨대 대학교 내에 대학교가 있는 것으로 오해하거나 하노이대학을 영어나 우리말로 인터넷 검색을 했을 때 하노이 국가대학교로 오인할 수 있는 것이다. 다만 하노이 국가대학교와 호찌민시 국가대학교의 경우 영문으로 National University로 표기하고 있어 이 점을 확인하는 것이 도움이 될 수 있다.

그러나 다이혹, 즉 대학교 명칭을 사용하는 나머지 4개 대학교의 경우 영문으로는 여전히 타 대학과 혼동할 수 있어 주의가 필요하다. 6개 다이혹의 장 즉, 총장의 명칭은 쟘독_{giám đốc 監督}이라고 하는데, 이 단어는 보통 기업체의 사장을 일컫는 말이다. 국가대학교를 제외한 모든 대학의 장은 히에우쯔엉_{hiệu trưởng 校長}으로 부른다. 그런데 영어로는 모두 총장에 해당하는 rector로 번역하기 때문에 외국인들이 이를 구별하지 못하게 된다. 이러한 관행은 1993년 하노이국가대학교가 출범하기 이전 모든 대학의 장을 히에우쯔엉으로 불렀고, 이를 영어로 rector로 번역하였던 데서 생겨났다. 그래서 지금도 국가대학교의 총장과 국가대학교 산하 단과대학의 교장, 그리고 일반대학의 교장을 모두 rector로 번역하고 있다. 우리나라에서도 쟘독과 히에우쯔엉을 구분하지 않고 모두 총장으로 사용해 왔다.

그렇다고 단과대학이나 일반대학의 교장을 학장으로 번역하는 것도 어울리지 않는다. 학생 수나 규모에 있어서 종합대학 못지않은 예도 있거니와 그렇지 않다고 하더라도 대학교 소속 각 단과대학은 별도의 직인과 예산을 사용하고 있기 때문이다. 특히 베트남에서 직인을 사용한다는 것은 독립적인 법인임을 인정하는 것이다. 베트남에서 직인은 어떤 단체나 조직이 임의로 만드는 것이 아니고 정부 법령으로 정해진 조직만이 직인을 가질 수 있고, 이 직인은 경찰에 등록된다. 조직의 형태에 따라 그 크기와 형식이 규정되어 있다. 또한, 국가대학교 소속 대학들도 모두 자체 로고를 사용하며 예산을 비롯한 학교 운영 전반에 걸쳐 상당한 자율성을 확보하고 있다. 국제교류 부분을 예로 들자면 대학마다 이를 담당하는 조직과 인력을 두고 자체적으로 교류하고 있으므로 실효성 있는 국제교류를 위해서는 국가대학교 본부보다는 각 대학과 교류 협정을 체결하는 것이 더 효과적이다.

베트남 대학 명칭 사례

대학		베트남어	영어
하노이국가대학교		**Đại học** Quốc gia Hà Nội	Vietnam National **University**, Hanoi
소속대학	인문사회대학	**Trường Đại học** Khoa học Xã hội và Nhân văn	**University** of Social Sciences and Humanities
	교육대학	**Trường Đại học** Giáo dục	**University** of Education
	경영학과	**Khoa** Quản trị Kinh doanh	Hanoi **School** of Business
하노이공과대학		**Trường Đại học** Bách khoa Hà Nội	Hanoi **University** of Science and Technology
하노이사범대학		**Trường Đại học** Sư phạm Hà Nội	Hanoi National **University** of Education

베트남의 모든 대학이 영문명으로 university를 사용하게 된 경위는 개방 이후로 외국 대학들과의 교류가 활발해지면서 대학의 위상을 상대 대학과 대등하게 하도록 쓴 것으로 추측되는데, 실제로 많은 대학이 규모 면에서 종합대학교의 규모를 가지고 있기도 하고 자신을 외국의 종합대학에 해당한다고 인

식하고 있다. 사실 베트남에는 우리가 사용하는 단과대학의 개념이 없다. 이러한 사정을 고려해서 베트남의 대학교 명칭을 우리말로 번역할 때 대학과 대학교 중 어느 것으로 할지는 상대 대학의 의견을 존중해 영어식 표기에 따라 결정하는 것이 바람직하다. 영어로 어떻게 표기되든지 간에 분명히 인식해야 할 것은 베트남어로 다이혹과 쯔엉다이혹은 법적, 제도적 차이, 나아가 사회적 인식까지 다르다는 점이다.

학과는 베트남어로 콰_{khoa}인데 영어로 표기할 때 school로 쓰기도 하고 faculty로 쓰기도 한다. 최근에는 미국식 department도 쓰이고 있다. 일반적으로는 학과의 영문 이름으로 faculty가 가장 보편적으로 쓰이고 있으며 school은 단과대학 수준의 독립된 학과를 가리킬 때 주로 쓰인다. 예컨대 하노이국가대학교의 경우 경영학과를 School of Business로 표기하는데, 경영학과가 단과대학에 소속되지 않은 학과임을 나타내고 있다.

3.12. 입시제도

베트남 대학입시 제도도 개방 이후에 계속 바뀌어 왔다. 개방 초기부터 한동안 주로 3과목의 시험을 지원대학에 가서 치러야 했다. 한 과목당 180분의 주관식 시험이었다. 1997년 입시 때, 한 학생의 수학 시험 문제를 본 적이 있는데, 3문제가 출제되었고, 시험지 윗부분에 "시험시간은 180분(시험지 배포 시간 제외)"이라고 쓰여 있었다. 그러니 채점하는 데 엄청난 시간이 걸렸다. 국어 시험의 경우 여러 전형에서 시험 과목으로 채택되어 있어서 국어국문과 교수들은 거의 한 달 내내 채점에 매달려야 했다. 시험지마다 두 사람이 채점(10점 만점)하고, 두 사람의 점수 차가 1.5점 이상이면 제삼자가 다시 채점하는 방식이었다. 대학 교수들이 여름 방학 한 달 이상을 채점에 매달리는 것을 보고, 개선을 건의한 적도 있다.

이러한 선발 방식이 계속 개선되어 2023년에는 20가지의 선발 형식으로 바뀌었다. 이를 보면, ① 고등학교 졸업시험 결과로 선발 ② 고등학교 성적으로 선발 ③ 선발 규정(제8조)에 따른 직접 선발 ④ 제안서와 기타 방식을 결합한 선발 ⑤ 대학의 계획에 따른 직접 선발 ⑥ 대학 자체의 능력, 사고 평가에 따른 선발 ⑦ 타 기관(대학)의 능력, 사고 평가 결과로 선발 ⑧ 대학 자체 상식 시험 결과로 선발 ⑨ 타 대학 문화시험 결과로 선발 ⑩ 고등학교 졸업시험과 기능 시험을 결합하여 선발 ⑪ 고등학교 성적과 기능 시험을 결합하여 선발 ⑫ 고등학교 졸업시험과 고등학교 성적을 결합하여 선발 ⑬ 국제 인증서(IELTS, TOEIC, TOEFL 등)로 선발 ⑭ 고등학교 졸업시험과 국제 인증서로 선발 ⑮ 고등학교 성적과 국제 인증서로 선발 ⑯ 외국에서 고등학교를 졸업자 선발 ⑰ 인터뷰로 선발 ⑱ 고등학교 졸업시험과 인터뷰로 선발 ⑲ 고등학교 성적과 인터뷰로 선발 ⑳ 기타 방식으로 선발 등으로, 선발 방식이 상당히 다양화되었음을 알 수 있다(Minh Trang, 2023.05.06.).

제3장

명절, 출산, 장례

1 명절과 국경일

　베트남에서 가장 큰 명절로는 설이 있고, 각종 국가기념일이 있으며, 많은 축제가 있다. 여기에서는 주요한 명절과 기념일을 소개한다. 베트남도 우리와 같이 구정을 지내기 때문에 양력설은 그다지 큰 의미를 갖지 않는다. 설을 맞는 준비는 섣달에 이미 시작이 되고, 본격적으로는 섣달 23일 조왕신에 대한 제사로부터 시작된다. 이때부터 시작하여 구정을 지나 정월 대보름 그리고 이어지는 2, 3월까지 먹고 노는 풍습이 오랫동안 전해져왔다. 또, 대다수의 베트남 마을 축제가 이 시기에 집중되어 있다. 물론 현재는 이렇게 긴 기간 동안 휴식을 취하는 것은 아니고, 대부분 일주일 정도의 설 연휴를 지낸다. 하지만 농촌에서는 여전히 긴 휴식을 즐기는 일이 깊은 전통으로 자리 잡고 있다. 그래서 베트남 사람들은 "정월은 먹고 노는 달_{Tháng giêng là tháng ăn chơi.}"이라는 민요 가사가 있다.

1.1. 설 Tết Nguyên Đán, 元旦節 (Nhất Thanh 1992: 296~312)

설은 베트남의 가장 큰 명절이다. "뗏_{tết}"은 한자 "띠엣_{tiết} 節"의 변음으로, 명절을 의미하고, "응웬단_{nguyên đán} 元旦"은 "새해 아침"이라는 의미이다. 즉 설날을 일컫는 말로, 우리말과 같은 의미이다. 보통 "뗏응웬단"를 줄여서 "뗏_{Tết}"이라고 하면, 설을 가리킨다. 또한, 양력설과 구분할 때, 양력설은 "뗏떠이_{Tết tây} 서양 명절", 설날은 "뗏따_{Tết ta} 우리 명절"이라고 부르기도 한다.[1]

베트남의 설 분위기는 섣달 23일부터 시작된다고 할 수 있다. 이날에는 점심때 또는 오후에 조왕신에 대해 제사를 지낸다. 이 풍습은 도교에서 유래한 것으로, 부엌을 관장하는 조왕신[2]이 섣달 23일에 잉어를 타고 하늘로 올라가 옥황상제에게 1년 동안 그 집안의 일을 보고한다고 믿었다. 그래서 안 좋은 일을 잘 보고해달라는 의미로 제사를 지낸다. 예물로 향, 초, 과일, 산 잉어 또는 종이로 만든 잉어와 가짜 종이돈, 종이로 만든 모자 등을 올려놓는다. 요즘은 상점에서 종이로 인형처럼 만들어서 세트로 판매한다. 이것들은 제를 지낸 후 모두 불태운다. 이 풍습은 지금도 잘 지켜지고 있으며, 이날에는 TV 방송국에서도 "따오꿘"과 관련된 프로그램 제작, 방송한다.

그믐날이 되기 전에 필요한 물건을 미리 산다. 아이들의 옷은 물론 음식 등을 준비하는 것이다. 옛날에는 각자 집에서 손수 준비했지만 요즘 도시에서는 상점에서 사는 것이 일상화되어 있다. 설 전에 제단을 깨끗이 닦고, 제기도 손질한다. 설 3일 전부터는 아주 바쁘다. 베트남 전통 떡인 바잉쯩_{bánh chưng}을 찌고, 농촌에서는 형편에 따라 돼지를 잡는다. 물건을 빌렸거나 빚이 있는 경우에는

---

1) 또한, 뗏까_{Tết Cả} 큰명절, 뗏엄릭_{Tết Âm lịch} 음력설, 뗏꼬쭈옌_{Tết Cổ truyền} 고전명절, 뗏비엣남_{Tết Việt Nam} 베트남 설으로 부르기도 한다.

2) 베트남어로 Táo Quân_{灶君}, Táo Vương_{灶王} 또는 Ông Táo라고 부른다.

최대한 설날 전에 돌려준다. 빚을 다음 해로 넘기는 것은 좋지 않다고 생각했기 때문이다. 그래서 옛말에 "똑똑한 사람은 관청 문 앞에 가면 뭘 할지 알고, 부자인지 가난한지는 섣달그믐날 되면 안다네.Khôn ngoan đến cửa quan mới biết, Giàu khó ba mươi Tết mới hay."라는 말이 있다. 이 말은 관청에 가면 관리가 돈을 뜯어내기 위해 이리 묻고 저리 묻는데, 눈치 있는 사람은 돈을 달라는 것을 안다는 뜻이며, 섣달그믐날에 돈을 갚으러 다니거나, 빚 독촉을 받는 사람은 당연히 가난한 사람을 일컫는 말이다. 그리고 타지에 나가 있던 사람들은 고향으로 돌아온다. 만약 어떤 이가 설날 고향을 찾지 않으면 동네 사람들은 그 사람이 아주 고생한다고 생각했다.

늦어도 그믐날 오후가 되기 전에 긴 대나무를 마당에 꽂아놓는 풍습이 있는데, 이것을 "꺼이네우cây nêu"라고 한다. 대나무 끝에는 가지와 잎사귀가 있는 상태로 두고, 붉은색 천을 길게 매달고, 바람에 흔들리며 부딪히는 소리가 나도록 흙을 구워 만든 풍경을 몇 개 달아 놓는다. 이 풍습은 이곳에는 주인이 있는 곳이니 마귀가 넘보지 말라는 의미가 있다고 한다. 꺼이네우를 세우기 불편한 집은 대문에 석회로 장기판, 활과 화살을 양쪽에 바깥쪽을 향해 그려놓기도 하였다. 꺼이네우는 음력 정월 7일이 되면 철거한다.

제야의 밤Đêm giao thừa이 되면 묵은해를 보내고 새해를 맞이하기 위한 준비를 한다. 옛날 농촌에서는 각 가정집이 아니라 마을에서 제물을 차려놓고 제사를 지냈다고 한다. 도시의 일부 가정에서는 간단한 제물을 차려서 제사를 지내기도 한다. 이 제사를 레쯔띡Lễ trừ tịch 禮除夕이라고 한다.

1940년대 이전에는 그믐날 밤에 가난한 집 아이들 서너 명이 모여서 대나무 통에 동전을 넣고 흔들며 이집 저집 돌아다니면서 구걸하는 풍습이 있었다고 한다. 아이들이 집 앞에서 노래를 부르면 돈을 주었고, 대나무 통 속의 동전은 아이들이 움직일 때마다 "딸랑딸랑" 소리를 내서, 이 풍속을 "숙싹숙쎄súc sắc súc sẻ"라고 한다. 이 풍속은 없어진 지 오래됐다.

또한, 근래에 사라진 풍속으로 "폭죽놀이"가 있다. 그믐날 밤 11시 40분쯤부터 터뜨리기 시작하여 새해 0시까지 이어지는데, 온 시내가 화약 냄새와 연기로 뒤덮인다. 집마다 경쟁적으로 폭죽을 사서 터뜨리기 때문에 경제적인 낭비도 심했고, 무엇보다도 크고 작은 안전사고가 빈번히 발생했으며, 불이 나는 경우도 있었다. 이에 베트남 정부는 1995년부터 폭죽의 생산, 판매, 놀이를 완전히 금지하였다(Thủ tướng Chính phủ, 1994.8.8.). 대신에 그것을 대체하여 각 행정기관에서 제야의 밤에 "불꽃놀이"을 준비하여 주민들이 즐기도록 하고 있다.

새해 새벽에 절이나 사당을 찾는 풍속이 있다. 자신들이 평소에 다니던 절 또는 집에서 가까운 절을 찾아가서 복을 빌고 온다. 보통 절 앞에서 향을 사서 분향을 하고 오는데, 이때 절에 있는 나뭇가지를 꺾어 와서 처마 끝에 매달거나 조상의 제단 앞에 둔다. 이 녹색의 나뭇가지를 꺾어 오는 풍속을 하이록_{hái lộc}이라고 한다. 농촌에서는 너무 어두워 통행이 불편할 경우는 새해 아침 조상에 대한 제사를 마치고 나서 절을 찾았다고 한다.

새해 첫날 성격이 좋고 즐거운 사람이 최초로 집을 방문하면 일 년 내내 좋은 일이 생기고 그렇지 않은 사람이 방문하면 재수가 없다고 생각했다. 따라서 미리 첫 번째로 자기 집을 방문할 사람을 정해서 부탁하는 일이 흔했다고 한다. 이러한 풍속을 "쏭냐_{xông nhà}" 또는 "쏭덧_{xông đất}"이라고 한다. 집주인은 쏭냐한 사람에게 빨간 봉투에 돈을 넣어 답례하는데, 이것을 "머항_{mở hàng}"이라고 한다. 장사나 사업하는 사람들은 특히 이 쏭냐를 중시했고, 도시에서는 제야에 불꽃놀이를 구경하고 나서 절에 가서 복을 빌고 돌아오면서 쏭냐를 하는 경우가 많다. 이때 자식이 많은 집에서는 그 자녀 중에서 가장 먼저 집에 들어오는 아이가 쏭냐하는 사람이 된다.

정월 초하룻날은 조상 제사를 지내고, 일가친척을 방문하며, 초이튿날에는 외가를 방문하고, 초사흘에는 은사의 집을 방문하는 것이 보통으로 되어 있다. 집을 방문하면 바로 제단에 분향하고 3번 합장하는 것이 통례이다. 손님이 찾아오면 반드시 차나 술을 접대하고, 손님은 거절하지 않고 조금이라도 손을 대는 것이 예의이다. 조상에 대한 제사는 3일 내내 지낸다.

친척의 아이들이 집을 찾아오면 주인은 반드시 돈 봉투를 준다. 또한, 손님도 주인의 아이들에게 봉투를 주는데 이것은 우리의 세뱃돈과 같은 것이다. 이것을 "띠엔믕뚜오이_{tiền mừng tuổi}"라고 하며, "띠엔머항_{tiền mở hàng}"이라고도 부른다. 이 세뱃돈은 홀수로 준다. 홀수로 주는 것은 '짝수로 딱 떨어지는 것이 아니라 항상 남는다.'라는 의미이다.

설날에는 큰소리치거나 혼내는 것을 삼가고, 그릇을 깨뜨리지 않도록 주의하며, 흰색 옷을 입지 않는다. 명절 3일 동안은 청소한 쓰레기를 한곳에 모아 놓고, 밖에 버리지 않는다. 쓰레기를 밖으로 버리면 복이 나간다고 생각하기 때문이다. 대상을 당한 사람은 설에도 인사를 다니지 않는다. 제자들이 함께 모여 은사 집을 찾는 경우를 제외하고, 초사흘에는 다른 집에 인사를 다니지 않는 것이 보통이다.

베트남 사람들에게 있어 설은 가장 중요한 명절이었고, 베트남 전쟁 당시에도 설이 되면 양측이 휴전에 합의하기도 했다. 그런데 1968년 설에는 북베트남이 설 명절 휴전 합의를 깨고 기습 공격을 감행하여 사이공에 있던 미국 대사관이 잠시 점령당하기도 했다. 1967년 북베트남 기상청은 음력 일수를 조정하여 음력 날짜가 하루 일찍 돌아오도록 결정했었다. 즉, 통상적인 설날이 내일이라면 1968년 북베트남의 설날은 오늘로 당겨진 것이다. 그리고 1968년 구정에 전면적인 총공격을 감행했는데, 이 설이 당겨진 것을 안 후에 지방에서는 통상적인 설날보다 하루 일찍 공격을 시작했고, 남부 사이공에서는 다음날 공격이 시작됨으로써 혼란을 겪었다고 한다. 이렇게 중요한 날짜를 음력으로 정한 것은 '쉽게 기억하기 위해서'라고 쩐바익당 씨가 말하는 것으로 보아 1960년 후반에도 베트남 사람들이 양력보다 음력을 더 많이 사용했던 것 같다. 이렇게 미리 설을 쇠는 것을 "안뗏썸ăn Tết sớm"이라고 하고, "설을 미리 쇤다."라는 의미이다. 남베트남 민족해방전선의 총사령관을 지낸 쩐바익당 씨는 그의 회고록에서, 섣달 29일 오후 한 시에 설음식을 차려놓고 막 먹으려고 할 때 공격 명령이 하달되어 음식을 제대로 먹지도 못하고 바로 사이공으로 행군했다고 기록하고 있다. 이 1968년 무신년 공격을 "구정공세Tet Offensive"라고 부른다. 그들은 이 무신년 구정공세를 1788년 무신년에 섣달 25일 응웬후에Nguyễn Huệ가 황제를 칭하고 중국 청나라군에게 공격을 개시한 역사적 사건에 비유하여 "뗏꽝쭝tết Quang Trung"이라고 불렀다고 한다(Trần Bạch Đằng, 2006, pp. 156~167)

0시의 하노이 발췌

새집에서의 첫 명절 날씨는 옛집에서의 마지막 설 때의 날씨와 똑같았다. 또한, 섣달도 같은 29일짜리였다. 거의 한 달 내내 여름처럼 무더웠다. 넷면의 복사꽃이 모두 활짝 피었고, 그리고 조왕신에게 제사 지내는 날 바로 전날에 북풍이 몰려왔다. 날씨가 매우 추웠으며 찬 서리가 대보름까지 길게 이어졌다. 많은 사람의 기억 속에 갑신년1964년-역자주 명절에서 이번 무인년1998년-역자주 명절까지 수십 년 동안 올해처럼 추운 설날은 없었던 것 같다. 아마도 과거로 다가가면서 집은 새것이지만 사람은 옛사람이었기 때문이 아닌가 싶다.

…

그러나 한적한 겨울밤의 차가움으로부터 봄이 도시로 들어오는 시끌벅적한 소리가 들렸다. 길을 건너는 어떤 사람의 손에 든 복사꽃. 금귤 화분이 자전거 뒤에 실려 지나갔다. 벌거벗은 나뭇가지에서 움이 트고 있었다. 한밤중 거리에는 사람의 그림자를 보기 힘들었지만, 거리 양쪽의 집안에서는 밤새 쿵쾅거리는 발걸음소리, 얘기 소리, 방을 정돈하는 소리, 꽃병을 놓고, 족자를 걸며 제단을 정리하는 소리가 들렸다. 하루가 모자란 음력 작은달이었기에 설이 급히 온 것이다. 이제 음력 스무여드레인데 내일이면 제야의 밤이 되는 것이었다.

까마우 사람인 화가 남빈은 통일 클럽에서의 향우회를 마치고 마지막 전차로 집에 돌아왔다. 그는 거리 초입의 사거리에서 하차했다. 가로등은 매일 같이 여전히 희미하고 누르스름했지만, 그날 밤 대부분 집은 잠을 자지 않고 있었고, 창문을 통해 새어 나온 불빛이 인도와 길 가운데까지 비추고 있었다. 3번지 집 앞에 있는 공동우물에서는 여인네들이 여전히 쌀과 라종 잎을 씻고 있었다. 수도꼭지에서는 물이 콸콸 쏟아지고, 찜통은 부딪히며 쨍그랑거렸다. 길 저쪽의 인도, 4번지 이층집 앞마당에는 드럼통으로 만든 찜통에서 바잉쯩_{베트남 명절 떡 -역자주}이 익어가고, 장작이 타는 아궁이에서는 연기가 올라오고 있었다. 아궁이의 불은 세지 않았지만, 숯은 빨갛게 타고 있었고, 그 붉은 빛이 마당을 빨갛게 물들이고 있었다. 뜨거운 공기와 연기는 솥 주변에 있던 아이들이 불빛이 비치는 곳으로 돗자리를 옮기게 했고, 저들은 머리를 맞대고 카드놀이를 하고 있었다. 몇몇 아이들은 여전히 아궁이 앞에 있었다. 불빛에 비친 그들의 그림자가 담벼락에 그림을 그리고 있었다. 장작 하나를 깊이 밀어 넣자, 아궁이의 불이 활활 타오르며 곱슬머리와 빡빡머리 아이들의 얼굴을 환하게 비추었다.

조금 취한 듯, 손에는 배가 불룩 튀어나온 가죽 가방을 든 남 씨가 갈지자로 길을 건너 4번지 집으로 들어갔다. 아궁이 앞에서 가부좌를 틀고 앉아 있는 한 청년의 양 무릎에 머리를 대고 누워있던 개 두 마리가 그의 그림자를 보고는 갑자기 일어나 짖어댔다.

"닥쳐, 존슨, 케네디!"

청년이 야단을 쳤다.

"남 아저씨도 몰라보나!"

"요즘 너희 그 두 분, 개 대장님은 어찌 그리 호전적인가?"

화가는 청년 옆에 앉으며 차갑고 여윈 손을 아궁이 바짝 갖다 댔다.

아이들이 시끌벅적 다가와 남 씨에게 인사를 했다. 그들은 카드를 팽개치고 남 씨를 둘러싸고 앉았다. 가죽 가방을 열어 남 씨가 먼저 루어머이_{Lúa Mới} 술병을 꺼냈다.

"이것은 내 것이고……. 너희들 것은……"

그는 구름을 타고 있는 선녀의 그림이 있는 빨간색 포장지로 싼 국영상점에서 산 폭죽을 건네주고 나서 다시 빨간 모자를 쓴 산타클로스 모양의 금박이 있는 포장지로 싼 꾸러미를 내놓았다.

"올해 설날은 절약해야지. 우리 까마우 향우회도 전처럼 선물이 별로 없더구나."
남 씨는 아이들에게 양해를 구하듯 말했다.

"그렇지만 여기 아주 귀한 것 있다. 소련 사탕!"

"남 아저씨 애들에게 너무 잘하지 말아요!"

청년이 소리쳤다.

"해마다 그런다니까. 그러고 나서 아저씨는 뭐로 설 쇨 건데요?"

그리고 청년은 엉덩이를 두드리며 야단쳤다.

"너희 놈들 그것 못 가질 줄 알아라!"

"됐다. 쫑!"

남 씨가 청년의 어깨를 흔들었다.

......

그리고 매년 설이 오면 한밤중에 연말 향우회를 마치고 남 씨는 집으로 바로 가지 않고 바잉쯩 찜통 앞에 아이들이 앉아 있는 4번지 집으로 왔다. 그는 아이들에게 선물을 나누어주었고, 많이 취하지 않았을 때는 바잉쯩이 다 익어서 꺼낼 때까지 어른들과 밤을 새우기도 했다.

매년 4번지의 다섯 가족은 함께 설 준비를 했다. 이 아름다운 풍습은 운전사 따 씨가 살아있을 때부터 시작되었다. 자식이 많고, 4번지 집에서 가장 경제적으로 어려웠음에도 매년 따 씨는 4번지 가족들이 이 거리에서 가장 화려하게 설을 쇠도록 도와준 사람이었다. 임업부 운송단 소속의 운전사로서 서북 노선을 주로 다녔고, 일 년 내내 집을 비웠다. 그러나 설이 다가오면 이 거리의 주민들은 장거리 운전으로 흙으로 범벅이 된 그의 트럭이 클랙슨을 울리며 4번지 집 마당으로 들어서는 것을 볼 수 있었다. 눈 빠지게 기다리던 집안의 아이들은 환호성을 치면서 달려 나갔고, 짐칸에서 장작, 닭장, 마른 물건, 신선한 물건을 담은 포대를 내렸다. 힘들게 준비한 것은 아니었지만 그의 아내와 자녀들 그리고 이웃들이 삼일간의 명절을 쇠기에는 충분했다. 1961년 홍수가 났을 때 그의 트럭이 파딘 언덕에서 사고가 날 때까지 여러 해를 그렇게 했었다.

...

어른이 못하면 아이들이 해야 했다. 그 집에 사는 아이들 대부분이 남자였고, 열서너 살로 실질적으로 형과 누나 벌 되는 사람은 쟝과 아래층 타이 아줌마의 아들인 쫑뿐이었다. 다섯 가족의 명절은 그 두 사람에게 달려있었고, 당연히 주로 쟝에게 매여 있었다. 음력 11월 말부터 쟝은 고생으로 가득 찬, 물건을 사는 일에 착수했다. 아주 가끔 몇몇 아이들이 학교가 파한 후에 도와주었다. 쟝은 가까운 상점은 물론 먼 상점까지 온 상점들을 찾아다녔고, 국영상점이나 합작사 상점에서 새벽부터 저녁까지 물건을 사기 위해 줄을 섰다. 그러나 모든 노력을 다했음에도 불구하고 설 바로 전 주가 되어서야 다섯 가족의 배급기준에 해당하는 찹쌀, 밀가루, 콩, 죽순, 국수, 비계 말림, 차, 담배, 사탕 등 건조식품을 살 수 있었다. 그리고 다시 힘을 모아서 액젓, 햄을 사기 위해 줄을 서고, 특히 명절의 가장 중요한 음식인 바잉쯩을 만들기 위한 고기와 라종 잎을 사기 위해 줄을 섰다. 음력 섣달 27일 오후까지는 모든 것을 준비해야 했다. 그리고 쟝은 쌀을 씻고 콩을 담그고 잎사귀를 씻고 고기를 절였다. 28일 오후가 되면 집안의 다른 여자 중에 떡을 만들 줄 아는 여자가 없었기 때문에 쟝 혼자서 바잉쯩 60개를 만들어야 했다. 쭝은 불 때는 것을 책임졌다. ㄲ 아줌마네 톱밥을 담는 드럼통을 빌려다가 바잉쯩을 찌는 찜통으로 사용했다. 장작은 쭝이 직접 파뗀 목재소까지 가서 커다란 원목을 골라 세 발 손수레에 싣고 왔다. 커다란 장작더미를 쭝 혼자서 오후 내내 숨을 헐떡이며 끌고 온 것이다.

마당에서 일판이 벌어졌다. 마당 한쪽에서 그렇게 추운 날씨임에도 쭝은 웃통을 벗고 땀을 뻘뻘 흘리면서 도끼질했다. 한 번만 쳐도 기둥 같은 통나무가 두 쪽으로 갈라졌다. 4번지 공동우물 가까운 마당 저쪽에서는 쟝이 대나무 평상 위에 비닐을 깔고 열심히 바잉쯩을 만들고 있었다. 집안의 아이들은 흥분하여 쭝과 쟝이 시킨 일들을 서로 다투어서 하고 있었다. 일하면서도 무척 즐거워했다. 그들에게 새해는 맛있게 먹고 즐겁게 놀고 예쁜 옷 입는 것도 즐거웠지만, 분주하게 설을 기다리는 날 특히 그날 오후처럼 즐거운 날이 없었다. 아이들은 대나무 평상에 둘러서서 쟝이 바잉쯩 만드는 것을 구경했다. 파란 잎사귀에 싸인 하얀 떡인 바잉쯩이 점점 높이 쌓아져 올라가고 있었다. 팔을 걷어붙인 쟝의 하얀 손, 찹쌀 속에 듬성듬성 박힌 파란 콩을 바라보고 있었다. 쟝은 빨리 만들지는 못했지만 아주 정교하게 만들었다. 바잉쯩은 틀로 찍어낸 것 같으면서도 아주 예뻤다. 그리고 느슨하지도 꽉 조이지도 않게 묶었다. 아이들은 다 싸 놓은 바잉쯩을 하나하나 들여다보았다. 커다란 바잉쯩 60개를 다 만들고 나면 쟝은 남은 찹쌀, 콩과 고기를 하나로 모아서 아주 예쁘고 자그마한 바잉쯩을 만들었고, 그녀는 그것을 '아기 지구'라고 불렀다(바오닝, 2012, pp. 117-123).

1.2. 청명절 Tết Thanh Minh

음력 3월 5일 또는 6일에 해당하는 청명에 베트남 사람들은 주로 조상의 묘를 돌보고 성묘한다. 보통 3개의 향을 묘에 꽂아둔다. 성묘하고 돌아와, 가문의 시제를 지내고, 각 가정에서는 조상에 대한 제사를 지낸다. 보통 성묘는 설이 되기 며칠 전에도 하지만 청명에도 한다(Nhất Thanh, 1992, 313).

1.3. 단오절 Tết Đoan Ngọ

음력 5월 5일로, 베트남에서는 중요한 명절 중의 하나이다. 자녀들이 조부모와 부모에게 선물하고, 사위는 장인 장모에게 선물한다. 보통은 거위와 푸른콩 또는 수박과 설탕을 선물한다. 병균을 막기 위해 이른 아침 아이들이 깨기 전에 붉은색 강황을 숨구멍, 가슴, 배꼽에 발랐다고 한다. 아이들에게 오색실과 복숭아, 스타 푸르트, 고추 모양의 수를 놓은 작은 주머니에 강황 덩어리를 넣어 차도록 했으며, 손톱과 발톱에 물을 들였다. 어른들은 이른 아침에 찹쌀로 빚은 술과 살구, 복숭아를 먹으면, 구충의 효과가 있다고 믿었다.

단옷날 점심때에 쑥ngải cứu, 익모초lá ích mẫu, 마반초lá cối xay 磨盘草, 라보이lá vối 등과 같은 자신이 좋아하는 잎을 따다가 말려서 음료로 마신다. 단옷날 따서 말린 음료는 약효가 탁월하다고 믿었다(Nhất Thanh, 1992, pp. 313~314).

1.4. 중원절 Tết Trung Nguyên

음력 7월 15일로, 불교에서는 저세상에 있던 사람들이 이날 하루 동안 풀려나는 날이라고 한다. 우리나라에서는 백중날이라고도 한다. 각 가정에서는 조상의 제사를 지내고 가짜 돈을 태운다. 마당의 계단 앞이나, 거리에 옥수수, 감자 등과 같은 간단한 예물을 차리고 불쌍하게 죽은 사람을 위해 제사를 지낸다. 상을 당한 지 1~2년 된 가정에서는 가짜 돈을 태우고, 간소한 중원절 음식을 차린다(Nhất Thanh, 1992, p. 315).

1.5. 중추절 Tết Trung Thu

음력 8월 15일로 우리의 추석 명절과 같다. 그러나 베트남의 중추절은 주로 어린이 명절이라고 할 수 있다. 옛날에는 각 가정에서 달 모양의 월병을 경쟁적으로 만들어 견주기도 했다고 한다. 오늘날에는 주로 집에서 만들기보다는 만들어진 월병을 사서 선물한다. 밤에는 각종 동물 형상을 한 등불을 들고 아이들이 줄지어 달맞이했다고 하나, 현재는 이 풍습을 거의 행하지 않고 있다. 비록 추석이 어린이 명절이라고는 하지만 보통 어른들에게도 월병을 선물한다. 베트남의 중추절은 공휴일이 아니고, 아이들을 위한 행사가 많이 열린다 (Nhất Thanh, 1992, pp. 316~317).

1.6. 10월 햇밥 잔치 Tết Cơm Mới Tháng Mười

음력 9월 말에서 10월로 넘어가면서 수확을 마치고 추수 감사의 의미를 지니는 것으로, 지방에 따라 날짜가 다를 수 있다. 베트남은 최소 벼를 2기작 할 수 있다. 따라서 5월에도 벼를 수확한다. 그러나 오월에는 단오절이 있으므로 벼 수확 후, 햅쌀밥 잔치를 하지 않는다고 한다. 설과 단오처럼 선물이 보편적인 것은 아니지만 꼼cốm이라고 하는 마치 색깔을 들인 오릿쌀과 감, 산비둘기, 햅쌀을 선물한다. 특히 결혼을 앞둔 총각은 미래의 장인 장모에게 선물을 빠뜨려서는 안 된다고 한다(Nhất Thanh, 1992, p. 318).

1.7. 국경일 các ngày lễ

아래의 베트남 국경일은 휴일과 겹치면 대체 휴일로 다음날을 추가로 쉬게 된다(Quốc hội 2012.6.18.).

기념일	일 자	휴무기간
신정	1월 1일	1일
설날	음력 1월 1일	5일
훙왕 제사	음력 3월 10일	1일
통일 기념일	4월 30일	1일
국제 노동절	5월 1일	1일
독립 기념일	9월 2일	1일

1.8. 기념일

아래의 기념일은 휴무가 아니다.

일 자	기념일
1월 9일	베트남 학생의 날
2월 3일	베트남공산당 창당기념일
2월 27일	베트남 약사의 날
3월 8일	국제 여성의 날
3월 26일	호찌민 공산청년단 창립기념일
4월 15일	석가탄생일(음력)
5월 15일	호찌민 선봉 소년대 설립기념일
5월 19일	호찌민 주석 생일
6월 1일	국제 아동의 날
7월 27일	참전용사와 열사의 날
8월 19일	8월 혁명 성공 기념일
10월 10일	하노이 해방의 날
10월 13일	기업인의 날
10월 20일	베트남 여성 동맹 창립기념일
11월 20일	스승의 날
12월 22일	베트남 인민군대 창립기념일
12월 25일	크리스마스

2 출산

과거에 베트남 사람들은 자식을 낳는 것은 가문의 혈통을 잇고, 조상에 대한 제사를 봉양하는 것으로 생각했다. 그래서 "불효에는 3가지가 있는데 그중에서 가장 무거운 것은 무자식이다. Bất hiếu hữu tam, vô hậu vi đại 不孝有三, 無後為大."라는 말이 있다. 따라서 결혼해서 자식을 낳지 못하면 남편은 첩을 들이는 것은 일상적이었다. 여성이 출산 못 하는 것은 남편으로부터 버림을 받을 수 있는 칠거지악의 하나였다. 이러한 연유로 6, 7명의 첩을 두었으나 여전히 아이를 못 낳을 때는 남편에게 문제가 있음을 알고, 이미 임신한 여자를 구해 첩으로 맞는 일도 있었다.

옛날 베트남 사람들은 임신하면 보통 친정어머니에게 알리고, 친정어머니는 이것을 사위에게 곧 아버지가 된다고 알렸다. 이러한 습속을 베트남어로 "띤뭉tin mừng, 기쁜 소식"이라고 불렀다. 당시에 여성들은 임신한 사실을 부끄럽게 생각했기 때문에 배가 불러오는 것을 막기 위해 천으로 동여매는 일도 많았다고 한다.

베트남은 예나 지금이나 예의를 중시했기 때문에 임신 초기부터 태교에 많은 관심을 기울였다. 임신한 여자는 운동해야 했고, 그러한 운동은 주로 가사를 돌보는 것이었다. 앉아서 쉬는 것은 좋지 않다고 여겼다. 부유한 집안의 여자들은 평상시에 일하지 않았지만, 임신하게 되면 일을 했다. 살찌게 하는 음식은 피했고, 게, 조개, 토끼 고기를 피했으며, 장례식이나 결혼식 음식을 먹지 않았다. 또한, 쌍둥이를 낳는다는 미신 때문에 똑같은 과일 두 개를 먹지 않았다. 또한, 좋은 피부를 가진 아이를 위해서 달걀을 많이 먹었고, 처참한 것이나 슬픈 것을 보는 것, 음탕한 행동을 금했다. 화내지 않고, 상스러운 말을 피했으며, 싸움을 삼갔다. 집안에는 위인이나 영웅의 사진을 걸어 놓고 감상했으며, 우아하고 청결한 것을 보고 생각했다.

베트남 사람들 역시 우리와 마찬가지로 아들을 더 중히 여겼다. 따라서 임신하게 되면 누구나 아들 낳기를 빌었다. 그래서 아들을 낳을 것인가 딸을 낳을 것인가를 예측하는 일이 허다했는데, 중국 풍속인 "남좌여우男左女右"에 따라, 아기가 좌측에 자리 잡으면 아들을 낳고, 우측에 자리 잡으면 딸을 낳는다고 믿었다. 또 임신한 여자가 걸어갈 때 뒤에서 불러서 여자가 좌측으로 돌아보면 아들, 우측으로 돌아보면 딸이라고 했고, 임신부의 배가 펑퍼짐하면 아들, 동그랗게 올라오면 딸이라고 했다. 태아가 조용하면 아들, 발길질을 심하게 하면 딸이라고 했다. 그리고 꿈에서 곰, 코끼리, 호랑이와 같은 용맹스럽고 큰 동물을 보면 아들이요, 뱀이나 새와 같은 동물을 보면 딸이라고 여겼다. 또 임신한 달과 출산 예정 달, 남편과 아내의 나이를 계산하여 아들딸을 구분하기도 했다.

아기를 출산하고 아들이면 7일, 딸이면 9일이 지나면 제사를 지낸다. 이러한 풍속을 더이끄đầy cữ라고 부른다. 부유한 집에서는 손님을 초청해서 음식을 대접하고, 손님은 산모와 아기에게 선물을 주는데, 산모에게는 베트남식 액젓인 느억맘을, 아기에게는 옷이나 팔찌 등을 선물했다. 현재 이 풍속은 거의 사라졌다(Toan Ánh, 1992, pp. 46~47).

아기가 출생한 지 한 달이 지나면 제사를 지내고 손님을 초대해서 음식을 접대한다. 이때 손님은 산모에게 선물하지 않고 아기에게만 선물을 준다. 이것을 더이탕đầy tháng이라고 부른다. 또 1년이 되면 돌이 되는데, 이것을 더이남đầy năm이라고 부른다. 다른 말로는 레토이노이lễ thôi nôi라고도 부른다. 이 말은 요람을 더는 사용하지 않는다는 의미이다. 베트남 사람들 역시 우리와 마찬가지로 돌을 아주 중히 여기고, 잔칫상에는 사내아이일 경우에 활과 연필, 종이 등을 놓고, 여자아이일 경우에는 바늘, 실, 가위 등을 놓고 아이가 무엇을 잡는가를 시험했다(Toan Ánh, 1992, p. 55).

3 결혼

베트남 속담에 "부모가 정해준 자리에 자식이 앉는다. Cha mẹ đặt đâu con ngồi đấy." 는 말이 있다. 이는 전통사회에서 자녀의 결혼에 부모의 역할이 주도적이었음을 표현하는 말이다. 즉 자식은 자신의 혼사를 부모가 정해주는 대로 따라야한다는 것을 의미한다. 또한, 결혼 상대를 고를 때 고려하는 것이 "몬당호도이 Môn đăng hộ đối 門當戶對"였다. 즉 양가의 가세가 서로 비슷해야 한다는 것이다. 바로 이점이 베트남 사람들이 결혼 상대를 찾는 중요한 기준이었다. 결혼에서의 이러한 풍습은 우리나라의 옛날 풍습과 별반 다르지 않음을 느낄 수 있다. 왜 그럴까? 간단히 이해한다면, 베트남과 우리나라의 전통 혼례 절차가 중국으로부터 영향을 받았기 때문이다. 특히 베트남은 중국의 직접적인 지배를 천년이나 받지 않았는가! 그리고 중국으로부터 독립을 이룬 이후에도 각 봉건 왕조는 유교 교육을 확대해 왔었다.

베트남의 전통 혼례 절차를 룩레 lục lễ라고 하는데, 이 말은 육례六禮라는 말로, 우리나라의 전통 혼례와 그 절차가 같다. 그 육례는 다음과 같다. ① 납타이 Nạp thái, 納采는 혼처를 정하는 예라고 할 수 있는데, 신랑 집에서 처녀 집으로, 거위 한 마리를 보낸다. ② 번자잉 Vấn danh, 問名은 처녀의 이름과 사주를 묻는 절차이다. ③ 납깟 Nạp cát, 納吉은 사주와 궁합을 보고 결혼을 승낙하는 절차이다. ④ 납떼 Nạp tệ, 納幣는 신랑 측에서 신붓집에 비단을 보내서 이 혼인이 틀림없이 진행될 것임을 알리는 절차이다. 우리식으로 보면 함을 보내는 것이다. ⑤ 팅끼 Thỉnh kì, 請期는 남자 집에서 결혼할 날짜를 잡아 여자 집에 가서, 허락을 받는 절차이다. ⑥ 턴응인 Thân nghinh, 親迎은 결혼식을 거행하는 것으로 신랑이 신부를 집으로 데려온다.

특히, 이와 같은 육례는 중국의 "주자가례"에 따른 것이었다. 그러므로 귀족, 관리, 유학자, 부유층에서는 이러한 절차를 더욱 중시했다(Phạm Côn Sơn,

1999, pp. 29~30). 그러나 베트남 혼례가 중국의 영향을 받았지만, 세부적으로는 베트남적인 내용이 있었고, 19세기 말에서 20세기 초에는 결혼식이 더 개방적이고 간소화되었다(Phạm Côn Sơn, 1999, p. 39).

간소화된 절차를 보면, 남자가 맘에 드는 여자를 찾으면 남자 집에서 중매쟁이를 처녀 집에 보내 처녀 부모의 의견을 묻는다. 이것을 반띤bản tin이라고 한다. 반띤이란 '소식을 전하다'라는 의미인데, '상대방의 의사를 떠보는 것'을 말한다. 여자 집에서 동의하면 남자 집에서 여자 집을 방문하여 양가 대면을 한다. 이때 신부 될 사람의 용모는 물론 집안에서의 행동거지를 관찰하게 된다. 보통 신부와 신랑의 신상에 관한 것은 중매쟁이가 양가를 오가며 정보를 주는 것이 일반적이다. 이 양가의 대면을 짬응오Chạm ngõ라고 한다. 이어 처녀 집에서 혼인에 동의하면, 대개 남자 측에서 예물을 보내고, 중매쟁이를 통해서 처녀의 사주를 받아오는 절차를 거치게 된다. 현대에 들어와서 이 절차는 거의 생략되고 있다. 다음 절차는 혼인을 확정하는 것인데, 이를 안호이ăn hỏi라고 한다. 신붓집에서 정해준 날에, 신랑 집에서 주로 빈랑과 차, 술, 떡 등을 예물 준비하여 여자 집에 보낸다. 이 예물은 보통 둥근 대나무 바구니에 담고, 빨간색 보자기로 덮는다. 베트남에서 한 무리의 사람들이 잘 차려입고, 빨간 보자기에 싸인 물건을 들고 시클로나 승용차로 줄지어 가는 모습을 가끔 볼 수 있는데, 이것이 안호이 하러 가는 행렬이다. 신랑 측의 예물을 받은 신붓집에서는 예물 일부를 집안의 제단에 올려놓고, 제를 지낸다. 제를 마치고 나면 신랑 일행을 접대하고 돌아갈 때, 이 예물의 일부를 덜어서 신랑 집에 되돌려 주는데, 이것을 라이꽈lại quả라고 한다. 나머지는 친척과 친구에게 나누어 준다. 이것은 친척과 친구들에게 딸이 정혼하였음을 공식적으로 알리는 의미가 있다. 옛날에는 이 안호이가 끝난 후 2~3년 후에야 결혼식을 올렸다고 한다. 그러나 요즘은 몇 달, 심지어 2~3일 후에 결혼식을 올리는 것이 일반화되어 있다. 옛 베트남 민요에도 "약혼하면 바로 혼인해야지, 오래 두면 뒷말하는 놈 나온다.Hỏi vợ thì cưới liền tay/Chớ để lâu ngày lắm kẻ gièm pha. ”라는 말이 있는데, 옛날 사람들도 정혼 후 결혼까지 너무 긴 시일을 두는 것은 좋지 않다고 생각한 것 같다. 안호이를 치른 신붓집에서는 라이쫘를 잘 챙겨야 한다. 라이쫘를 보내지 않으면 신랑 집에 큰 결례를 범하는 것이기 때문이다.

한편 집안이 상중喪中일 때는 탈상 후, 즉 3년이 지난 후에 결혼식을 올리는 것을 원칙으로 여겼기 때문에 결혼식이 지나치게 지체되는 상황을 피하고자 집안 어른(조부모, 부모)이 사망하기 직전 병중에 있을 때 또는 막 사망하였으면, 상복을 입고 급히 결혼식을 올리는 것이 허용되었다. 이것을 짜이땅chạy tang 이라고 한다.

또한, 신붓집의 요구에 따라 신랑 집에서 신붓집에 지급하는 물건이나 돈이 있는데, 이것을 신붓값이라고 한다. 옛날 신붓값은 주로 빈랑, 술, 차, 떡, 쌀, 돼지, 신부의 옷과 장신구 그리고 일부 현금으로 구성되었으며, 이 신붓값이 너무 과하여 파혼하는 예도 있었다고 한다. 이 신붓값을 베트남어로 타익꾸어이thách cưới라고 한다(Phạm Côn Sơn, 1999, p. 43). “장가보내려면 물소를 팔아야 한다네. Gà con đâu phải bán trâu. ”라는 속담에서도 볼 수 있듯이 전통 혼례에서 ‘타익꾸어이’가 신랑 측에 상당한 부담이 되었음을 알 수 있다.

신붓값이 여자 집에 대한 물질적 기여라고 한다면, 마을 공동체에 대한 기부금이 있었다. 이것을 놉쩨오nộp cheo라고 한다. 만약 같은 마을 처녀와 결혼할 때는 쩨오노이cheo nội라고 하여 기부 금액이 적었고, 다른 마을 처녀를 데려오면 기부 금액이 더 많았다. 이때는 쩨오응와이cheo ngoại라고 불렀다. 옛날 혼인신고서가 없던 시절에 이 놉쩨오는 바로 혼인신고와 같은 성격을 띠었다. 놉쩨오 없이 결혼할 경우, 마을에서는 결혼으로 간주하지 않았다고 한다. 그래서 “결혼하는데 쩨오가 없다면, 돼지를 열 마리 잡았더라도 아니라네. Có cưới mà chẳng có cheo/ Dẫu rằng có giết mười heo cũng hoài. ”라든가 또는 “돼지 기르려면 생이가래 건져야 하고, 아내 얻으려면 마을에 쩨오를 내야 한다네. Nuôi lợn thì phải vớt bèo, Lấy vợ thì nộp cheo cho làng. ”라고 노래했다.

결혼 예식은 신랑이 자기 집에서 출발하기 전에 조상에게 분향하고, 부모에게 인사를 드리는 것으로 시작된다. 조상에 대한 분향을 마치면 신랑은 사회적 지위와 명망이 있는 어른(보통 혼주의 역할을 함)을 모시고 들러리와 함께 신붓집으로 간다. 신붓집에 도착하면 들러리가 가지고 간 예물을 신부 측 들러리가 받아서 제단에 올려놓는다. 혼주가 예물 보자기를 벗기면, 신붓집에서 향을 피우는데, 보통 신부의 오빠나 남동생이 한다.

신랑이 먼저 4번 절하고, 신부가 따라 한다. 신부 측 조상에 대한 의례가 끝나면 바로 제단 앞에서 신부의 부모에게 절을 한다. 이 의례가 끝나면 신붓집에서는 신랑과 들러리에게 차와 과일을 대접하면서 신랑 신부를 축복하는 덕담을 나눈다. 이때 신랑 신부는 자리에 앉지 않고, 각 테이블을 돌아다니며 인사를 하고, 신부 측 친척들을 소개받는다. 신랑 측은 정해진 시간이 되면 신부측에게 신부를 데려간다고 고하고, 신부를 데려간다. 이때 신부의 들러리도 동행하게 되는데, 신랑의 들러리가 미혼이듯이 신부의 들러리도 미혼 여성이어야 한다.

이렇게 신랑이 신부를 데려오는 의례를 레즈억저우_{lễ rước dâu}라고 한다. 신부를 데려올 때는 혼주가 앞장서고, 신부와 신랑 측 사람이 향을 들고 뒤따른다. 중부와 북부에서는 레즈억저우 시 신랑의 부모가 따라가지 않고, 신부가 신랑집으로 올 때, 신부의 부모가 따라오지 않는다고 한다. 물론 신랑이 신붓집에 갈 때 신부의 부모가 동행하지 않고, 종손이 혼주로서 간다. 그러나 남부에서는 신랑과 신부의 부모 모두가 참여한 가운데 레즈억저우가 행해진다. 신부가 신랑 집에 도착하면 조상에게 의례를 지내고, 시부모에게 인사를 한다. 이때 시부모는 신부에게 돈이나 장신구를 선물한다. 그리고 신랑 측 친척들에게 인사를 하는데, 친척들도 신랑 신부에게 선물한다.

결혼식 피로연은 집에서 하는 경우와 식당에서 하는 경우가 있다. 일반 하객들이 결혼식 의례에 직접 참여하는 것이 아니다. 결혼식을 마친 후, 하객들은 피로연에만 참석하는 것이 보통이다. 피로연에 초청받은 하객들은 보통 축의금을 전달한다. 도이머이 이후 결혼식 형태가 빠르게 변화하고 있다. 1990년대 초에는 신랑과 신부가 하객들의 테이블을 돌면서 인사를 나누고 하객들은 덕담과 함께 술잔을 권하면서 준비한 축의금을 신부에게 전달하는 것이 일반적이었는데, 최근에는 식당 입구에 축의금 함을 놓아두는 때도 있고, 우리의 결혼식 형태와 유사하게 큰 식당이나 회장, 호텔 등의 장소를 빌려 전통 의상 대신에 양복과 웨딩드레스를 입고, 웨딩케이크도 자르고 샴페인도 따르는 서구식 예식을 치르는 경우도 생겨나고 있다.

베트남의 결혼 철은 주로 가을에서 설날 전까지로 10월에서 1월 사이에 결혼을 많이 한다. 이 결혼 철이 되면 베트남 사람들도 우리와 마찬가지로 축의금에 관해 부담을 느끼는 경우가 많다. 그래서 농담으로 결혼식 다녀왔다는 얘기를 "비싼 껌부이를 먹었다. Ăn cơm bụi đắt tiền."라고 표현한다. '껌부이'는 길가에서 파는 값싼 음식으로, 그저 그런 음식에 많은 축의금을 내야만 하는 경우를 빗대어 얘기하는 것이다. 또 요즘에는 일부 관리들이 자녀의 결혼식에서 아주 큰 축의금을 받아 챙기는 등, 축의금이 사회적 문제가 되는 일도 있다.

한 기자는 "내가 어렸을 때(1988, 89년)는 지금처럼 축의금을 넣은 봉투로 결혼 축하를 하지 않았다. 우리 집은 잡화상이었는데, 결혼 철이 되면 그 어느 때보다 손님이 많았다. 손님들은 보온병, 담요 등을 사서 포장하여 지금처럼 항마 거리에서 파는 휘황찬란한 포장지가 아니라 빨간색 종이로 스스로 만든, 신랑 신부에게 선물했다. 당시에는 피로연도 단출했고, 각자의 집안 형편에 따르는 것이 일반적이었다. 결혼식을 올릴 때면 일 년 동안 키운 돼지를 잡아 음식을 준비하고 친척들, 이웃들이 모두 참석해서 결혼을 축복하고 즐기는 축제였다. 결혼식에 참석하는 사람들은 이런저런 선물을 들고 오느라 힘들었지만, 마음만은 모두 즐겁고 가벼웠던 것 같다."라고 회상하면서 오늘날의 과도한 결혼 축의금에 대한 부담을 언급하고 있다(K.T., 2011.10.24.).

또한, 옛날에는 조혼이 일반적이었다. "여십삼, 남십육女十三, 男十六"이라는 말과 같이 여자는 13세, 남자는 16세가 되면 결혼할 수 있다는 관념이 보편화하여 있었다. 봉건시대 베트남에서의 결혼은 주로 '부모가 정해주는 대로' 하는 것이었다. 현대에 들어와서 이러한 조혼 풍습은 많이 사라지긴 했지만, 아직도 농촌지역에서는 일부 그 모습이 남아있다. 현재 베트남 가정 및 혼인법에는 남자는 20세 이상, 여자는 18세 이상이 되어야 결혼할 수 있다고 분명하게 규정되어(Quốc Hội, 2000.6.9.) 있으나 실제로는 어린 나이에 갑자기 아내가 되거나 남편이 되는 경우도 많아, 사회적인 문제로 주목받아 베트남 언론에서도 이 문제를 종종 언급하기도 한다(Vũ Đàm, 1996.7.).

결혼 풍습은 시간의 흐름에 따라 변화해 왔고, 이 변화의 과정에서 우리가 주목해야 할 것은 정치적 변동이 이러한 전통 결혼 풍습에 어떤 영향을 끼쳤는지를 보는 것이다. 1954년부터 1986년까지, 즉 하노이 수복에서 도이머이 이전까지의 북베트남은 사회주의 정치 및 경제체제에 의해 사회가 작동하고 있었다. 이 기간에 베트남의 결혼 풍속은 급격히 변화하게 된다. 사실 결혼 풍속뿐 아니라 전 사회에서 변혁이 일어났다고 볼 수 있지만, 결혼에만 한정을 지어 본다면, 앞에 소개했던 결혼에서의 부모의 주도적 역할이나, 가세가 비슷한 가정 사이의 결혼이라는 기본적인 기준들이 일시에, 그리고 전면적으로 바뀌게 되었다고 할 수 있다. 혹자는 '돌변'이라는 표현을 사용할 정도로 급진적이었음을 강조하기도 한다. 특히 1945년 이후 프랑스와 전쟁을 하던 베트남 인민들은 옛날의 "문당호대"의 기준이 무너지고, 부모의 동의 없이 자유연애를 통해 결혼하기 시작했다.[3] 결혼에서 당사자가 모든 것을 결정하고, 가족은 더는 독존적인 위치를 지킬 수 없었다. 그러나 그 가족을 대신한 것이 있었다. 바로

---

3) 이 당시의 문화를 '항전문화văn hóa kháng chiến'라고 부른다.

국가 기관과 각 단체였다.[4] 그리고 도이머이 이후로는 국가 기관이나 단체의 역할도 사라졌다. 그렇다고 옛날처럼 부모가 정해주는 대로 결혼하는 것으로 회귀한 것이 아니라 "자식이 선택하고 부모가 허락하는" 형태로 바뀌었다(Lê Như Hoa chủ biên, 1998, pp. 27~30).

일반적으로 베트남 사람들은 베트남 여성이 외국 남성과 결혼하는 것을 곱지 않은 시선으로 본다고 한다. 그러나 베트남 남성이 외국 여성과 결혼하는 것에 대해서는 그렇지 않았으며, 예전에는 베트남 여성이 서양인과 결혼하면 마을 사람들이 비웃고 가까운 사람들마저도 냉대하곤 했다. 오늘날에는 국제적 교류가 증대됨으로써 외국인에게 시집가는 것을 예전처럼 멸시하지는 않는다. 특히 결혼 후, 행복한 가정생활을 꾸리고, 자주 친정을 방문하고, 마을 사람들과 교류하면 오히려 부러운 시선으로 보기도 한다. 그러나 여전히 베트남인과 결혼한 외국 여성들을 보는 시각과는 차이가 있다. 특히 만약 베트남 여성이 외국인과 사랑했거나 결혼한 후 버림을 받으면, 베트남 남성과 다시 사랑하거나 결혼하기는 어렵다. 현재 베트남 법은 외국인과의 결혼을 허용하고 있다. 그러나 이러한 제도를 이용해서 여성을 인신매매 또는 성적으로 이용하는 것을 엄격히 금하고 있다. 외국인을 남편으로 받아들인 많은 여성이 더 나은 생활을 꿈꾸었지만 실제로 이러한 결혼의 상당수는 진정한 의미의 결혼이 아닌 성적 노리개로 전락하는 슬픈 결말을 맞았다. 많은 대만 사람이 부인을 얻기 위해 베트남의 개방정책을 이용하는 사례가 빈번해지면서(부썬투이, 2002, p. 93) 베트남 정부는 베트남 여성과 외국 남성 사이의 결혼에 대해 더욱 엄격한 법적 토대를 마련해 놓고 있다.

---

4) 당시에 당원은 비당원과 결혼할 수 없었으며, 자신이 속한 당 조직과 근무하던 기관의 동의가 있어야 결혼할 수 있었다고 한다. 서로 사랑하지만, 당원과 비당원이었기 때문에 헤어진 연인도 있었고, 당에서 소개한 사람끼리 결혼했지만, 불행한 가정생활을 한 예도 있었다.

4 장례

베트남 사람들은 시작이 있으면 끝이 있듯이, 삶이 있으면 죽음이 있다고 믿었다. 그리고 그 삶과 죽음에는 운수[5]가 있다고 믿었다. 옛날 베트남 노인들은 사고사나 돌연사가 아닌 경우에는, 보통 칠순 잔치를 하고 나면 죽음을 맞이할 준비를 했다. 부자이건 가난한 사람이건 간에 관과 수의를 미리 준비하는 것이 일반적이었다. 자식들도 "노인네가 얼마나 사신다고, 원하는 대로 해 드려."라고 말하곤 했으며, 노인들도 "너희들과 살날도 얼마 남지 않았다."라고 말하곤 했다. 미혼의 자녀를 둔 노인은 늘 그것을 안타까워했으며, 가정을 꾸린 자녀를 둔 노인은 이곳저곳을 다니거나 절에 가서 불공을 드리며 죽음을 맞이하는 것이 흔한 일이었다고 한다. 특히 여성의 경우에는 아예 절로 들어가거나, 그렇지 못하면 집에서 채식하면서 불경을 외우며 자녀들의 복을 빌었다고 한다(Phạm Côn Sơn, 1999, pp. 82~85).

베트남어에 죽음을 가리키는 단어가 아주 많은데, 말하는 사람의 감정에 따라 크게 세 가지로 나눌 수 있다. 먼저 존경과 안타까운 감정을 담은 말[6]이 있고, 중성적인 느낌으로 표현하는 말[7]과 경멸하는 감정으로 하는 말[8]이 있다. 베트남어처럼 '죽다'라는 동사가 많은 언어도 찾기 힘들 것이다.

---

5) 베트남어로 수só, 數인데, 이는 숫자를 의미하기도 한다. "운 좋은"은 "số đỏ", "운 나쁜"은 "số đen"이라고 한다.

6) quy tiên, trăm tuổi, từ trần, tạ thế, hi sinh, về cõi Phật, về Tây Trúc, về nơi cực lạc, về với Chúa, về nơi chín suối, lên Thiên đàng, về suối vàng, tròn quả phúc về tiên giới, hai năm mươi, về thế giới bên kia, về cõi âm..

7) chết, tử, lìa đời, tắt thở, tắt nghỉ, mất, nhắm mắt, chê cơm, về già, về với tổ tiên, đi Văn Điển, hoàn vũ rồi, đã vuốt mắt rồi, về chầu ông vải, đậy nắp, ba thước đất..

8) nghèo, ngỏm củ tỏi, đi ở với giun, về âm phủ..

베트남의 장례 절차 역시 중국의 영향을 적지 않게 받았다. 그 절차를 보면, ① 죽음이 가까워지면 환자의 머리를 동쪽으로 향하게 뉘고, 유언을 받은 다음, 환자에게 죽은 뒤에 부를 이름을 묻는다. 이것을 뗀투이ₜₑₙ ₜₕ으ᵧ라고 부른다. 이 이름은 제사 지낼 때 사용하므로 "제삿밥 이름ₜₑₙ ᴄúₙg ᴄơₘ"이라고도 부른다. 그러나 환자의 정신이 혼미해서 스스로 이름을 지을 수 없을 때는 자손들이 이 이름을 지어서 불러준다. 그런 다음 새 옷으로 갈아입히고 환자의 움직임이 없으면 향을 코에 대서 숨이 끊어졌는지를 알아본다. 이때 숨이 멎었으면 젓가락을 입에 물려서 이가 서로 부딪히는 것을 막는다. 그리고 사망 시간을 정확히 측정하여 점쟁이에게 알려서 사망 시간의 길과 흉을 보게 하고, 만일 흉하다면 마귀를 막는 조처 하도록 했다. 이때 자식들이 환자의 옆에서 지켜보는데, 이를 임종이라고 한다.

② 사망이 확인되면 땅 위에 돗자리와 종이를 깐 다음 시신을 안치하는데, 인간은 흙에서 왔고 흙으로 돌아간다는 의미가 있으며, 땅의 정기를 받아서 회생할 수도 있다고 생각했기 때문이다. 잠시 그렇게 둔 다음 회생의 기미가 보이지 않으면 침대로 옮겨서 안치하고 종이나 천으로 시신의 얼굴을 덮는다.

③ 자식이 망자의 옷을 잡고 망자를 부르는 예로, 왼손으로 옷의 목 부분을 잡고 오른손으로 등 부분을 잡고 세 번 소리친 다음 문 앞에 옷을 걸어둔다. 그리고 나서 비로소 울기 시작한다. 이것은 환자가 정말 사망했다는 것을 확인하는 것이다.

④ 망자의 혼을 불러 제사를 지낸다. ⑤ 상주는 보통 장남이 맡으나 장남이 사망하면 장손이 상주를 맡으며 아버지가 살아있고, 어머니가 사망하면 아버지가 상주가 될 수 있다. ⑥ 보통 장례의 절차를 잘 아는 사람으로, 상주의 친구를 호상으로 지정하여 장례 절차를 진행토록 한다. ⑦ 시신을 목욕시키는 것으로 상주는 고개를 숙이고 곡을 한다. 이때 시신 주위에는 천으로 가린다. 목욕을 시키는 사람은 아버지일 경우에는 아들이, 어머니일 경우에는 딸이 해

야 한다. 이때 사용한 것은 모두 땅에 묻는다.

⑧ 약간의 찹쌀과 동전을 망자의 입에 넣고 사망 시에 물려둔 젓가락을 빼낸다. ⑨ 입관 전에 관에 마귀가 있다고 믿었기 때문에 그 마귀를 쫓는 의식으로 점쟁이가 주문을 외우면서 관을 세 번 칼로 내려치는 흉내를 내는 것이다. 이 절차를 벌목례罰木禮라고 한다. ⑩ 입관하기 전에 염을 한 다음 관에 시신을 안치하는 것으로 보통 부적을 같이 넣는다. 관은 집의 중앙에 안치한다. 만일 부모가 살아있으면 옆방에 안치한다. ⑪ 자손들이 상복을 입고 정식으로 장례 절차가 시작된다. 이 단계를 성복례成服禮라고 한다. ⑫ 악단이 관 옆에 앉아서 피리를 불고 북을 친다. 주로 문상객이 문상할 때마다 악기가 연주된다. 장례식에서의 악기 연주는 상가의 형편에 따라 다르다. 전통악단만 있는 때도 있고, 전통악단과 밴드가 있는 때도 있고, 아예 악단이 없는 때도 있다.

⑬ 부고訃告를 한다. 옛날에는 마을 향직에게 통보하는 것이 보통이었지만 지금은 신문과 방송을 통해서 알리기도 한다(Toan Ánh, 1992, pp. 326~338). 현재는 미신적 성격을 띤 절차는 현실에 맞게 생략되어, 보다 간소화되었다 (Phạm Côn Sơn, 1999, p. 98).

대상 중일 때는 결혼식이라든가 먹고 마시는 곳에 가지 않으며, 망자의 사망 시간이 좋지 않은 시간이라면 장례 기간에는 밤에 누가 부르더라도 대답하지 않는다. 대답하면 귀신한테 잡혀갈 수 있다는 미신 때문이다. 상중에는 아이를 가지면 안 되고, 결혼도 해서는 안 되었다. 남편상을 치르는 동안에 부인은 화려한 옷을 피하고, 몸을 씻지 않아야 했다(Toan Ánh & Cửu Long Giang, 2003, p. 311).

베트남 속담에 "죽어서의 의리가 진짜 의리다.Nghĩa tử là nghĩa tận."라는 말이 있다. 이것은 마지막까지 망자에 대한 예의를 지키는 것, 즉 문상을 꼭 가야 한다는 것을 강조하는 말이다. 베트남 사람도 우리처럼 결혼식은 축의금만 대신 전달할 수 있지만, 문상은 꼭 가야 한다고 생각한다. 옛날에는 차, 술, 빈랑 등을 가지고 가거나 망자에 대한 덕담의 내용을 담은 족자를 가지고 갔다고 한다. 그러나 오늘날에는 현금, 향, 가짜 돈, 화환 등을 가져간다. 대체로 상주는 이 '부조'에 대해서 잘 기록해 두어야 한다. 차후에 갚아야 하기 때문이다. 그리고 형편이 어려운 사람을 배려하여 "부조 사절"이라는 글씨를 걸어두기도 한다. 조문객은 발인 전이면 두 번 반을 절하고, 이미 장례가 끝났으면 집안의 제단에서 조문할 경우는 절을 네 번 반 한다(Phạm Côn Sơn, 1999, p. 128).

1987년에 발표된 응웬후이티엡의 단편 <퇴역장군>에는 은퇴한 장군의 부인이 치매에 걸려 고생하다 사망하여, 장례를 준비하는 내용이 소개된다. 여기에서 그 부분을 소개하고자 한다. 등장인물의 이름만 우리식으로 바꾼다면 옛날 우리나라 농촌의 장례식 모습과 크게 다르지 않음을 느낄 수 있을 것이다.

퇴역 장군 발췌

아버지가 집에 오신 지 6시간 후에 어머니가 돌아가셨다. 꺼 씨와 라이가 말했다.
"저희 때문이에요. 저희가 집에 있었다면 할머니는 돌아가시지 않았을 것이에요."
집사람은 쓸데없는 소리라고 일갈했다. 라이가 울면서 말했다.
"할머니! 차라리 저희를 속이시지요. 어째서 제가 할머니 수발을 못 들게 하십니까?"
봉 아저씨가 웃으며 말했다.
"네년이 할머니 수발하고 싶으면 따라가라! 내가 관을 짜 줄 터이니."
어머니 염을 할 때, 아버지는 울음을 터뜨리면서 봉 아저씨에게 물었다.
"어찌하여 이 사람이 이렇게 빨리 가는가?"
"형 노망들었소! 항상 우리나라에는 수천 명이 힘든 고통 속에 죽었잖소. 형 같은 군인들이야 한 방 쏘면 되니 오히려 행복한 거였지."
나는 천막을 치고 목수를 시켜서 관을 짜도록 했다. 꺼 씨는 집사람이 전날 켜 놓은 송판 옆을 서성거렸다. 목수는 자기들이 나무를 훔쳐 갈까 보아 그러냐고 소리쳤다. 봉 아저씨는 송판 두께가 몇 센티미터냐고 물었고, 나는 4㎝라고 대답했다. 봉 아저씨는 "소파가 하난 날아갔다. 누가 관을 그런 나무로 만드니? 이장할 때 내게 그 송판을 줘라."라고 말했다. 아버지는 침묵하며 앉아 있었는데 아주 상심해 있는 듯 보였다.

봉 아저씨가 집사람에게 말했다.

"조카는 소이를 만들도록 닭을 삶아 주시오."

"아저씨 쌀은 몇 킬로그램이 필요하나요?"

"오늘따라 왜 이렇게 고분고분하지! 삼 킬로그램!"

집사람이 나에게 말했다.

"당신 친척들 정말 무섭네요."

봉 아저씨가 나에게 물었다.

"이 집에서 누가 경제권을 쥐고 있나?"

"제 집사람입니다."

"그것은 보통 때가 그렇다는 얘기고 나는 이 장례식을 말하는 것이네."

"그것도 집사람이라니까요."

"조카, 그럴 수는 없네. 피가 다르잖아. 내 형님한테 말하겠네."

"아저씨 저한테 맡기세요."

"나한테 4천 동을 주게. 자네 음식을 몇 상이나 준비하려고 하는가?"

"10상요."

"그 정도로는 상여꾼들의 속을 씻기도 모자라네. 자네 집사람과 상의해 보게. 내 생각에는 40상 정도는 필요할 것 같네."

나는 4천 동을 아저씨에게 주고 방으로 들어갔다. 집사람이 말했다.

"저 다 들었어요. 30상이면 충분해요. 한 상에 800동씩 계산하면 삼 팔은 이십사 24,000동이고, 기타 비용은 6,000동 정도면 될 거예요. 물건 사는 것은 제가 알아서 할게요. 제사상은 라이에게 맡기면 돼요. 봉 아저씨 말 듣지 마세요. 노인네가 흉측하다니까!"

"봉 아저씨가 4,000동을 가져갔는데!"

"하여간 당신은?"

"다시 받아올게."

"됐어요. 노임 줬다고 생각하세요. 노인네가 사람은 좋지만 가난하잖아요."

악단 4명이 도착했다. 아버지가 나가서 영접했다. 입관은 오후 4시였다. 봉 아저씨는 카이딩 시대에 주조된 일 동짜리 동전 9개와 일 전짜리 알루미늄 동전을

118

어머니의 입에 넣으면서 "노잣돈으로 쓰시라"라고 말했다. 그리고 관에 화투도 같이 넣으면서 말했다.

"괜찮다. 네 어미가 전에 자주 화투를 즐겼다."

그날 밤 나는 어머니의 관 옆에서 밤을 새우면서 이런저런 온갖 생각을 다 했다. 죽음이란 예외 없이 누구에게나 찾아오는 것이다.

마당에서는 봉 아저씨와 몇 명의 상여꾼들이 돈 내기 화투를 치고 있었다. 봉 아저씨는 어머니 관 옆으로 달려와서 "저놈들 호주머니가 다 털리도록 저를 굽어 살펴 주십시오."라고 말했다.

미와 비도 나와 같이 밤을 새웠다. 미가 물었다.

"죽어서 강 건너는 데도 돈을 내야 하나요? 왜 할머니 입에 돈을 넣지요?"

비가 말했다.

"돈을 먹는 것인가요?"

나는 울었다.

"너희들은 모른다. 아빠도 모르지만 미신이다."

비가 말했다.

"저는 알아요. 이생에서 얼마나 필요한 것이 돈인데, 죽어서도 필요한 것 아니겠어요?"

나는 고독을 느꼈다. 내 자식들도 고독을 느꼈다. 도박하는 사람들도, 내 아버지도.

우리 집에서 장지까지 샛길로 가면 단지 500m 정도였다. 그러나 마을 입구를 지나는 주도로로 가면 2㎞였다. 길이 좁아서 상여를 끌 수 없어서 어깨에 메야 했다. 30명의 상여꾼이 번갈아 가면서 상여를 멨는데, 우리 부부가 모르는 사람도 많았다. 그들은 일상의 일처럼 아주 자연스럽게 마치 기둥을 들듯이 상여를 멨다. 상여를 메고 가면서 빈랑을 씹고 담배도 피우고 이런저런 얘기도 하였다. 쉴 때도 바로 관 옆에 앉아서 쉬었다. 누워서 뒹굴며 이렇게 말하는 사람도 있었다.

"정말 시원하다! 바쁘지만 않으면 여기서 저녁까지 한숨 잤으면 좋겠다."

봉 아저씨가 말했다.

"여러분, 갑시다. 가서 한잔해야지."

그래서 그들은 다시 가기 시작했다. 나는 '아버지는 전송하고 어머니는 영접하는' 풍습에 따라 상여 앞에서 지팡이를 짚고 뒷걸음으로 갔다. 봉 아저씨가 말했다.

"내가 죽으면 상여꾼들은 모두 도박꾼들일 것이야 그리고 제사상도 돼지고기가 아니라 개고기가 올라오겠지." 아버지가 말했다.

"자네 이 상황에서 농담하고 있는가?"

봉 아저씨는 침묵하고 있다가 울음을 터뜨렸다.

"아주머니! 저를 속인 것이지요? 저를 두고 가십니까?"

나는 속으로 "왜 속인다고 하지? 죽은 사람은 모두 산 사람을 속이는 것이란 말인가? 이 묘지에는 얼마나 많은 사람이 선택받았는가?"라고 생각했다.

매장을 끝내고 모두 집으로 돌아왔다. 한 번에 28상을 차렸다. 상을 보고 나는 정말 라이를 존경하지 않을 수 없었다. 상마다 모두 "라이 어디 있어?"라고 불러댔다. 라이는 정신없이 예, 예, 하면서 술과 고기를 날랐다. 밤이 되어, 라이는 샤워하고 새 옷으로 갈아입은 다음 향을 피우고 울었다.

"할머니! 죄송해요! 할머니에게 외출도 못 시켜드리고... 전에 할머니가 게장을 들고 싶다고 하셨는데 드시지 못할 것 같아 못 해 드렸습니다. 이제 시장에 가도 누구를 위해 선물을 살 수 있나요?"

나는 쓸쓸함을 느꼈다. 나는 근래 10여 년 동안 어머니에게 과자나 사탕을 사다 드린 적이 없다는 것이 기억났다. 라이는 다시 울기 시작했다.

"제가 집에 있었다면 할머니가 돌아가셨겠습니까?" 집사람이 말했다.

"그만 울어라!" 내가 반박했다.

"그냥 울도록 놔둬! 초상집에 울음소리가 없으면 더 슬프다. 우리 집에서 누가 저처럼 우는 사람이 있는가?" 집사람이 말했다.

"32상, 당신 제가 얼마나 계산이 정확한지 알아요?" 나는 대답했다.

"정확해!" 봉 아저씨가 말했다.

"내가 점을 쳐보지. 시간이 별로 안 좋아. 부적 있습니까?" 아버지가 대답했다.

"원숭이 부적이 있네. 내가 지금까지 3천 명을 묻었지만, 이런 사람은 없었네."

"그래서 행복하다는 것 아닙니까! 총만 한 방 쏘면 끝인데."

봉 아저씨는 방아쇠를 당기는 시늉을 했다(응웬후이티엡, 2005, pp. 46-52).

5 제사

베트남에서 제사 풍습은 아주 오래되었다. 사람이 죽어도 영혼은 죽지 않는다는 믿음에서 출발하였다. 망자의 영혼이 조상들이 있는 구천을 떠돌지만, 조상들은 자손들을 찾아오고 돌봐준다는 것이다. 그래서 매년 기일이 되면 제사를 지내며, 음력 매월 초하루와 보름날 그리고 명절은 물론 집을 사거나 멀리 출타하거나 시험을 볼 때 등 집안의 대소사가 있을 때도 제사를 지낸다. 또는 시험에 합격했을 때, 출타했다 안전하게 돌아왔을 때도 감사의 제사를 지낸다. 대체로 기제사와 설에 지내는 제사는 음식을 잘 차리고, 그 외에는 간단한 과일이나 향만을 피우는 정도에서 제사를 지낸다(Nhất Thanh, 1992, p. 292~293). 이 조상에 대한 제사는 부계 농경 사회에 뿌리를 둔 것이다. 그리고 유교가 들어오면서 효를 중시하게 되었고, 15세기 이후 유교가 독점적 위치를 차지하면서 더욱 구체화하였다. 홍득법[9]에는 위로 4대까지 제사를 지내도록 규정하고 있다(Nhiều tác giả, 1998a, pp. 105~106).

사망 후, 일 년이 되면 제사를 지내는데 이를 초 제사라 한다. 그리고 삼 년 뒤에 이장한다. 묘를 파서 관을 열고, 고인의 뼈를 술로 씻어 작은 토기 관(관과 비슷하나 작고 석회로 만든 것이다)에 넣어서 다른 곳에 안장하는데, 이장은 밤에 한다고 한다. 이는 음부 세계의 일이기 때문이라고 한다. 새로운 장지의 선정은 지관을 통해 매우 신중하게 결정했는데, 이는 풍수가 좋은 곳에 묘를 써야 자손들이 나날이 번창하고 화목하며, 좋지 않은 곳을 선정했을 때는 이와 반대라는 믿음 때문이다. 이와 같은 믿음과 고인에 대한 애도를 표현할 목적으로 매년 음식을 준비하여 고인이 사망한 그 시간에 제사를 지낸다. 기제사 날에는 형제자매가 장남의 집에 모여 제사를 지낸다(부썬투이, 2002, p. 120).

---

9) Luật Hồng Đức은 "Quốc triều hình luật 국조형률國朝刑律"의 통상적인 명칭이다.

장례가 마을 사람들을 접대하는 것이라면 제례는 가문의 범위 내에서 이루어진다. 베트남 속담에 "물소는 콩밭 가는 날, 손자는 할아버지 제삿날 Trâu được ngày phá đỗ, cháu được ngày giỗ ông."이라는 말이 있다. 만약 물소가 콩밭에 들어간다면 콩을 먹을 수 있으므로 매우 좋을 것이다. 그와 마찬가지로 할아버지의 제사가 되면 자손들은 지나칠 정도로 배부르고 맛있는 한 끼를 먹게 되는 것이다. 부모의 제삿날이 되면 형제들은 제물을 가지고 장남 집에 모여 제사 음식을 먹는데, 그것은 장남 집에 부모의 제단이 있기 때문이다. 그러나 조부모 이상의 제사일 경우는 종갓집에 모여 제사를 지낸다. 매년 사망한 날에 맞춰 제사를 한 번 지내지만, 문중에는 여러 제사가 있으므로, 한 해에 여러 번의 제사를 지내게 된다. 그리고 그것은 가문의 사람들이 서로 얼굴을 마주하고 서로에게 관심을 표현할 기회이기도 하다(부썬투이, 2002, pp. 120~121). 베트남 사람들의 제사에는 일가친척은 물론 친구 또는 이웃을 초청하여 같이 음식을 나누는데, 이것은 우리와 다른 점이라고 할 수 있다.

6 호칭

베트남어에는 호칭 즉 인칭 대명사가 대단히 풍부하다. 예를 들면, 일인칭 대명사인 나 혹은 저를 나타내는 말이 '또이$_{tôi}$, 따오$_{tao}$, 떠$_{tớ}$, 엠$_{em}$, 꼰$_{con}$, 짜우$_{cháu}$..' 등이 있으며 아버지를 나타내는 말도 '옹$_{ông}$, 짜$_{cha}$, 보$_{bố}$, 바$_{ba}$, 띠어$_{tía}$, 터이$_{thầy}$..' 등이 있다. 그것은 '아버지, 어머니, 할아버지, 형, 누나, 동생.' 등과 같은 가족 내의 호칭을 일반 사회생활에서의 호칭으로도 사용하기 때문이다. 따라서 상대방과 나와의 관계에 따라서 적절한 인칭 대명사를 골라 써야 할 필요가 있다. 잘못 사용할 경우는 실례를 범할 수 있다. 그리고 상대방에 대한 호칭을 어떻게 사용하느냐에 따라서 대화를 부드럽게 이끌 수도 있다.

예를 들어, '나Tôi'라는 단어는 가치 중립적인 1인칭 대명사이다. 그래서 공식적인 자리에서나 친밀한 관계가 아닐 때 사용할 수 있다. 그렇다고 하더라도 상대방이 훨씬 나이가 든 사람 앞에서는 친밀하지 않더라도 잘 사용하지 않는다. 또한, 1인칭 대명사로 '스스로 자신을 높이는' 단어인 '따오Tao'라는 말은 상대방을 무시하는 말이기 때문에 함부로 사용해서는 안 된다. 그렇지만 아주 친한 관계에서는 사용할 수 있다. 선생님과 학생 사이에 친밀한 표현으로 "따오~마이"를 사용할 수 있고, 친한 친구 사이에 농담처럼 사용하기도 한다. "마이mày"는 상대방을 낮춰 부르는 2인칭 대명사이다.

베트남 사람들의 말 중에는 유독 '형제'를 많이 강조한다. '동족상잔'이라는 말도 베트남에서는 '형제상잔huynh đệ tương tàn'이다. 공장에서 사장이 근로자들을 모아 놓고 훈시할 때도 '아잉엠따(우리 형제)'라고 쓴다. 친척이라는 단어는 '바꼰bà con'인데, '바'는 할머니라는 뜻이고 '꼰'은 자식이라는 뜻이다. 또 여러분이라는 뜻으로 '깍반các bạn'이라는 단어를 자주 쓰는데, 굳이 우리말로 번역하면 '친구들'이라는 뜻이다.

베트남에서 생활하고 있는 서양 학생들이 베트남에서 가장 곤혹스럽게 느끼는 것이 있다. 그것은 베트남 사람들은 만나기만 하면 초면이고 뭐고 가리지 않고 나이가 몇이냐? 결혼은 했느냐? 고향이 어디냐? 등을 막 묻는다는 것이다.

우리에게는 이해가 되는 면이 없지 않은데, 서양 학생들은 심문당하는 느낌이 들었을 것이다. 베트남인들이 외국인에게 그렇게 무례한(?) 질문을 하는 이유는 공통점을 찾아서 친해 보려는 이유도 있겠지만 그보다도 더 중요한 이유는 위아래를 가려 적절한 호칭을 하기 위함도 있다는 것을 이해할 필요가 있다.

덧붙여서 베트남인들에게는 유교적인 장유유서의 위계질서 의식도 상당히 잠재되어 있어서 연배를 확실하게 가려보고 싶은 것이다. 그렇다고 베트남 사람들이 나이 어린 외국인에게 무례하게 대하는 법은 없다. 단지 나이 어린 외국인이 연장자인 자신을 어떻게 대하느냐에 따라서 두 사람 사이의 인간관계에 영향을 미칠 수는 있다.

그리고 사람을 부를 때에는 인칭 대명사 뒤에 "어이$_{ơi}$"라는 말을 붙인다. "김 선생님!"인 경우에 "옹김 어이!"가 된다. "옹"은 연장자인 남자 혹은 할아버지, 그리고 영어의 "미스터"라는 뜻으로 쓰이는 단어이다. "어이"라는 단어는 우리말의 아래 사람을 부를 때 사용하는 "어이!"와 발음이 같으므로, 베트남 사람들이 우리를 "어이!"를 사용해서 부른다고 해서 예의 없는 사람이라고 오해해서는 안 된다.

7 성명

베트남 사람들의 이름은 대부분 한자에 근원을 두고 있으며, 맨 앞은 성이고 맨 뒤는 이름이다. 예를 들어, 전 수상인 보반끼엣$_{Võ\ Văn\ Kiệt,\ 武文傑}$의 성은 "보"이고 이름은 "끼엣"이다. 가운데 이름은 우리의 돌림자와 유사한 기능이 있다.[10] 그리고 옛날에는 남자에게는 가운데 이름에 Văn$_{文}$자를 붙이고, 여자에게는 Thị$_{氏}$자를 붙이는 경우가 많았다. 그러나 현재에는 반드시 그 원칙을 적용하는 것이 아니므로, "반"자가 있으면 남자이고, "티"자가 있으면 여자라는 원칙은 100% 바르다고 할 수 없다. "대부분의 베트남족의 성은 그 뿌리를 중

---

10) 보통은 가운데 이름이 돌림자의 기능을 하지만 그 반대의 경우도 있다. Nguyễn Đồng Chi아버지, Nguyễn Huệ Chi아들 Nguyễn Tri Niên형, Nguyễn Dy Niên동생 등과 같은 예이다.

국에 두고 있는데, 그 예로 쩐_{Trần, 陳}씨, 레_{Lê, 黎}씨, 리_{Lý, 李}씨 등이 있다.'(Lê Trung Hoa, 1992, p. 26).

베트남족의 성은 대부분 외자이지만, 일부 소수 종족은 두 자 혹은 그 이상의 글자로 된 성도 있다. 쟈롱_{Gia Long} 황제가 왕위에 오른 후 자기 후손과 외척을 구별하기 위해 똔텃_{Tôn Thất}, 똔느_{Tôn Nữ}라는 단어를 자식들의 이름에 사용했는데, 똔텃, 똔느라는 단어가 점차 일반 사람들의 성으로 사용되기 시작한 것처럼 베트남에서 만들어진 성도 있다.

베트남인의 성명 구조

형태	남성			여성		
	성A	돌림자	이름	성A	돌림자	이름
		단순어B 복합어B1	단순어C 복합어C1		단순어B 복합어B1	단순어C 복합어C1
AC	Lê		Cửu	Hà		Dung
AC1	Nguyễn		An Ninh	Đào		Cẩm Tú
ABC	Lê	Văn	Hữu	Nguyễn	Thị	Dung
ABC1	Nguyễn	Lê	Hải Đăng	Nguyễn	Thị	Cẩm Thạch
AB1C	Trần	Văn Hiền	Minh	Phan	Ngọc Lan	Hồng
AB1C1	Trần	Thành Đăng	Chân Tín	Nguyễn	Cửu Thị	Kim Chi

출처: Lê Trung Hoa 1992. pp.20~22.를 근거로 재작성.

베트남족의 성의 대부분은 그 근원적 의미를 찾기가 어렵다. 그러나 몇몇 소수 종족의 성에서는 근원적인 의미를 명백히 발견할 수 있다. 이들의 성은 본래 숲속의 동물, 새, 풀.. 사물 등에서 온 것이다. 이처럼 각 집안이 특정한 토템을 가지고 있으므로 보통은 이와 연관된 금기들을 하고 있는데, 예를 들면 타이_{Thái}족은 자기 집안의 성과 음이 비슷하거나 동음의 어떤 행동, 물건, 생물에 관계된 터부가 있다. 그 예로 로_{Lò}씨는 땅로_{táng lò}라는 새를 먹지 않고 죽이지도 않으며, 망로_{măng lò}, 죽순 등도 먹지 않는다. 그리고 꾸앙_{Quảng}씨는 호랑이를 사냥하지도 먹지도 않으며, 까_{Cả}씨는 꼿까_{cốt ca}라는 새를 사냥하지도 먹지도 않는다. 르엉_{Lường}씨가 숲속에 베어진 나무의 뿌리에서 자라는 버섯을 먹지 않고 그 뿌리도 건드리지 않는 경우에서 보이듯이 집안의 이름과 연관되지 않은 사물들에 관련된 금기들도 있다. 그러한 예로는 바오_{Bao}씨가 양배추를 먹지 않고, 바익_{Bạch}씨는 바나나 싹_{nõn chuối}를 먹지 않고, 드엉_{Đường}씨가 사탕수수를 먹지 않는 등의 경우를 들 수 있다. 위의 경우에서처럼 어떤 특정한 몇몇 음식을 금기시하는 소수 종족도 있다(Lê Trung Hoa, 1992, pp. 28~32).

베트남에 있는 종족 대부분이 부계의 성을 따른다. 그러나 에데족, 짬족, 자라이족, 므농족 등은 모계사회로 어머니의 성을 따른다. 그러나 현재는 이들 종족 사이에서도 부계의 영향력이 날로 강해지는 경향이 있다. 또 북부 베트남에는 같은 성씨로 이루어진 씨족 마을이 30개 이상이 있고, 이들 마을은 그들의 성을 마을 이름으로 사용하고 있다.

현재 베트남 성씨의 수에 관한 정확한 자료는 없으나 비교적 인구가 많은 성씨는 응웬_{Nguyễn, 阮}, 레_{Lê, 黎}, 쩐_{Trần, 陳}, 후잉_{Huỳnh, 黃}, 호앙_{Hoàng, 黃}, 팜_{Phạm, 范}, 부_{Vũ, 武}, 보_{Võ, 武}, 판_{Phan, 潘}, 부이_{Bùi, 裴}, 응오_{Ngô, 吳}, 도_{Đỗ, 杜}, 당_{Đặng, 鄧}, 호_{Hồ, 胡}, 즈엉_{Dương, 陽}씨 등이다(Lê Trung Hoa, 1992, pp. 32~52).

제 4 장

의복과 음식

---

1   의복

베트남 사람들의 전통 복장은 우리가 알고 있는 아오자이 외에도 아오바바, 아오뜨턴, 아오남턴 등이 있다. 베트남은 다종족 국가이기 때문에 종족마다 고유한 전통 의상이 있다. 여기에서는 주 종족인 베트남족의 의상에 대해서만 알아보고, 베트남 구비문학에 나타난 베트남 여성의 전통미를 소개한다.

1.1. 아오자이 áo dài

'아오자이'는 우리나라 사람들이 베트남을 떠올릴 수 있는 몇 가지 키워드 중의 하나이다. 그만큼 우리나라 사람들에게 널리 알려졌다고 할 수 있다. 우리는 아오자이가 베트남 여성의 전통 의상이라고 알고 있지만 사실 아오자이는 남녀 모두가 입는 베트남 전통 의상이다.

아오자이는 "아오áo"는 "윗도리"이고, "자이dài"는 "길다"는 뜻으로 "아오자이$_{áo\ dài}$"는 "긴 윗도리"이라는 의미이다. 즉, 윗옷이 긴 베트남 전통 의상을 말한다.

베트남 복식문화의 시발은 분명치 않으나 베트남 청동기 문화의 발상지로 알려진 동선에서 발굴된 청동 북에 새겨진 그림을 보면, 선사시대의 베트남 사람들은 남자는 일본의 스모선수들이 입는 것과 유사한 동코$_{đóng\ khố}$라고 불리는 허리 싸개를 입었고, 여자는 치마와 이엠$_{yếm}$으로 불리는 앞가리개를 입었다(Pierre Huard & Maurice Durand, 1993, pp. 259~261).

이러한 단순한 의상은 지역의 기후와 밀접한 관련이 있다. 베트남 남부는 열대기후, 북부는 아열대 몬순기후 지역에 속하기 때문에 대체로 무더운 날씨가 이어지는 편으로 이러한 더위를 피하고자 바지보다는 치마와 앞가리개를 입었다. 앞가리개는 사다리꼴 모양의 천의 모서리에 끈을 매달아 위는 목뒤로 메고, 아래는 허리에 묶는 아주 간단한 형태의 윗도리였다. 따라서 등 쪽은 아무것도 없는 시원한 옷이었다. 이러한 옷들은 사실 크기가 다른 천에 불과했고, 어떻게 감고 두르느냐에 따라 기능을 달리했다. 그러한 형태의 의상은 현재도 서부 고원지대의 소수 종족 의상에서 쉽게 찾아볼 수 있다. 천은 주로 바나나 나무에서 채취한 실과 마가 사용되었고, 후에 누에치기가 번성하면서 비단이 그리고 목화가 보급되면서 면이 사용되었다(Nguyễn Văn Huyền, 1996, pp. 680~684).

기원전 111년에 중국 한나라의 침입을 받아 천여 년의 통치를 받은 베트남은 중국 복식문화의 영향을 받게 된다. 대체로 18세기까지 일반 백성들의 복식은 큰 변화가 없었지만, 관리와 통치계층의 복식은 중국의 영향으로 많은 변화가 있었던 것으로 알려졌다. 특히, 레 왕조 이후로 유교가 통치계층의 철학으로 확실히 자리매김하면서 관리의 복식은 중국 것을 모방한 것이었다.

관리들은 남색의 옷을, 평민들은 뿔 색, 검정, 갈색 옷을 입었고, 결혼식에서 신부는 붉은색 옷을 입었으며, 금색은 왕만이 입을 수 있었다. 관리의 복장은 문관과 무관이 달랐고, 예복과 평상복이 있었다. 이러한 복장은 중국 조정의 모형을 따랐다. 그것은 부분별로 색깔과 천의 종류가 세밀히 규정되었다. 집안에서는 남녀 모두 수건을 머리에 둘렀고, 여성은 머리를 올리고 수건을 둘렀다. 특히 젊은 여성은 수건을 마치 까마귀 부리 모양으로 묶었다.

베트남 복식이 중국의 영향을 많이 받았음에도 베트남적인 것을 지키기 위한 노력이 각 왕조를 통해서 시도되었다. 리 왕조의 태종(1028~1054)은 1040년에 당시 중국 송나라의 직조 방법에 예속되는 것을 피하고자 궁녀들에게 베트남식 직조 방법을 지키도록 했고, 꽝쭝 황제(1788~1792)는 중국에 대한 항전을 선언하면서 그 이유로 "긴 머리를 보존하고, 검은 이를 지키기 위해 적을 친다."라고 했다(Đoàn Thị Tình, 1988, pp. 5~6).

특히 명나라가 침공(1407)하여 동화정책을 시행하면서 복식의 중국화를 시도했다. 그러나 명나라의 침입을 물리친 이후, 레 왕조의 현종(1663~1671)은 민족 고유의 복식문화를 지키고자 1666년에 "이제부터 여자들은 복장을 단정히 하기 위해 바지를 입지 말고, 허리띠를 매지 말라"라고 명령을 내렸다. 이로써 중국 한나라 침략 이후로 베트남에 보편화한 바지를 입는 것이 북부지역에서 금지되었다. 그러나 당시 베트남은 남북으로 분열되어 있었고, 중부지역을 통치하던 응웬푹코앗[1]은 북부 정권과의 차별화를 위해 1774년에 북부에서처럼 "상스럽게" 치마를 입지 말고 중국처럼 바지를 입으라는 명령을 내렸다. 그 때부터 남부 여성들은 치마를 입지 않게 되었다. 그 이후 남북을 통일한 응웬 왕조의 밍멩왕$_{1820~1840}$은 1832년에 청나라식으로 모든 여자에게 바지를 입도록 했다. 그러나 도시지역에서는 그 명령을 따랐지만, 북부 농민들은 여전히 치마를 입었다.

의복이 신체 보호와 미의 기능이 있다면, 옛날 베트남인들은 신체 보호 기

---

[1] Nguyễn Phúc Khoát阮福闊, 1714~1765, 응웬 씨 가문의 8대 군주(1738~1765).

능에 더 주안점을 두었던 듯하다. "먹는 것은 확실하게 입는 것은 질긴 것 Ăn chắc mặc bền."이라는 속담이 있다. 천연 재료가 아무리 풍부하다고 해도 옷을 짓는 일은 큰 노력이 필요했기 때문에 한 번 지은 옷은 오래 입어야 했다. 대물림하는 예도 많고, 이러한 '질긴 것'과 함께 최소한의 재료와 최소한의 수공으로 옷을 짓는 매우 실용적인 의복 문화를 갖고 있는데, 이러한 의복에서 '절약'이 아주 베트남적이라고 말하는 사람도 있다. 앞가리개는 그러한 예의 하나라고 할 수 있다.

재료의 다양화와 직조 기술의 발달로 미의 기능이 강조되면서, "옷이 차이가 나는 것이지 벗고 나면 누구나 같다. Hơn nhau tấm áo manh quần/Thả ra bóc trần ai cũng như ai."라든가, "사람이 예쁜 것은 옷 때문이요, 벼가 좋은 것은 거름 때문이다. Người đẹp vì lụa, lúa tốt vì phân."라는 속담이 생겨났다.

아오자이의 전신은 앞이 터진 보통의 윗도리에 옆쪽을 갈라놓은 옷, 즉 '아오뜨턴 áo tứ thân 四身服'에서 출발한다. 이 옷에서 치마 대신 바지로 바뀌었고, 윗도리는 단추를 가운데로 하지 않고 오른쪽에 달고 옷자락을 허리까지 갈라놓는다. 윗도리는 앞을 막고 옆을 길게 터서 윗도리도 길고 바지도 긴 옷이 된 것이다. 아오자이가 몸에 꽉 끼에 만들어진 것은 20세기 초 특히, 1930년대에 들어와 당시에 유명한 디자이너인 레포 Lê Phổ(1907~2001) [2])와 깟뜨엉 Cát Tường(1912~ ?) [3])이라는 두 사람에 의해서 이루어진 것으로 전해지고 있다.

일반적으로 여학생은 흰색, 중년층은 꽃이 있는 파란색 혹은 밝은색, 노인은 검은색, 브라운, 보라색을 입는다. 윗도리는 몸에 밀착되게 바느질하고 바지는 통이 크게 하여 헐렁하게 입는다. 아오자이의 멋은 베트남 여성들의 작은

---

2) 베트남 출신의 유명한 화가로 1937년 프랑스로 이주했다. 그의 그림은 베트남 출신 화가 작품 중에서 가장 비싸게 경매되었다. 약 38만 달러, 2012년

3) 하노이 미술전문대를 1934년에 졸업했으며, 1946년 12월 17일 민방위대에 체포된 후 실종되었다. http://www.taberd75.com/linh%20tinh/LichSuAoDai.htm

신체의 곡선을 잘 드러내는 것이 특징이다. 외국인들이 아오자이를 입은 베트남 여성에게 자주 눈길을 주는 것도 보일 듯 말 듯, 드러난 것 같으면서도 감추어진 아름다움 때문이다.

1.2. 아오바바 áo bà ba

아오바바는 베트남 남부, 메콩델타 지역에 널리 퍼진 옷으로, 바지와 양 옆구리가 터진 짧은 소매의 블라우스로 되어 있어, 활동하기에 편하다. 남부는 강이 많으므로 농민들은 온종일 강물 속이나 논에서 일하기 때문에 검은색을 주로 사용했다. 이 옷은 말레이시아의 바바족의 의상에서 기원했다고 해서 "검은 바바 옷áo bà ba đen"이라고 부른다. 현대에 들어와서는 다양한 색의 천으로 몸매가 더 드러나게 디자인해서 입는다. 이러한 개량된 아오바바는 외출복으로 입는다.

다음으로 널리 알려진 것은 체크무늬 스카프khăn rằn로 캄보디아로부터 들어왔는데, 종류가 다양하다. 이 지역의 기후의 특징은 덥고 물이 많다. 따라서 더울 때는 모자 대신 머리에 두르고, 물속에서 나오면 수건처럼 사용하며, 잠잘 때는 이불로, 여성이 아기를 안고 다니다 피곤하면 아기를 매는 포대기로도 사용된다.

1.3. 아오뜨턴 áo tứ thân

북부지역 여성들의 일반적인 의상으로 20세기 초까지 입었으나, 현재는 전통 축제 등에 참여하는 여성들이 입는다. 앞이 터진 긴 소매 블라우스를 아오뜨턴, 사신복이라고 한다. 치마와 앞가리개를 하고, 사신복을 입는데, 윗도리에 붙어 있는 긴 끈으로 허리를 묶는다. 보통 쟁반같이 생긴 모자를 같이 쓴다.

이 모자를 "논쫘이타오"[4])라고 한다.

일반적으로 관복의 경우는 왕조마다 엄격한 규정에 따르고, 중국의 영향을 받았지만, 평민들의 경우는 원래의 전통적인 복장을 유지했다(Trần Quang Đức, 2013, pp. 40~41).

2 논라 nón lá

우리는 일반적으로 베트남 사람들의 전통 모자가 삿갓 모양으로 생겼다고 이해하는 경우가 많다. 그러나 베트남 사람의 모자는 앞에서처럼 쟁반 같은 모양도 있고, 우리의 갓과 비슷한 모자도 있었다. 중부 후에 지역의 특산물로, 삿갓을 만들 때, 시를 적은 글자를 오려서 삿갓 사이에 끼워서 만든 것으로, 햇빛을 비추면 시를 읽을 수 있도록 만든 것으로, 이 삿갓을 "시 삿갓nón bài thơ"이라고 부른다. 시 외에도 수를 놓아서 한층 고급스럽게 만들기도 한다. 외국 관광객에게 인기 있는 상품이다. 베트남 까자오에도 전통 모자를 쓴 여인을 칭송하고 있다.

Ai làm cái nón có thao

Để cho anh thấy cô nào cũng xinh(Việt Chương, 1995, p. 17)

누가 논쫘이타오를 만들었기에

이걸 쓴 아가씨는 누구나 예뻐 보인다네.

---

4) nón quai thao, '논바떰, nón ba tầm'이라고도 하며 북부 베트남 여성의 전통 모자이다. 직경이 약 70~80cm 정도이다.

3 　신발

　　옛날 시골에서는 많은 사람이 맨발로 다녔다. 행사나 축제 등이 있을 때만 신발을 신었다. 옛날에는 나막신 또는 나무로 만든 슬리퍼를 신기도 했다. 그 형태도 다양했다. 상류층에서는 가죽이나 천으로 만든 신발이나 슬리퍼를 신었다(Pierre Huard & Maurice Durand, 1993, pp. 265~266). 베트남은 날씨가 더우므로 신발을 신는 것이 불편할 때도 있다. 개방 초기인 1990년까지도 많은 공무원이 슬리퍼를 아주 자연스럽게 신었었다. 개방 후 외국인이 밀려오면서 베트남 정부에서 공무원들에게 구두를 신도록 하면서, 요즘은 슬리퍼를 신고 다니는 공무원은 거의 없다.

4 　베트남 전통미인[5]

4.1. 전통 미인의 기준

　　베트남 전통사회에서의 여성들은 삼종사덕[6]이라는 규범 속에서 살았다. 삼종사덕Tam tòng tứ đức 三從四德은 "집에서는 아버지를, 시집가서는 남편을, 남편이 죽고 나면 아들을 따른다."라는 것이다. 또 여성의 품행 기준은 사덕이었다. 사덕

---

5) 이 부분은 ㈜아모레퍼시픽의 지원으로 작성된 배양수의 "베트남 전통미 고찰"이라는 보고서 일부이다.

6) 삼종은 재가종부Tại gia tòng phụ, 在家從父, 출가종부Xuất gia tòng phu, 出嫁從夫, 부사종자Phu tử tòng tử, 夫死從子이고, 사덕은 Công dung ngôn hạnh功容言行을 말한다.

은 '공용언행'으로 공은 집안일과 내조를 잘하는 것이고, 용은 단정한 용모이며, 언은 부드러운 말씨, 행은 여성의 도덕적 품성이었다. 즉 남편과 자식을 사랑하고, 인애심이 많으며 희생정신과 쇠와 같은 정조를 말하는 것이었다. 이러한 것이 봉건사회에서 여성의 아름다움을 결정짓는 요소였다.

전통사회에서 어떠한 용모를 가진 여성이 아름다운 여성이었는지를 찾는 일은 쉬운 일이 아니다. 다만 베트남 구비문학 속에서 언급되고 있는 아름다운 여인상은 상당히 많이 있다고 할 수 있다. 특히 까자오_{ca dao}라고 불리는 구비문학 작품 속에는 상당히 많은 구절이 출현하는 것을 볼 수 있다.

베트남 사람들은 일반적으로 여성은 외모보다는 내면의 아름다움을 높이 평가했던 것으로 보인다. "칠이 좋은 것보다 나무가 좋아야 하고, 겉모습이 예쁜 것보다 품성이 아름다워야 한다. Tốt gỗ hơn tốt nước sơn, xấu người đẹp nết còn hơn đẹp người."는 것에서 그 예를 찾을 수 있다(Việt Chương, 1995b, p. 651). 그런데도 여성의 아름다움에 대한 열 가지를 노래하고 있다.

> Một thương tóc bỏ đuôi gà
>
> Hai thương ăn nói mặn mà có duyên
>
> Ba thương má lúm đồng tiền
>
> Bốn thương răng lánh hạt huyền kém thua
>
> Năm thương cổ yếm đeo bùa
>
> Sáu thương nón thượng quai tua dịu dàng
>
> Bảy thương nết ở khôn ngoan
>
> Tám thương miệng nói lại càng thêm xinh
>
> Chín thương cô ở một nơi
>
> Mười thương con mắt hữu tình với ai(Nguyễn Xuân Kính & Phan Đăng Nhật, 2002, p. 238)
>
> 하나는 말총머리요
>
> 둘은 애교스러운 말투이며

셋은 보조개요

넷은 검은 이고

다섯은 앞가리개에 향주머니를 단 것이며

여섯은 우아하게 흘러내린 삿갓 끈이고

일곱은 현명한 행동거지이며

여덟은 입술이 예쁜 것이며

아홉은 여전히 혼자이며

열은 정을 담은 눈이다.

위 까자오를 보면 여성의 외모는 말총머리에 검은 치아, 보조개가 있고 정감 어린 눈에 삿갓을 동여매고 향주머니를 단 앞가리개를 입은 여성이다. 특히 치아를 검게 물들인 여성에 대해서 칭송하고 있다.

Răng đen nhoẻn miệng em cười

Dẫu trời đương nực cũng nguôi cơn nồng(Viện Văn học, 1999, p. 629)

잔잔한 미소의 검은 이는

뜨거운 햇빛의 열기도 식힌다네.

베트남 사람들에게 검은 치아는 무더위를 식힐 수 있을 정도로 아름다움의 표상이기도 했으며, 돈을 아무리 들여도 좋을 만큼의 가치가 있었음을 표현하고 있다.

Năm quan mua lấy miệng cười

Mười quan chẳng tiếc tiếc người răng đen

Răng đen ai nhuộm cho mình

Cho răng mình đẹp cho tình anh say(Nguyễn Xuân Kính & Phan Đăng Nhật, 2002, p. 236)

미소는 다섯 관을 주고도 사며

검은 이를 가진 자는 열 관도 아깝지 않네
누가 내 이를 검게 염색해 주었나
내 이를 예쁘게 해서 당신이 사랑에 빠지도록.

지금은 하얀 치아가 아름답다고 생각하지만, 옛날에는 하얀 치아를 가진 여성은 추하고 가치 없으며 그 여인이 아무리 재산이 많다고 하더라도 아무나 결혼할 수 있는 여성이고, 심지어 베트남 여인이 아니라 중국 여인으로 비유할 정도였음을 나타내는 까자오도 있다.

Cô kia răng trắng hạt bầu
Hắn cô ở khách bên Tàu mới sang
Cổ cô đeo chuỗi hạt vàng
Bây giờ cô lại vơ quàng vơ xiên(Nguyễn Xuân Kính & Phan Đăng Nhật, 2002, p. 425)
조롱박 씨처럼 하얀 이를 가진 저 처녀
중국에서 온 아가씨가 틀림없구나
노란 목걸이를 건 저 처녀
지금은 아무나 취할 수 있다네.

머리칼에 관해서는 앞에서 긴 머리를 뒤로 묶어 말총머리를 바람직한 머리 맵시로 규정하고 있다. 위에서 말총머리라고 번역했지만, 베트남어를 직역하면 '닭 꼬리ᵈᵘᵒ̂ⁱ ᵍᵃ̀ 머리'이다. 베트남 사람들은 말총머리를 닭 꼬리 머리로 형상화하고 있다. 대체로 검고 긴 머리칼을 선호했음을 알 수 있다.

Duyên là tóc, tóc là tơ
Xe tơ kết tóc, tóc đà ngang vai(Nguyễn Xuân Kính & Phan Đăng Nhật, 2002, p. 644)

인연은 머리칼, 비단 같은 머리칼
쪽 찐 머리를 어깨로 내린다.

몸매에 관해서는 잘록하고 가는 허리를 벌에 비유하여 형상화하고 있다. 우리가 가는 허리를 개미에 비유하는 데 반해서 베트남인들은 벌 허리로 비유하는 것도 재미있다. 베트남인들은 풍풍한 여인은 행동이 느려서 집안일을 잘 못 한다고 생각한다고 한다.

Những người thắt đáy lưng ong
Vừa khéo chiều chồng, lại khéo nuôi con(Việt Chương, 1995, p. 290)
벌 허리 같은 여인
남편 잘 섬기고 자식 잘 기른다네.

아름다운 눈에 관해서는 기생여뀌 잎사귀로 비유하고, 눈썹은 버들가지로 형상화하고 있으며 검은 눈을 아름다운 눈으로 여겼다.

Những người con mắt lá dăm
Lông mày lá liễu đáng trăm quan tiền(Nguyễn Xuân Kính & Phan Đăng Nhật, 2002, p. 1160)
기생여뀌 잎사귀 눈을 가진 여인과
버들가지 눈썹 여인은 백관을 주고도 산다네.

전통사회에서 베트남인들의 미인에 대한 관념은 검은 치아, 불그스레한 볼, 보조개, 말총머리에 아오자이의 전신이라고 할 수 있는 전통 복장인 사신복을 입고, 까마귀 부리 모양의 수건을 쓴 여인이었다. 얼굴형은 계란형, 눈은 비둘기 눈 또는 기생여뀌 잎사귀같이 가로로 긴 눈, 붉은 입술, 긴 목, 둥근 어깨, 붉은 발꿈치 그리고 무엇보다도 가는 허리를 가진 여인을 미인으로 쳤다.

4.2. 미인을 많이 배출한 지역

4.2.1. 라이쩌우성의 타이족(cô gái Thái, Lai Châu)

베트남에는 베트남족을 제외하고도 공식적으로 53개 소수 종족이 있다. 그중 미인을 많이 배출한 종족이 서북 산악지역에 살고 있는 타이족이 있다. 옛날 이곳의 미녀들이 궁녀로 많이 진출했으며, 미인대회에 나간 사람도 많다고 한다.

행정구역으로 보면 베트남 라이쩌우성, 퐁토현 므엉소면으로, 호앙리엔썬 산맥의 계곡에 있는데, 길이 험해서 이 계곡에 들어갈 때는 입구에서 산신에게 제사를 지낸다고 한다.

이곳에서 미인이 많이 배출된 이유는 1) 이곳이 타이족의 영주가 살던 영지였기 때문이라는 설과 2) 프랑스 식민지 시대에, 이곳에 주둔하던 프랑스 군인들과 타이족의 혼혈로 인한 것이라는 설이 있지만 라이쩌우성에서 타이족의 문화예술을 연구한 농반냐이씨에 따르면 3) 자연조건과 타이족의 생활 방식의 조화로 인한 것이라고 한다. 이곳은 높은 산으로 둘러싸인 계곡으로 연중 덥지도 춥지도 않은 온화한 기후가 있고, 타이족 아가씨들은 열심히 노동하고, 춤과 노래를 즐기므로 육체가 건강하고 심혼이 젊기 때문이라고 한다.

므엉소면에는 1,022가구가 살고 있는데, 13개의 전통무용단(대나무 춤)에 약 200명의 무용단원이 있다고 한다. 이 무용단원 전부가 절세가인은 아니지만 외모가 뛰어나고 매력을 끄는 여자만이 무용단원이 될 수 있다고 한다. 이들은 과거에 하노이, 중국의 관리들을 물론 프랑스 관리들로부터 초청받아 공연하러 다녔다고 한다(Quốc Việt, 2006.10.03.).

4.2.2. 뚜엔꽝성(Tuyên Quang)

"차는 타이응웬, 아가씨는 뚜엔꽝"이라는 속담이 있다. 차는 타이응웬성에서 생산되는 것이 최고이고, 뚜엔꽝성 아가씨들이 예쁘다는 말이다. 이러한 속담이 전해질 정도로 이 지역 여인 중에 미인이 많다는 말인데, 그 이유는 무엇일까? 전하는 얘기로는 1) 이곳이 막씨 왕조[7]의 성이었고, 많은 미인이 첩과 궁녀를 하기 위해 모여들었으며, 왕조 몰락 후 그 후예들이 그곳에 정착하면서 많은 미인을 낳았다는 설과 2) 이곳의 자연은 높은 산과 강이 흐르는 곳으로 하늘과 땅의 기운이 조화를 이루는 곳이라서 건강하고 아름다운 여인들을 만들어 냈다는 설이 있다. 대부분 여기 주민은 위의 두 견해에 찬성하고 있다. 이곳 문화정보청장을 역임한 응웬반마익씨는 3) "이곳은 베트남족 외에도 21개의 소수 종족이 거주하는 곳이며 이들이 섞여 살며 만들어진 혼혈로 인해 많은 미인이 탄생했다."라고 한다. 게다가 프랑스와의 전쟁 때는 하노이로부터 온 베트남의 많은 간부가 이곳에서 피신해서 활동하면서 토착민들과의 결혼을 통해서 가정을 이룬 경우도 많아 이곳 미인들은 외모뿐만 아니라 학식도 뛰어나다고 한다(Quốc Việt, 2006.10.05.).

4.2.3. 이옌뜨 산(Núi Yên Tử)

이곳은 행정구역상 베트남 꽝닝성 우옹비시, 트엉이옌꽁면이다. 전하는 바에 따르면, 지금으로부터 700년 전 베트남 쩐 왕조의 인종[8]이 왕위를 자식에게 물려주고 이옌뜨산으로 들어와 절을 짓고 수행하였는데, 그때 300여 명의 궁녀가 따라왔다고 한다. 그러나 인종은 이들을 받아들이지 않았고, 궁녀들이 수도인 하노이로 돌아가려고 했지만, 아들 왕이 길을 봉쇄해서 돌아갈 수 없게 되자 이들은 그곳 강에 몸을 던져 자살하게 되었다. 그리고 그곳 토착민들이 5명의 궁녀를 구했고, 이들은 자신을 구해준 토착민과 결혼해서 살게 되었다.

---

7) 막(莫) 왕조: 1527~1667까지 존재했던 왕조.

8) 쩐(陳王)조 인종: 1279~1293년까지 재위(쩐왕조 3대 왕).

토착민들은 이들이 모두 죽고 난 후, 남머우(다섯 어머니) 사당을 세워 그 궁녀들의 제사를 모셨고, 오늘날까지 전해지고 있다. 이들의 후예가 미인이 많다는 것은 그로부터 유래되었다고 한다. 그 토착민은 자오(Dao)족이다. 이곳의 자오족 여인들은 신체가 크고 아름다운 몸매를 가졌다고 한다.

이곳이 미인들이 많은 곳으로 알려진 것은 지금으로부터 30여 년 전이라고 한다. 문화대학에서 연기지도를 전공하고 이곳에 공무원으로 부임한 사람에 의해서 널리 알려지게 되었다고 한다. 이곳 사람들은 텔레비전을 통해 보는 미인선발대회를 보아도 별로 감흥을 느끼지 않는다고 한다. 그런 정도의 미녀는 그들에게는 매일 볼 수 있는 것이기 때문이라고 한다.

이곳에서는 어려서부터 그 지방에서 나는 나뭇잎을 끓여서 만든 물을 먹이고, 속을 차게 하는 음식을 즐겨 먹으며 매운 음식을 피해서 피부가 희고 매끈하다고 한다. 또 엄격한 가정교육을 받으며 자라는데, 목소리를 크게 내서도 안 되며 울 때도 소리를 내어 울지 못하도록 교육을 받는다고 한다(Đỗ Hữu Lực, 2006.10.06.).

4.2.4. 하이퐁(Hải Phòng)

하이퐁은 하노이에서 동쪽으로 한 시간 반 거리에 있는 북부지역의 가장 큰 항구도시이다. 항구도시라서 일찍이 외부와의 교류가 빈번했고, 그러한 연유로 이곳 아가씨들은 다른 도시의 여인보다 "개방적이고 솔직한" 성격을 가지고 있다고 한다. 근래에 들어와 많은 하이퐁 출신의 미인대회 수상자가 배출되었는데, 대표적인 것은 2000년 북부지역 미스 베트남 선발대회 결승에 오른 13명 중에서 8명, 2006년에는 17명 중 3명이 하이퐁 출신이었다고 한다. 그럼에도 하이퐁에서 미인이 많이 배출된 연유에 대해서 아는 사람들이 많지 않다고 한다.

서기 초 중국 지배기에 봉기를 일으켜서 정권을 잡았던 하이바쯩을 도왔던 미모의 여장군 레쩐(Lê Chân)이 지금의 하이퐁 땅에 마을을 개척했다고 한다. 이곳은 풍수지리학적으로 많은 미인을 배출할 수 있는 풍수지리적으로 용맥에 해당하는 곳이었다는 설이 있다. 그리고 하이퐁은 옛날에 살기 힘든 황무지 해변으로, 관리들의 유배지였다고 한다. 관리와 장군들이 유배되면서 그 가족들이 같이 정착하게 되었고, 그들의 후손 중에 미인이 많이 나왔다는 설이 있다. 많은 시간이 흐른 후에, 안라오라는 마을의 여인들이 조정에 궁녀로 진출했다. 해변이라는 지리적 영향으로 심신이 건강하고 활수한 성격의 사람을 만들어 냈다고 한다.

하이퐁시는 매년 미인 선발대회를 개최하고 있으며, 선발된 사람들을 훈련해 전국 대회에 진출시킨다는 점은 타지방에서 볼 수 없는 것이다(Quốc Việt, 2006.10.07.).

4.2.5. 고꽁, 띠엔쟝(Gò Công, Tiền Giang)

고꽁은 호찌민시에서 남쪽에 있는 띠엔쟝성에 속하는 해변 마을이다. 이곳에서는 베트남의 마지막 왕조인 응웬 왕조의 두 명의 왕비를 배출했다. 뜨주(Tu Du) 태후는 14살에 궁에 들어갔다가 태자와 결혼한 후, 1841년 태자가 왕위에 오르면서 왕비로 책봉되었다.

두 번째는 1934년 베트남의 마지막 왕인 바오다이 황제의 왕비가 된 남프엉(南芳) 황후이다. 1914년생으로 왕비가 되기 전에 인도차이나 미인선발대회에서 3년 연속 미인으로 선발된 경력이 있었다. 매년 이곳 고꽁현에서는 미인선발대회를 개최하고 있는데, 외모 외에도 시골의 순박하고 진솔한 면을 중시한다고 한다(Quang Vinh, 2006.10.09.).

4.2.6. 후에(Huế)

후에는 베트남 중부지역에 있는 도시로, 베트남 마지막 봉건왕조

(1802~1945)의 수도였다. 특히 베트남 남부와 북부 사람들은 후에 아가씨들이 아주 매력이 있다고 말한다. 특히 부드러운 말씨가 그렇다고 한다. 후에는 응웬 왕조의 수도였기 때문에 아름다운 여인들이 왕궁에 들어왔고, 그래서 많은 미인을 배출하게 되었다고 한다.

그중에서도 주이떤 왕의 왕비였던 마이티방(Mai Thi Vang) 황후는 출중한 외모뿐만 아니라 절개가 굳은 여인으로 알려져 있다. 왕이 프랑스로부터 마다가스카르섬 동쪽 700킬로미터 떨어진 프랑스령으로 귀양 보내졌을 때, 왕비를 베트남으로 돌려보내기 위해 왕이 왕실에 이혼 신청을 했으나, 마이티방 왕비는 거절하며 끝까지 왕과 함께 하겠다고 했다는 일화가 전해진다. 이 왕비가 태어난 곳이 낌롱 마을이다. 이곳은 '미녀 촌'으로 유명하다.

후에의 여인들의 아름다움은 겉으로 드러난 것보다 속에 감추어진 아름다움이 훨씬 크다고 말한다. 후에 여인들의 부드러운 어투와 날씬한 몸매, 하늘거리는 걸음은 마치 후에를 가로지르는 흐엉강香江과 닮았다고 말하는 이도 있다(Quốc Việt & Thái Lộc, 2006.10.08.).

5 음식

"먹는 것은 북, 입는 것은 남Ăn Bắc mặc Nam."이라는 속담이 있다. 음식은 북부 음식이 맛있고, 옷은 남쪽 사람들이 잘 입는다는 의미이다. 베트남에는 다양한 농산물과 열대 과일, 채소와 수산물 그리고 심지어 야생 동물들까지 다양하고, 풍부한 재료를 사용해서 만든 요리가 아주 많다. 지방을 여행하다 보면 그 지역의 특별한 음식을 파는 식당을 흔히 볼 수 있다. 베트남어에 "닥산đặc sản 特産"이라는 단어가 있다. 이 단어는 '지역의 특별한 음식'이라는 의미로 사용되는 경우가 많다.

5.1. 베트남 음식문화의 특징 (배양수, 2001)

베트남은 아열대 기후에 속하기 때문에 풍부한 물과 일조량이 있어 식생이 아주 다양하다. 다양한 과일과 채소류, 동물은 물론 많은 강과 긴 해안선이 있어 많은 어류가 난다. 게다가 요리의 나라 중국과 국경을 맞대고 있으며, 오랫동안 서양 문화의 영향으로 다양한 음식을 맛볼 수 있는 나라 중의 하나이다.

베트남인들은 예로부터 주로 농업과 어업에 종사했기 때문에 그들의 주식 재료는 쌀과 생선이었다. 멥쌀은 밥을 짓거나 빻아서 국수나 라이스페이퍼를 만들며 찹쌀은 주로 떡을 만든다. 민물고기 또한 시골의 주식인데, 말림, 튀김, 국, 찜으로 만들어 먹고, 바닷고기, 오징어, 새우, 게는 해안지방에서는 주로 날 것으로 먹지만 내륙지방에서는 말린 것이나 요리해서 먹는다. 그 외에도 각종 채소류와 고기를 먹는데, 고기류는 주로 닭, 오리, 돼지고기를 먹고, 쇠고기나 물소고기는 그리 선호하는 편이 아니다. 옛날 시골에서는 마을회관의 기능을 하는 딩Đình에서 행사가 있을 때만 약간의 고기를 먹었다고 한다(Đào Duy Anh, 2000, pp. 13~14).

대체로 베트남 음식에 관해 말할 때, 혹자는 베트남 음식의 대부분이 중국에서 왔다고 말하기도 한다. 그러나 자세히 들여다보면 몇 가지 차이점을 발견할 수 있다. 중국 사람들은 밀가루를 베트남인들은 쌀가루를 사용하고, 중국인들은 콩으로 만든 간장을, 베트남인들은 생선으로 만든 액젓인 느억맘nước mắm을 사용한다. 또 중국인들은 시고 달콤한 맛을, 베트남인들은 짭짤하고 달콤한 맛을 내며, 고기 요리를 할 때 베트남인들은 생고기에 마늘 등의 양념을 하여 나뭇잎으로 싸서 숙성시키는 방식을 사용하는 때도 있고, 양국 모두 채소를 먹지만 베트남은 생으로 먹는 경우가 많다. 한편 요리할 때 중국인들은 큰 불꽃을 사용하지만, 베트남인은 작은 불을 이용한다는 것이 차이다(Trần Văn Khê, 2000, pp. 19~21).

베트남 사람들의 식탁에서 빠질 수 없는 소스가 느억맘이다. 느억맘은 거의 모든 음식을 찍어 먹는 소스이다. 그 종류도 다양한데, 멸치, 새우, 게, 생선 등으로 만든 느억맘이 있으며, 지역에 따라 맛도 조금씩 다르다(Nhất Thanh, 1992, pp. 92~93). 특정한 음식에는 특정한 느억맘을 먹을 정도로 다양하다.

베트남인들은 음식을 먹을 때 시각, 후각, 촉각, 청각, 미각의 오관을 모두 사용한다. 또 음양과 냉열의 조화를 중시한다. 예를 들어, 짠맛은 양이고 달고 신 맛은 음이다. 따라서 액젓인 느억맘은 짠맛, 양이고, 소스를 만들 때, 음인 식초와 설탕을 넣어서 음양의 조화를 이루도록 한다. 단 음식에는 약간의 소금을 첨가해서 먹는데, 수박을 먹을 때 소금을 찍어 먹기도 한다. 찬 음식인 생선, 게, 오리고기를 먹을 때 열을 내는 생강을 간장에 넣어서 찍어 먹으므로 냉과 열의 조화를 이룬다(Trần Văn Khê, 2000, pp. 21~22). 또 아주 다양한 소스를 갖고 있는데, 액젓에 레몬과 고추를 넣은 것, 액젓에 생강을 넣은 것, 액젓에 식초와 마늘을 넣은 것 등이 있다.

채소류 중에서 베트남인들에게 없어서는 안 될 것으로 자우무옹rau muống이 있다.

도시지역과 부유한 집을 제외하고는 대부분의 베트남인은 평상이나 침대 또는 방바닥 심지어 여름에는 마당에 돗자리를 깔고 멈Mâm이라고 불리는 상에서 식사한다. 멈은 나무나 대나무로 만들어 사용했으나 청동기 시대 이후로 구리로 만든 멈이 사용되었다. 그러나 구리로 만든 멈은 부유층에서나 사용할 수 있었고 평민들은 여전히 나무로 된 것을 사용했다. 현대에 들어와 알루미늄으로 만든 것이 많이 사용된다(Băng Sơn, 2000a, pp. 133~134).

식사할 때는 집안의 위계질서에 따라 식사를 권한다. 윗사람이 밥그릇을 들고 식사를 시작하면 아랫사람도 밥을 먹기 시작한다. 이러한 식사 예절은 대단히 중요시한다. 또한, 여성 즉 어머니, 며느리, 누나는 밥솥 가까이 앉아서 식사하면서 다른 사람들을 관찰하여 다 먹은 사람에게 밥을 더 퍼준다. 누구도 먼저 밥그릇을 비웠다고 해서 스스로 솥에서 밥을 푸지 않는다. 음식을 집어 액젓이나 간장을 찍은 다음에는 바로 입으로 가져가지 않고 손에 들고 있는 그릇에 가져간 다음에 먹는다. 맛있는 음식은 항상 윗사람에게 양보한다 (Băng Sơn, 2000b, pp. 55~57).

베트남 잔칫상은 지역마다 조금씩 그 특색을 달리하고 있지만 한 상에 보통 4명 또는 6명이 앉고, 5명이 앉는 것을 꺼린다. 때로는 아주 친한 두 사람이 겸상하거나 두 쌍이 겸상하는 때도 있다. 이 자리를 배치하는 일은 주인이 잘 살펴야 한다. 술을 잘하는 사람은 잘하는 사람끼리, 나이도 엇비슷한 사람끼리 한 상에 앉게 하며, 옛날에는 남녀가 따로 앉도록 했고(Lý Khắc Cung, 2000, p. 122) 또한, 주인은 각 상을 돌면서 술을 따르거나 부족한 음식과 양념 등을 보충해 준다.

베트남에는 "먹을 때는 솥을 보고, 앉을 때는 방향을 본다.Ăn trông nồi, ngồi trông hướng."라는 속담이 있다. 이것은 사회생활에서 가장 기본적인 예의로서 부모들이 자녀들에게 늘 당부하는 말 중의 하나이다. 이 속담은 옛날 어려울 때 밥이 충분치 않으므로, 배가 고프다고 해서 원하는 대로 먹어서는 안 된다는 것을 의미한다. 솥에 남아있는 밥의 양을 보면서 식사량을 조절하라는 뜻으로, 중요한 식사 예절이었다. 앉을 때 방향을 본다는 말은 앉는 자세도 중요하고, 어느 위치에 앉는 것이 적절한지를 보고 앉으라는 것을 뜻한다.

베트남 사람들도 개고기를 먹는다. 그러나 보편적인 것은 아니고 일부 사람들이 먹는데, 남부 사람들보다는 북부 사람들이 더 많이 먹는다. 한때 하노이 호떠이 근처에 있는 녓떤Nhật Tân에는 개고기를 파는 식당들이 줄지어 있었다. 보통 음력 달 초에는 잘 먹지 않으며, 하순쯤에 많이 먹는다. 월초에 개고기를 먹으면 재수가 없다고 여겼기 때문이다. 그러나 이미 재수가 없는 일을 겪었다고 생각하는 사람들은 월초에도 개고기를 먹는다. 그 외에도 고양이 고기와 쥐 고기도 먹는데, 이러한 고기를 먹는 사람들은 아주 소수에 불과하다. 1940년대 전반, 특히 일본이 베트남을 지배할 때 수탈로 인해 많은 사람이 굶어 죽었는데, 이때 개구리, 뱀, 쥐, 고양이 등을 먹었다고 한다.

1930년대 북부 지방의 한 집에서 프랑스 사람을 초대하여 토끼 고기 요리를 대접하려고 했다. 그런데 주방장이 토끼 살 돈을 노름으로 다 잃어버리고, 고민하다가 살진 고양이를 사다가 요리해서 대접했다고 한다. 프랑스 사람이 그 음식이 맛있다고 칭찬했다고 한다. 집주인은 자랑하려고 주방장을 불렀다고 한다. 그런데 주방장은 그 칭찬에 부끄럽기도 하고, 또 자신이 한 일이 들통날까, 봐 걱정되어 손님 앞으로 나오면서, 프랑스어로 "라팽 안나미떼Lapin annamite"라고 했다. "라팽 안나미떼"는 "베트남 토끼"라는 말로, "서양 토끼보다 작고 맛이 없다"라는 의미로, 손님에게 미안한 마음을 표현하려고 했다고 한다. 그때부터 이 지역에서는 고양이를 불어로 "라팽 안나미떼"라고 불렀다고 한다(Nhất Thanh, 1992, pp. 101~102).

5.2. 음료

술을 마실 때를 제외하고는 보통 밥을 먹은 후에 음료를 마신다. 그러나 술을 마시면 통상적으로 안주와 함께 마시고, 술을 마신 후에 밥을 먹는 것이 보통이다. 술은 모두 찹쌀로 빚는데, 연꽃, 장미, 국화 등의 꽃을 재서 담그기도 한다. 이러한 술을 화주花酒라고 부른다. 화주에서 가장 높이 치는 것은 국화주와 연화주이고 약술로 가장 귀하기 치는 것은 인삼에 녹용을 넣은 술이다. 술은 보통 농촌 사람들이 도시인들보다 더 마신다(Phan Kế Bính, 2000, pp. 17~18).

음료로는 차를 마신다. 그러나 옛날에는 신선한 차를 마셨다고 한다. 이 신선한 차는 아직도 농촌지역에서 마신다고 하는데, 차나무 가지를 꺾어서 큰솥에 넣고 펄펄 끓여서 마시는 차이다. 중국식 차가 베트남에 들어온 것은 레 왕조 이후로, 주로 귀족층에서 사용되었다고 한다(Trương Chính, 2000, p. 28).

5.3. 음식 (Vũ Thế Bình, 2012, pp. 104~118)

5.3.1. 퍼 phở

퍼는 세계적으로 알려진 베트남 음식이다. 퍼가 출현한 것은 지금으로부터 약 100년 전이라고 한다. 자료에 따르면 약 17종의 퍼가 있다고 한다. 퍼는 서민들의 음식이며 계절과 끼니에 상관없이 먹을 수 있다, 물론 베트남 사람들은 주로 아침 식사로 많이 먹지만 도시에서는 점심이나 저녁에도 먹는다.

퍼에 들어가는 고기는 기본적으로 쇠고기이다. 닭고기도 있고, 다른 고기를 넣을 수도 있지만, 베트남인들은 쇠고기 퍼를 으뜸으로 친다. 그리고 잘 데친 쇠고기와 살짝 데친 쇠고기가 있는데, 잘 데친 쇠고기를 더 선호하는 편이다. 현재 퍼는 베트남 전국에서 먹을 수 있지만, 하노이의 퍼가 가장 맛있다고 한다. 하노이 남쪽, 남딩 지방의 퍼도 유명하다. 육수는 각종 뼈와 생강, 파 뿌리, 계피, 스타 아니스, 초과草果 등을 넣고 끓여서 만든다. 레몬과 파 줄기, 향초, 고추를 넣어 먹으며, 기호에 따라 베트남 칠리소스를 넣기도 한다.

소설가 응웬카이는 그의 단편 <지위>에서 퍼 가게를 열어 큰돈을 번 사람을 소개하고 있다. "나는 하노이에 갈 때마다 아침저녁을 캉과 안의 국수 가게에서 먹었다. 그들은 하노이의 중심 상권에 다섯 개의 국수 점을 열었다. 가히 기업이라고 부를 만하다. 국수 가락의 부드러움, 고추의 색깔, 파 줄기 등을 포함한 그들만의 고유한 맛을 유지하기 위해서 한 곳에서 요리한 다음, 차로 각 가게로 나른다."라고 썼다(응웬카이, 2005, p. 71).

현재까지 퍼의 기원에 대해서 정확하게 밝혀진 것은 없다. 퍼의 기원에 대해서 역사적으로 연구한 다오훙$_{Đào Hùng}$씨에 따르면, '퍼'라는 단어는 중국 남부의 광둥성, 광시성 사람들의 음식 중에 "응어우뉵펀$_{ngầu nhục phấn}$"이라는 음식이 있는데, 이 음식은 쇠고기와 쌀가루를 사용해서 만든 것이라고 한다. 지금도 이 음식은 꽝쩌우와 같은 화남지방에서 볼 수 있으며, 쌀가루를 이용한 국수로 퍼와 거의 유사하다고 한다. 그러나 이 음식은 국물이 없이 먹는 음식으로 퍼와 다르다고 한다. 이 음식이 베트남 북부 국경지대로 유입되어 화교나 눙족이 팔았다고 한다. 이곳에서는 이 음식을 "마른 퍼$_{phở khô}$", "신 퍼$_{phở chua}$"라고 불렀다. 이 중국에서 들어온 음식을 베트남화 한 것이 오늘날의 "퍼"라고 한다. 그리고 20세기 초에 베트남에 도시가 형성되면서 하노이에 퍼를 파는 거리가 생겨났으며, 주로 행상이 판매했다고 한다. 현재 퍼는 중국 음식의 변형이 아니라 재료와 요리법에서 완전히 베트남화 된 음식이다. 베트남전 당시에 북베트남에서는 쇠고기를 매매 금지 품목으로 지정했기 때문에 쇠고기가 없는 퍼를 팔았고, 그 퍼를 "사공이 없는 퍼$_{phở không người lái}$"라고 불렀다고 한다. 이때 일부 개인 식당에서 쇠고기 대신 닭고기를 넣어 퍼를 만들었다고 한다(Đào Hùng, 2012, pp. 121~126). 또 다른 이는 이 "닭고기 퍼$_{phở gà}$"가 1939년 2차 대전이 시작되면서 생겨났다고 말하기도 한다. 당시 경제적 형편이 좋지 않아서 쇠고기 대신 닭고기를 넣어서 만들었다고 말한다(Nguyễn Huy Minh, 2013, p. 161). 결론적으로 베트남 퍼는 쇠고기로 시작되었고 경제 상황이 좋지 않을 때 닭고기 퍼가 생겨난 것으로 이해할 수 있을 것이다.

5.3.2. 조루어 $_{giò lụa}$

조루어는 베트남식 수제 소시지이다. 남부 지역에서는 짜루어$_{chả lụa}$라고 부른다. 막 잡은 신선한 돼지고기를 질 좋은 느억맘과 설탕, 후추 등과 함께 잘 다진다. 절대로 믹서를 사용해서는 안 되고 다지는 강도도 너무 세도 않고 약하지도 않게 다져야 한다. 어떤 이는 다지는 소리만 듣고도 잘 만들어지는지를 알 수 있다고 한다. 다진 고기를 바나나 잎에 싸서 원기둥 모양으로 만든 다음 쪄서 익힌다. 적당한 크기로 썰어서 간장에 찍어 먹는다. 조루어를 잘 만드는 마을로는 하노이의 으억레 마을과 박닝성의 딩방 마을이다.

5.3.3. 분 bún

분 역시 쌀국수의 한 종류이다. 그런데 우리나라에는 퍼에 비해서 덜 알려져 있다. 남부 지역에서는 "중국 국수miến tàu"라고 부르기도 한다. 분은 국수에 어떤 것이 주재료로 들어가느냐에 따라 아주 다양한 종류가 있다. 국수에 불고기가 들어가면 "분짜bún chả"라고 하는데, 이 분짜는 우리 입맛에 잘 맞는 음식이다. 냄쟌이 들어가면 "분냄bún nem", 우렁ốc이 들어가면 "분옥bún ốc", 계란말이, 족발, 닭고기가 들어가면 "분탕bún thang", 민물 게살을 넣은 것을 "분리에우bún riêu", 족발 고기와 생 소시지를 넣으면 "분목bún mọc", 쇠고기와 족발을 넣은 것은 "분보조해오bún bò giò heo"라고 한다. 지역마다 재료와 양념이 다양하다. 북부에서는 분탕과 분목을 고급 음식으로 치고, 후에에서는 "분보 후에bún bò Huế"가 유명하다.

5.3.4. 후티에우 미토 hủ tiếu Mỹ Tho

후띠에우도 쌀국수의 한 종류이다. 중국, 캄보디아 후띠에우도 있지만 다른 국수 종류와 다른 점은 채소와 식초를 사용하지 않고 생숙주, 라임, 고추, 간장을 사용한다는 점이다. 후티에우 미토가 유명한 것은 고깟Gò Cát에서 나는 쌀로 국수를 만든다는 점이다. 고깟 지방에서 나는 쌀이 맛있기로 유명하다고 한다. 그리고 돼지고기 외에도 새우를 넣는다. 요즘은 가격을 내리기 위해 메추리알, 돼지갈비를 넣기도 한다.

5.3.5. 냄쟌 _{nem rán}

냄쟌은 영어로 스프링 롤이며, 남부 지역에서는 짜조_{chả giò}라고 한다. 이 음식은 비교적 만들기 쉬운 음식이며 재료는 다진 돼지고기, 게살, 새우, 표고버섯, 석이버섯, 파, 숙주, 달걀, 후추, 소금 등을 같이 혼합한 다음에 라이스페이퍼로 적당하게 싸서 기름에 튀긴다. 얇은 라이스페이퍼를 사용한다. 소스는 느억맘, 설탕, 조미료, 식초, 물, 후추와 고추, 얇게 썬 마늘 등으로 만든다. 외국인의 입맛에도 잘 맞는 음식이다.

5.3.6. 바잉똠 _{bánh tôm}

베트남식 새우튀김이라고 할 수 있다. 새우전에 더 가깝다고도 할 수 있다. 하노이 호떠이 지역이 유명하다. 소스를 어떻게 만드느냐가 맛을 좌우한다. 상추, 향초와 함께 소스에 찍어 먹는다. 하노이 호떠이 호숫가에서 풍경을 감상하며 먹는 맛을 일품으로 친다.

5.3.7. 바잉쎄오 _{bánh xèo}

바잉쎄오는 남부의 대표적인 음식이다. 쌀가루에 코코넛 물과 강황 가루, 소금 등을 넣고 걸쭉하게 반죽한다. 쇠고기, 양파, 새우를 미리 살짝 데쳐서 익힌 소를 만든다. 프라이팬에 반죽을 얇게 펴서 익히고, 그 위에 미리 준비한 소와 숙주를 얹어서 반으로 접는다. 느억맘, 고추, 라임, 물을 섞어서 소스를 만든다. 채소와 함께 소스에 찍어서 먹는데, 외국인들도 맛있게 먹을 수 있다.

5.3.8. 짜오똠 _{chạo tôm}

껍질을 벗긴 새우를 잘 씻어서, 코코넛 물에 담갔다가 꺼내서 물기를 뺀다. 소금, 후추, 마늘 등과 같이 갈아서 반죽을 만든다. 여기에 비계와 설탕을 넣어 간 다음, 새우 반죽과 같이 섞는다. 껍질을 벗긴 사탕수수에 반죽을 적당하게 입힌다. 한쪽 끝은 손으로 잡을 수 있도록 반죽을 바르지 않는다. 숯불에 적당히 구워서, 준비된 소스, 채소와 함께 먹는다. 짜오똠 소스는 그 어떤 소스보다도 공이 많이 들어가는 소스이다. 돼지 간을 다지고, 껍질을 벗긴 콩을 갈고, 익혀서 으깬 타마린드와 간장을 넣고 끓인 다음, 잘게 부순 땅콩과 고추, 마늘을 넣어서 만든다.

제 **5** 강

종교와 예술

----

1 종교

베트남의 주요 종교에는 불교, 천주교, 기독교, 까오다이교, 호아하오교, 회교, 힌두교 등이 있다.

1.1. 도교 đạo Giáo

베트남 도교는 중국으로부터 유래되었는데, 베트남 도교의 두드러진 점은 남자 신보다는 여신을 많이 모신다는 것이다. 베트남의 여신 숭배는 아주 오래 전부터 존재했던 것으로 알려졌다. 베트남은 논농사 문화를 기반으로 하고 있으며, 이 논농사 문화는 땅과 물과 벼가 중심이 되고 이들은 모두 음에 속하는 것이며, 또한 종자의 대 이음 및 생산과 관련된 것으로, 바로 여성과 관련이 있다는 믿음에서 발원한 것이다. 이러한 전통 신앙과 도교가 결합하면서 나타난 것이 베트남의 성모 리에우하잉Liễu Hạnh이다(Nhiều tác giả, 2000, pp. 107~109).

이 여신은 옥황상제의 딸로, 천상의 연회에서 옥그릇을 깨뜨린 죄로 세상으로 쫓겨 와 응웬阮씨 가문의 다오랑Đạo Lang이라는 청년과 결혼해서 살다 죽었다. 그녀는 죽은 후에 유학자나 관리들에게 비상한 위력을 나타냈고, 그들은 사당을 세워 제사를 지냈다. 특히 북부 베트남에 널리 사당이 세워졌고, 오늘날에도 많은 사당이 남아 있다(Nguyễn Văn Huyền, 1996, p. 726).

하늘과 땅, 물 즉, 우주를 관장하는 삼 좌 성모에 리에우하잉 성모가 추가되어 사 좌 성모가 탄생한 것이다. 천모 상은 붉은 수건을 두르고 가운데 안치하며, 왼편에는 파란 수건을 두른 지모를, 오른편에는 흰 수건을 두른 수모를 안치했다. 그러나 베트남 사람들은 리에우하잉 성모가 출현하면서 리에우하잉 성모를 천모의 화신으로 간주하여 높이 받들었다. 민간에서는 삼 좌 성모는 옥황상제의 딸이 세 번 출산하여 세상으로 내려온 것으로, 선녀로 혹은 처녀로 혹은 불교 신자로 나타나지만, 이 삼위는 모두 일체로 리에우하잉 성모라고 믿는다(Nhiều tác giả, 2000, p. 111).

도교와 관련된 풍속으로, 음력 섣달 23일에는 각 집안의 생활을 관장하는 따오꿘竈君이 옥황상제에게 보고하러 올라가는 날에 제사를 지내는 풍습이 있다. 따오꿘이 일 년 동안 각 가정의 일을 관찰하고 기록하여 연말에 옥황상제에게 보고하면 그 공과에 따라서 다음 해에 화복을 내려준다고 믿었다. 따오꿘은 섣달 23일에 올라가 섣달그믐날 자정에 돌아온다고 한다. 조군에게 제사를 지냄으로써 자기 가정에 대해서 잘 보고해 달라는 의미를 포함하고 있다. 제사는 종이로 만든 옷, 모자, 신발과 가짜 돈 그리고 산 잉어 혹은 종이 말을 과일들과 함께 제단에 차려놓고 제사를 지낸 다음에 태운다. 가짜 돈은 신의 세계도 노잣돈이 있어야 한다는 생각에서 나온 것이고, 잉어는 따오꿘이 타고 갈 교통수단이다. 베트남 사람들은 용이 잉어로부터 환생 된 것이라는 생각하고 있어, 신성한 교통수단으로 여긴 데서 연유한 것으로 보인다. 또 몸이 아프거나 집안일이 잘 안될 때 부적을 지니는 풍습도 상당히 널리 퍼져있다. 도교와

관련된 풍습은 기존의 민간신앙과 결부된 경우가 많아서 도교 풍습과 민간신
앙과의 구분이 모호한 경우도 많이 있다. 도교의 신을 모시는 사당을 베트남
어로는 '덴_{Đền}'이라고 한다. 도교의 한 파인 모교(姆教)는 2019년 통계총국의
조사에 따르면 71,568명의 신도가 있다고 한다.

1.2. 불교 _{đạo Phật}

중국 수경주_{水經注}에는 BC 3세기경에 인도의 아소카 왕이 지금의 베트남 하
이퐁 도선 지역에 불탑을 건설하도록 했다는 기록이 있고, 그 후 특히 기원 이
후로 무역로를 따라서 불교가 전파되었고, 그 중심지는 지금의 베트남 북부지
역인 박닝_{Bắc Ninh}이었다. 또한, 중국 삼국시대 오나라의 승려였던 강승회_{康僧會}를
비롯한 유명한 승려들이 베트남에서 수행했다는 기록도 있고, 6세기 중엽에
는 이씨 성을 가진 사람이 석가모니의 자식이라는 이름을 내세워 정권을 잡고
반수언_{萬春}이라는 나라를 세워 왕을 칭했는데, 이 왕이 리펏뜨_{李佛子}이다(Nhiều
tác giả, 2000, p.137).

대체로 베트남 불교는 중국의 지배기인 6세기 이후로 왕성해졌고, 특히 11
세기 초에 세워진 리 왕조의 건국에는 반하잉_{萬行}이라는 승려의 역할이 아주
컸다고 전한다. 15세기에 이르러 유교의 강성과 함께 쇠퇴했다가 15세기 중반
이후로 부흥하기 시작하여 17세기에는 다시 왕성해졌는데, 이때 베트남 북부
지역에서는 중국에서 들어온 선종의 일파인 임제종과 조동종을 중심으로 발
전했다. 17세기 말에 불교는 다시 쇠퇴하기 시작하지만 이미 불교는 베트남 민
중 속에 깊이 스며들었기 때문에 그 기반은 여전히 남아 있었다(Nhiều tác giả,
2000, pp. 138~139).

베트남 승려는 갈색 또는 노란색의 헐렁한 바지와 긴 윗도리를 입는다. 윗
도리의 단추는 오른쪽에 끼우게 되어 있고, 머리에는 천을 뒤로 맨다. 통상적

인 예불 의식은 간단한 편으로, 조석으로 한문으로 번역된 불경을 읽으며 합장하여 허리를 굽혀 절을 한다. 절을 찾는 신도들은 대부분 여성이며, 향을 합장한 손에 끼우고 허리를 굽히면서 세 번 절하고 기도한다. 이때 보통 자신들의 바람과 함께 "나무아미타불, 관세음보살"을 읊는다. 매달 음력 초이레에는 제를 지내는데, 이는 이날에 지옥의 문이 열리고 대사면이 이루어지는 날이기 때문이다. 따라서 이날 제를 올림으로써 돌아가신 망령이 사면받도록 한다는 의미이다. 이러한 풍습이 살아있는 사람들에게 선을 행하여 덕을 쌓도록 했는데, 근대에 들어와 일부 가정에서는 제를 지낸 다음에 죽이나 밥, 소금, 달걀 같은 음식을 어려운 사람에게 나누어주고, 혼령에게는 종이로 만든 각종 물품을 바치는 풍습이 생겨났다. 그 외에도 매월 초하루와 보름에도 제를 지낸다 (Nguyễn Văn Huyền, 1996, pp. 731~732).

베트남 절은 일부 풍경이 수려한 곳에 지어지기도 했지만, 사찰 대부분은 마을과 밀접한 관련이 있다. 신도의 대부분은 농민이기 때문에 사찰은 농업적인 색채를 많이 띠고 있는데, 절 자체가 마을의 문화의 중심지라고 할 수 있다. 절은 보통 천지가 조화를 이루는 곳, 보통의 평지보다는 높은 곳, 앞에는 호수가 있거나 물이 흐르는 곳에, 남향으로 지었다(Nhiều tác giả, 2000, pp. 143~144).

1994년 현재로 베트남 사찰 수는 14,353개이고, 호찌민시에 900개로 가장 많으며, 하노이시와 후에 시에 각 400여 개가 있다. 그러나 남부, 즉 호찌민시의 경우 1954년 이전에는 227개에서 1975년에는 909개로 20여 년 사이에 300% 이상이 증가했다. 이는 1960년대의 "불교 현대화 운동"의 결과이다(Trần Mạnh Đức, 1998, p. 230).

베트남 불교의 계파를 보면, 북종과 남종, 그리고 양종이라고 부르기도 하고 걸사라고 부르기도 하는 세 지파로 나눌 수 있다. 현재 베트남의 승려 총수는 26,268명이며 그 중 북종파가 18,227명, 남종 파가 7,309명이 있고, 원시불교와 캄보디아계 및 양종이 732명이 있다(Trần Mạnh Đức, 1998, p. 254).

불교 신도는 정확한 통계는 없지만, 베트남 불교회가 제공한 자료에 따르면 인구의 40~50% 즉 3,000만 명에서 3,500만 명이라고 하고, 2009년 통계총국의 통계에 따르면 6,812,318명이라고 한다. 일 년에 한두 번 절을 찾는 사람을 신도에 포함한다면 인구의 4~50%가 된다는 통계가 맞고, 불교의 교리를 어느정도 이해하는 사람을 신도로 계산한다면 정부 발표가 맞는다고 할 수 있다 (Trần Mạnh Đức, 1998, p. 259). 그런데 10년 뒤인 2019년 통계로는 4,606,543명으로 2백여만 명이 줄었다.

1.3. 유교 đạo Nho

유교가 베트남에 전래한 것은 서한 시대부터라고 할 수 있지만 서기 1세기 이후에야 비로소 전파되기 시작했다고 볼 수 있다. 베트남을 통치하던 중국의 지배자들에게 봉사할 수 있는 인력을 기르고자 하는 목적이었다. 그 후 당나라 시대에는 베트남을 중국에 동화시키려는 정책을 강력히 추진하면서 유교 전파 활동은 더욱 증가하였다. 그러나 대체로 중국 지배기의 유교는 주로 도시의 일부 귀족층에 머물렀고, 농촌의 평민들에게는 아직도 깊이 파고들지 못했다(Nguyễn Đức Sử, 1998, pp. 277~278).

11세기 리 왕조에 들어와 유교는 중앙집권적 통치 체제를 구축하려는 정치적 요구에 부응하면서 통치계층을 담당할 인력을 공급하는 동시에 통치철학과 통치방법을 제공하기 시작했으며, 공교육 체계를 수립하였다. 그것은 당시의 수도였던 탕롱에 국자감이 설치되고, 과거제도가 실시되기 시작한 것을 의미한다. 집권층에 의한 유교 교육의 강화로 쩐 왕조 말기인 14세기 후반부터 유학자들은 관료로서, 교육자로서 일익을 담당하며 중요한 사회세력으로 위치를 굳히게 되고, 명나라의 침입을 물리치고 세워진 레 왕조 이후로 유교는 정치, 사회적으로 절대적인 위치를 점하게 된다. 이때부터 유교는 거의 국교와 같은 독존적 지위를 확보하게 된 것이다(Nguyễn Đức Sử, 1998, pp. 278~279).

봉건 왕조는 유교를 국민의 일상생활에 적용하고자 노력하였고 그러한 결과로 국민의 사회관계와 응대 등에 있어서 많은 변화를 불러오게 되었다. 또한, 가정 및 사회공동체의 각종 의례 규범을 적용함으로써 국민 생활 전반에 걸쳐 영향을 끼쳤다. 그러나 16세기 이후로 장기간에 걸친 왕조의 분열과 권력 투쟁으로 유교의 통치 철학에 대한 국민의 신뢰가 떨어지기 시작하였고, 종교적 색채가 농후한 불교 및 도교가 부흥하면서 유교와 결합하는 이른바 유교, 불교, 도교는 그 근원이 하나라는 "삼교동원三教同原" 현상이 출현하게 되었다. 베트남의 마지막 왕조인 응웬 왕조에서는 유교에 의한 통치와 질서를 회복하고자 하는 노력을 배가하였음에도 불구하고 초자연적인 힘에 의지하는 쪽으로 발전하게 되었다(Nguyễn Đức Sử, 1998, pp. 280~281).

베트남 유교는 프랑스의 침입으로 한층 더 위기에 봉착하게 되었고, 1945년 8월의 "8월 혁명" 이후로 근본적인 쇠퇴의 길로 접어들었다. 과거제도는 이미 과거사가 되었고, 문묘제례는 완전히 사라졌으며, 마을 행사나 결혼, 조상에 대한 제례 등에 있어서 유교의 의례 규범은 색채가 엷어졌다. 특히 사회주의 정권하에서 그리고 오랜 전쟁을 겪으면서 유교 질서는 많은 변화가 있었다. 그러나 오랫동안의 영향으로 현재도 유교의 흔적들이 많이 남아있는 것 또한 사실이다. 현재 베트남인들은 자신들이 법질서 의식이 부족하다는 말을 많이 하는데, 그 원인 중의 하나는 유교의 '덕치' 중시의 영향 때문이며, 또 부정부패의 만연과 친인척의 중용과 같은 일들이 빈번하고, 그러한 문제가 발생했을 때 서로 감싸고 덮는다는 것이다. 이러한 현상을 베트남에서는 "우산병bệnh ô dù" 이라고 부른다. 이 또한 유교에서 가르친 '부모가 죄를 지었을 때 자식이 고발하면 도덕을 범한 것이다'라는 것에서 기인한 것이라고 주장하는 사람도 있다(Nguyễn Đức Sử, 1998, p. 298).

1.4. 천주교 đạo Thiên Chúa

베트남어로는 꽁자오Công giáo라고도 한다. 베트남에서 천주교의 시발은 1533년 서양 선교사가 들어오면서부터이다. 이때부터 계산한다면 약 500년이 되지만 천주교가 본격적으로 발전하기 시작한 것은 19세기부터라고 할 수 있다(Nguyễn Hồng Dương, 1998, p. 161).

초기에 천주교는 베트남인들과 큰 마찰이 없었다. 토속 신앙과의 충돌도 없었고 베트남인들이 거부감을 느끼지 않았기 때문이다. 그러나 교리와 믿음에 대한 "경직성"과 문화의 차이로 인한 충돌이 생겨났고, 뒤에는 베트남인과 서양 침략 세력 간의 정치적 충돌 양상으로 진행되었다. 특히 1954년 이후로 북부 베트남에 사회주의 정권이 들어서면서 북부지역에 있던 많은 천주교 신자가 남부로 이주하면서 베트남 천주교는 북베트남 정권에 대항하는 태도를 보이게 되었다. 1954~1955년에 공산주의를 피해 남으로 이주한 천주교인은 당시 전체 천주교인의 40%인 543,000명, 신부의 72%인 809명이나 되었다. 또 1975년 남북이 통일된 이후에 외국으로 탈출한 신부가 100명, 수사가 250명이었다(Đặng Nghiêm Văn, 1998a, pp. 102~103).

베트남 천주교 신자 수는 2009년 정부 통계로 5,677,086명이다. 33명의 주교와 2,100명의 신부, 6,000명의 수녀, 5,390개의 성당이 있다. 천주교 신자 수는 자연 증가에 의한 것이 대부분이고 새로운 신자의 증가는 별로 없는 것으로 보고되고 있다(Đặng Nghiêm Văn, 1998a, p. 104). 2019년 통계로는 5,866,169명으로 10년 전과 비교하면 약간 증가하였다.

1.5. 개신교 đạo Tin Lành

베트남 개신교는 주로 미국의 복음 선교연합회CMA를 통해서 전파되었다. 이 선교회는 1911년에 다낭에 본부를 두고 베트남 선교를 시작했으나 당시 프랑스 식민지 정권의 압력으로 그 활동은 미미했다. 1954년에 베트남 개신교 신자는 겨우 6만 명을 상회하는 정도였고, 목사와 전도사 수는 100명이었다. 1954년 이후로 북부지역에 있던 많은 개신교 신자가 남쪽으로 내려갔다. 1955년에는 북부지역에는 약 5,000명의 신도와 10명의 전도사만 남아있었다. 그들은 북부에 "베트남 기독교총회"를 설립했다(Nhiều tác giả, 2000, pp. 195~196).

베트남 개신교가 발전하기 시작한 것은 1955~1975년 사이로, 특히 당시 사이공을 중심으로 한 남부 지역에서 널리 확산하였다. 1975년 이전에 남베트남에는 "베트남기독교총연합회"와 1929년에 들어온 "재림기독교회"가 있었다. 이 두 단체는 베트남 서부지역인 쯔엉선산맥과 고원지대, 중부지역 선교에 중점을 두고 있었다. 그 외에도 침례교, 장로교, 예수교, 여호와의 증인, 메노파, 오순절 교회 등의 교파가 활동했다(Đặng Nghiêm Văn, 1998a, pp. 109~110).

1975년에 남부 베트남의 기독교인은 약 25만 명, 목사와 전도사가 500여 명이 있었다(Nhiều tác giả, 2000, p. 195). 남북통일 이후 베트남기독교총연합회는 거의 활동을 중단했다가 개방 이후, 특히 1990년대 이후부터 이 연합회의 활동이 재개되고 있다(Đặng Nghiêm Văn, 1998, p. 112). 2009년 통계로, 734,168명, 2019년 통계로는 1,260,588명으로 타 종교와 비교하여 가장 많이 증가하였다.

1.6. 까오다이교dạo Cao Đài와 호아하오교dạo Hòa Hảo

이 두 종교는 베트남 남부에서 발원한 신흥종교로 식민지 상황과 구국 운동의 실패로 인한 정신적 공황 상태를 탈피하고자 하는 데서 시작됐다. 까오다이교는 1925년 크리스마스 날 밤에 탄생하였는데, 정식 명칭은 "다이다오땀끼

포도_{Đại Đạo Tam Kỳ Phổ Độ}"이다. 까오다이교의 상징은 천안_{天眼}이라 불리는 "왼쪽 눈"이다(Nhiều tác giả, 2000, pp. 201~204).

도교를 중심으로 하고 유교, 불교는 물론 기독교의 교리 등을 합쳐서 만들어졌다. 천주교의 조직 형태에 따라 아주 긴밀하게 조직을 구성하였고, 당시 농민들의 종교적 욕구를 충족시킴으로써 빠르게 발전했다. 그러나 까오다이교는 정치적 성향이 강했고, 지도자의 정치적 성향에 따라 여러 파가 형성되었다. 친공산 파도 있었고, 친불, 친미, 친일파도 있었다. 현재는 약 백오십만 명의 신도가 있으며 떠이닝 지파가 다수를 이루고 있다(Đặng Nghiêm Văn, 1998, pp. 124~125). 2009년 정부 통계로는 807,915명, 현재는 약 124만 명의 신도가 있다(Ban Tôn giáo Chính phủ, 2023.12.07.).

호아하오교는 1939년 5월 18일, 베트남 동남부의 호아하오 마을에서 시작되어, 메콩델타를 중심으로 널리 퍼졌다. 이 종교는 1849년의 비우썬끼흐엉_{Bửu Sơn Kỳ Hương}교를 계승한 것이다. 교리는 토착 종교와 불교를 바탕으로 만들어졌으며, 교주인 후잉푸소_{Huỳnh Phú Sổ}가 베트남 전통 시가 형식인 6·8구체로 만든 예언서가 있고, 예식이 간단하고 주로 집에서 예배를 드린다. 신도 수는 200만 명 가까이 된다. 이렇게 성장할 수 있었던 것은 조상의 애국주의 전통을 계승하고, 신비성을 가진 데다 메콩델타 지역 농민들의 정서에 적합했기 때문이라고 한다. 이 종교 역시 지도자에 따라 친민족 혹은 친미, 친불 쪽으로 파가 갈라졌다(Đặng Nghiêm Văn, 1998, pp. 125~126). 2009년 정부 통계로는 1,433,252명, 현재는 200만 명이 넘는 신도가 있다고 한다.

1.7. 회교 _{đạo Hồi}

베트남 이슬람교는 대부분 짬_{Cham}족이 믿는다. 짬족에게 이슬람교가 전파된 것은 대략 10~11세기경으로 알려져 있다. 그러나 15세기에 점성국이 멸망한 후부터 짬족 사회에서 이슬람교의 색채가 분명해지기 시작했다고 한다. 2009년 정부 통계로는 75,268명의 신도가 있다. 지리적 위치와 외부와의 접촉 환경으로, 베트남 이슬람교는 크게 두 부류로 나뉜다. 쩌우독, 호찌민시, 떠이 닝성, 동나이성에 사는 짬족이 믿는 정통 이슬람교(이슬람 짬족이라 부름)와 빙투언성, 닝투언성에 사는 짬족이 믿는 비정통 이슬람교가 있다. 이들을 "바니 짬족"이라고 부른다. 비정통 이슬람교는 이슬람교에 브라만교가 혼합된 데다 이들이 모계사회의 전통을 갖고 있어 정통 이슬람교와는 다른 면을 보인다. 모계사회이기 때문에 여성의 역할이 중시되고, 물질에 관한 권리도 남성보다 크다(Nhiều tác giả, 2000, pp. 199~200).

1.8. 조상 제사 thờ cúng tổ tiên

베트남인들의 신앙생활에서 가장 중요한 것이 조상숭배이다. 그들은 산 자와 죽은 자가 관련이 있으며, 과거~현재~미래가 연결되어 있어 조상은 대단히 중요하다고 믿는다. 조상에 대한 숭배는 자손들의 의무이며, 이를 잘 지킴으로써 조상이 자손을 돌보아 준다고 믿고 있다. 1992년 하노이와 1993년 호찌민시에서 기독교인[1]과 비기독교인을 대상으로 조사한 자료를 보면 그들의 조상숭배에 대한 정도를 짐작게 한다. "조상에 대해 분향하는가?"라는 질문에 대한 답이 아래 표와 같다(단위:%).

---

1) 원문은 "끼또자오Kito giáo"로 발음하는데, 이는 기독교를 의미한다. 그러나 베트남에서 이 단어는 구교와 신교를 포함하는 말이고, 오히려 신교보다는 구교가 더 알려져, 보통의 베트남 사람들은 천주교라고 이해하는 경향이 많다. 개신교를 분명히 표현하기 위해서는 "다오 띤 라잉đạo Tin lành"이라고 해야 천주교와 구별되는 것으로 이해한다.

구분		수시로 한다	가끔한다	않는다
하노이시	기독교인	64.2%	22.2%	14.7%
	비기독교인	82.0%	17.4%	0.6%
호찌민시	기독교인	88.9%	4.8%	6.3%
	비기독교인	84.3%	11.0%	4.7%

출처: Đặng Nghiêm Văn 1998b. p.306에 근거하여 재작성.

베트남 가정에는 집의 규모가 크든 작든 간에, 집안에 반터_{bàn thờ}라고 불리는 제단이 있다. 대개 규모가 작은 것은 사람 키 높이 정도로 벽에 고정해 놓고 부모나 조부모의 사진과 그때그때 나는 과일이나 과자, 술 때로는 밥 그리고 향을 피우는 그릇을 올려놓는다. 그리고 크고 작은 가족 내의 행사는 물론 수시로 분향한다. 장소가 넉넉한 집은 아예 방 한 칸에 커다란 제단을 설치하여, 전용 분향소를 만든다. 이럴 때 대개 맨 위층에 분향소를 둔다.

2 예술

2.1. 연극

베트남 연극은 서구, 즉 프랑스로부터 유입되었다. 20세기 초에 프랑스가 인도차이나를 통치하던 시기에 인도차이나 지역에 주재하던 프랑스 사람들과 일부 현지의 상류층을 대상으로 공연이 이루어졌다. 1911년 하노이와 사이공에 대극장이 건설되면서, 프랑스 관리나 군인들이 아마추어로서 가끔 연극 공연을 했고, 천주교 신자들이 성극을 공연하기도 했다. 특히 1913년부터 "남퐁 땁찌_{Nam Phong tạp chí 南風雜誌}"라는 잡지에 프랑스 희곡이 번역되어 실리기 시작했고, 이에 베트남 문인과 일부 지식층에서 베트남 극단을 창단해야 한다는 주장이 일기 시작했다. 그러나 베트남 사람에 의해서 써진 희곡이 없었기 때문에 부득이 프랑스 몰리에르의 "상상으로 앓는 사나이"라는 희곡으로, 베트남 배우들에 의해서 최초로 1920년 4월 25일에 연극이 공연되었다(Đinh Quang, 1998, p. 198).

이 공연의 성공으로 베트남 사람에 의해서 희곡이 써져야 한다는 욕구가 일면서 그 해 또장_{Tô Giang}이라는 사람이 "누가 사람을 죽였는가?"라는 희곡을 썼다. 이후로 몇 편의 작품이 일반 서민들을 대상으로 극장에서 공연되었다.

하노이 대극장은 "서양 극장"이라고 불렸는데, 이곳은 프랑스 극단의 공연을 주로 프랑스 관리들이 보는 곳이었다. 이 서양 극장에서 베트남 희곡으로 베트남 감독에 의해서 베트남 배우들이 베트남 관객을 대상으로 공연한 최초의 작품은 1921년 10월 22일에 공연된 부딩롱[2])의 "독사발_{Chén thuốc độc}"이었다(Đinh Quang, 1998, p. 199).

1920년대를 거치면서 베트남 연극은 양적으로나 질적으로 큰 성장을 하게 된다. 20년대 후반에는 극단의 창단과 해체가 빈번해졌다. 이는 주로 재정상의 문제와 지도자의 문제 때문이었다. 또한 희곡작가들이 많이 등장한다. 부딩롱 외에도 응웬히우낌_{Nguyễn Hữu Kim}, 뜨엉후옌_{Tường Huyền}, 남스엉_{Nam Xương}, 비후옌닥_{Vi Huyền Đắc} 등과 같은 희곡작가들이 이름을 날렸다. 연극의 내용은 당시 사회의 문제점이나 동서양 문화의 충돌을 다룬 것이 대부분이었다(Đinh Quang, 1998, pp. 200~201).

1945년 8월 혁명 이후로 북베트남에 공산정권이 들어서고, 다시 프랑스와 전쟁이 시작되면서 베트남 연극은 새로운 길로 접어들게 된다. 당시의 작가들은 전투에 직접 참여하면서 전쟁 중인 국민을 고무시키는 희곡을 주로 쓰게 되었고, 그러한 작품들은 전쟁터에서 공연됐다. 이 시기의 베트남 연극은 선전

---

2) Vũ Đình Long 1896~1960, 희곡작가.

활동 쪽으로 치우친 상황을 피할 수 없었다. 즉 예술이 정치선전의 도구로 전락했으며, 그러한 노선의 이탈은 받아들여지지 않았다.

1975년 통일 이후에는 경제 회복과 전쟁의 후유증을 극복하는 문제를 돕는 역할을 하게 되었고, 새로운 시대에 맞는 연극이 필요하게 되었고, 연극은 사회개혁을 선도하는 데 크게 이바지했다. 작가와 무대 예술가들은 생활 속에서의 모범적인 인물이면서 강력한 설득자로서 대중 앞에 나타났다. 특히 1986년 개방정책 시행 이후부터는 인간의 정신과 도덕의 문제~ 전쟁의 후유증, 인생의 따뜻함과 차가움, 아름답고 정의로운 미래 사회에 대한 불안한 갈망 ~ 를 무대에 올림으로써 사회문제에 접근하기 시작했고, 관객으로부터 좋은 반응을 받았다.

그러나 현재 베트남 연극은 새로운 환경에 적응해야 하는 어려움을 안고 있다. 시장경제 체제하에서 흥행에 성공해야만 하는 문제이다. 예술작품의 질과 소비자인 관객의 요구 사이의 간격을 줄이고, 또 TV 드라마나 비디오와 경쟁을 해야 하는 어려움이 직면한 것이다. 이전의 베트남 극단은 국가로부터 전액 재정지원을 받았기 때문에 오직 작품에 대해서 신경을 쓸 뿐 흥행에는 큰 관심을 기울이지 않았다. 그러나 이제는 전액 지원이 되지 않으므로 흥행의 측면을 고려해야 한다. 성공하는 작품과 그에 출연한 배우들은 경제적 혜택을 볼 수 있지만 그렇지 못하면 어려운 생활을 인내해야 한다. 그런데도 베트남 연극의 발전 가능성은 크다고 할 수 있다. 극단 소속의 전용 극장이 있고, 배우들은 공무원 신분을 유지하고 있으며 무엇보다도 연극을 사랑하는 관객이 아직도 많이 있다. 연극 공연에 가보면 노인에서부터 청소년까지 그리고 남녀가 고르게 관람하는 모습을 볼 수 있다.

2.2. 전통극

베트남 전통극에는 째오Chèo, 뚜옹Tuồng, 까이르엉Cải lương, 수상인형극Múa rối nước 등이 있다. 째오는 논농사 문화와 관련이 깊으며, 11세기경 베트남 북부 평야 지역에서 출현했다고 한다. 째오는 마당에 깐 돗자리라는 의미이다. 이 극은 서민적인 가극이라고 할 수 있는데, 노래와 춤, 대사가 어우러진 마치 우리의 마당놀이와 유사하다. 원래는 마을회관의 마당에서 공연했던 것이 지금은 극장에서 공연된다(Nhiều tác giả, 2000, p. 237).

뚜옹은 13세기 원나라 포로들이 공연한 것에서 발원했는데, 17~19세기에 발전했다. 뚜옹은 째오에 비해서 무대와 의상이 화려하다. 중국의 경극과 유사한 면도 있지만 노래, 대사, 춤동작 등에 관한 엄격한 규정을 지킨다. 예전에는 주로 궁전에서 공연되었고, 상류층이 즐기는 예술로 알려졌다(Hữu Ngọc, 1995, p. 661).

까이르엉은 20세기 초에 베트남 남부 평야 지역에서 출현한 가극이다. 까이르엉이란 개량改良이라는 한자의 베트남어 음인데, 이는 기존의 전통극에 서양음악이 혼합되어 만들어진 것을 의미하고 있다. 남부에서 시작되어 전국에 퍼졌다. 현재도 자주 공연되고 있다(Nhiều tác giả, 2000, pp. 241~243).

수상인형극은 베트남의 독특한 인형극인데, 사람이 수중 무대 뒤에서 움직이는 인형을 대나무로 연결하여 조종한다. 아주 그 조종술이 정교해서 감탄을 자아낸다. 악단이 곡을 연주하면서 노래나 대사를 하고, 인형을 다루는 사람들은 물속에 서 있는데, 관객이 볼 수 없다. 대사를 듣지 못해도 인형의 동작을 보면 이해할 수 있으므로 외국인들도 많이 본다. 이 수상인형극과 대비되는 의미로 육상인형극이 있는데, 수상인형극만큼 널리 알려지지 않았다. 최귀묵이 이 인형극을 자세히 소개하고 있다(최귀묵, 2010, pp. 130~134).

2.3. 옻칠 회화 Tranh sơn mài

베트남이 오랫동안 닫혀있던 문호를 개방하면서, 수교 이전부터 일부 한국
의 미술상들이 베트남을 오가며 베트남 미술품을 국내에 소개하기 시작하면
서 베트남 미술에 관한 관심이 꾸준히 증가하고 있다. 서울은 물론 지방에서
도 베트남 회화 전시회가 여러 차례 열렸다.

그런데 이러한 전시회는 대부분 유화나 수채화 전시회였다. 그런데 베트남
은 회화 분야에서 아주 독특한 장르를 만들어 냈는데, 그것은 옻칠을 이용한
회화작품이다. 베트남에서 현대 회화의 시작은 1925년 베트남 회화의 선구자
였던 남선Nam Sơn, 1890~1973이 프랑스 미술대학 교수의 지원으로 인도차이나 미술
전문대학을 설립하면서부터라고 할 수 있다. 이 대학 안에는 베트남 전통 옻칠
공예를 연구하는 과정이 있었고, 이곳에서 베트남 옻칠 그림이 만들어지게 된
것이다.

남선은 1931년부터 1935년까지 파리에서 개최된 미술 전시회에서 연속 수
상을 하기도 했고, 1943년에는 일본에서도 상을 받았다. 그는 교수로서 많은
재능 있는 후학을 양성하여 베트남 현대 회화를 확립한 사람으로 평가받고 있
다. 그는 "옻칠공예 회화가 중국, 한국, 일본에도 있지만, 베트남만의 독창적인
것을 찾아야 한다."라고 주장하며 후학들을 독려하였고, 마침내 독특한 베트
남의 옻칠을 이용한 회화를 창조해 냈다.

베트남의 옻칠 회화는 짜잉선마이tranh sơn mài라고 하는데, '짜잉'은 그림을,
'선'은 칠 페인팅, '마이'는 '연마하다, 갈다'라는 뜻이며 직역하면 '옻칠을 연마
한 그림'이라고 할 수 있다.

베트남의 옻칠은 전통적으로 금속이나 목공 도장재로 널리 사용되었고,
특히 사찰이나 궁전 등 고급 건축물에 사용되었고, 불상이나 제사용품 등은
물론 바구니 같은 일상용품에도 사용되었다. 주로 붉은색 계통이나 노란색 계

통의 칠을 사용하여 화려하게 표현하는 것이 특징이었다. 이러한 옻칠 기술은 정확한 출현 시기를 알 수 없으나 아주 오래전부터 사용되었고, 칠기를 전문적으로 생산하는 마을이나 거리가, 비록 부침은 있었다고 하지만 여전히 명맥을 유지하고 있다. 현재도 베트남 옻칠 공예품은 외국 관광객들 특히 서양 관광객으로부터 호평을 받는 상품이다.

옻칠 그림에서 가장 중요한 것은 먼저 옻나무의 진인데, 옻나무 껍질에 상처를 내면 회백색의 수지가 나온다. 이것이 공기와 접촉하면 흑색으로 변하고, 다시 이것을 장기간 보관하면 수분과 고무 질이 가라앉고 옻칠이 상부에 고이는데, 윗부분에 있는 가장 맑은 것이 최상품이며 투명도가 떨어지는 것은 저급이다. 상급품은 귀한 나무의 칠감으로 사용되고 저급품은 배나 일상 용기 등의 칠감으로 사용되었다.

베트남에서 알아주는 옻나무 진은 하노이 서북쪽에 있는 푸터에서 생산되는 것을 최고급으로 여긴다. 근래에 들어 남부 지역에서 옻나무 재배에 성공하였지만, 품질은 푸터 것만 못하다고 한다.

옻나무 진을 가공하는 것은 처음 채취한 수지(생칠)를 용기에 넣고 저어 상온 보관하면 검은색으로 변한다. 이러한 과정은 탈수와 산화 과정이라고 할 수 있다. 이것을 다시 정제하여 최종 제품을 얻게 되는데, 이것은 칠감뿐만 아니라 금, 은, 주석 등의 접착제로도 사용한다고 한다.

색깔은 다양한 종류의 붉은색과 파란색 안료를 섞어서 만들고, 그림에 입체감을 넣는 동시에 색을 표현하기 위하여 금, 은, 주석과 조개껍데기, 달걀 껍데기 등도 사용한다. 예를 들어, 흰색을 표현하고자 할 때는 달걀 껍데기를 사용하고, 조개껍데기도 그것이 나타내는 색깔을 표현하면서 입체감을 주는 데 사용된다.

옻칠 회화가 탄생한 것은 우연이었다. 인도차이나 미술전문대에서 베트남 전통 옻칠을 공부하던 학생들이 공예품에 옻칠 연습하면서 옻칠이 잘못된 부분은 말렸다가 다시 칠하는 일을 반복하게 되었고, 그러다 보니 옻칠이 너무 두꺼워지고 울퉁불퉁해지게 되었다. 이것을 바로 잡기 위해 표면을 갈아내게 되었는데, 표면을 갈다 보니 그 옻칠 뒤에 숨겨진 신비한 그림이 나오는 것을 발견한 것이 베트남 옻칠 그림의 시작이 된 것이다.

베트남의 전통 옻칠은 얇게 칠하고 광택을 내는 것이었는데, 옻칠 그림은 여러 번 두껍게 칠하고 연마를 통해서 필요한 그림을 얻는 방식이었다. 전통 옻칠의 연습 과정에서 새롭고 독특한 베트남의 옻칠 그림이 탄생한 것이다.

그림을 그리고 다시 습도가 높은 창고에서 말리고 또다시 그 위에 그림을 그리고 다시 말리고 그리는 과정을 반복한 다음, 연마하기 때문에 갈아낸 뒤에 어떤 그림이 나올지를 예상하는 것도 어려웠다. 또한, 연마 기술 역시 어려운 작업이다. 너무 많이 갈아도 안 되고 작가가 표현하고자 하는 만큼만 갈아내야 하므로 많은 공이 들어가는 작업이라고 할 수 있다.

이러한 옻칠 그림을 처음 시작한 화가들로는 쩐꽝쩐, 응웬캉, 쩐반껀, 응웬쟈찌 등이 있다. 이러한 초기의 화가들은 옻칠 그림을 그릴 때 두껍게 옻칠을 한 다음에 연마를 통해서 그림이 나타나도록 한 후 광택을 냈다. 이렇게 그린 그림은 얇게 칠하고 광택을 내지 않은 그림과는 확연하게 차이가 났으며, 이러한 방식으로 과연 사실적인 그림을 만들어 낼 수 있는지에 대해서 고민하고 그 방법을 찾기 위한 노력을 멈추지 않았다. 그러한 노력의 결과로 1930년대 후반에서 1940년대 중반 사이에 베트남 옻칠 그림은 여러 화가에 의해 사실적인 그림을 그려내게 되었고, 이는 베트남 회화사에서 중요한 이정표가 되었다.

초기의 베트남 옻칠 그림이 흑백이나 붉은색 계통을 많이 이용했다면 1940년대 중반에서 50년대 중반에 이르면 녹색을 사용하여 산과 숲을 그려내는 성과가 나타났다고 할 수 있다. 초기에는 천연물감의 한계로 인해 다양한 색을 표현할 수 없었으나 여러 화가의 노력으로 색깔이 더욱 풍부하게 되었다. 색깔의 다양함과 더불어 또한 작품 수도 늘어났다. 그러나 내용 면에서는 프랑스와의 전쟁과 관련된 내용을 소재로 삼는 정치적 선전성이 강한 작품들이 나오게 된다.

1950년대 후반부터 1960년대 초반까지 작품 수에서는 물론 내용 면에서도 다양하게 발전된 시기라고 할 수 있다. 대부분 사회주의 리얼리즘의 영향을 받은 작품들로, 베트남 농촌이나 명승지의 모습 등 베트남 현실을 그린 작품과 전쟁에 나간 용감한 여성의 모습, 행군하는 군인의 모습 등과 같은 선전용 작품들이 주조를 이루고 있다. 이후 미국과의 전쟁 동안에는 좀 침체한 듯 보였고, 이후 개혁 정책을 표방한 1980년대 후반부터 옻칠 그림의 활동이 활발해졌다.

베트남 옻칠 그림은 베트남의 옻나무 진을 이용해서 베트남의 민족성을 잘 나타낸 베트남적인 현대 회화의 한 장르로서 확실한 자리매김을 하고 있고, 이를 바탕으로 국제적으로도 명성을 얻어가고 있다(배양수, 2012, pp. 159~165).

제 6 장

역사

1 베트남 역사 연표

년대	주요사건	구분
BC2879~?	고대국가 반랑, 어우락국	고대국가 발생기
BC 111	한 무제에 의한 정복	중국 지배기 북속시대
AD 40~43	하이바쯩의 저항운동	
544	리남데李南帝의 봉기	
939	바익당 강 전투의 승리, 독립국 수립	
1009~1225	리왕조李王朝	봉건 왕조 시대
1010	하노이 천도 당시 이름은 탕롱	
1075	중국 송나라의 침공 격퇴, 최초의 과거제 실시	
1225~1400	쩐왕조陳王朝	
1257	원나라 몽골의 1차 침입 격퇴	
1284	원나라 몽골의 2차 침입 격퇴	
1287	원나라 몽골의 3차 침입 격퇴, 제2의 박익당 강 승리	
1407~1427	중국 명나라의 침입과 지배	
1418~1427	레러이의 항쟁과 명군 격퇴	
1428~1789	후 레왕조黎王朝	
18세기 말	후 레왕조의 쇠퇴, 봉건세력 간 남조와 북조로 분열	
1771	농민봉기 "떠이선 운동西山運動" 발기	
1789	청의 침입과 격퇴, 떠이선 운동 지도자 응웬후에 왕위 즉위	

년대	주요사건	구분
1802	응웬아잉 프랑스 지원으로 떠이선 왕조 전복, 응웬 왕조 수립	
1802~1945	응웬 왕조(阮王朝)	
1858	프랑스 함대 다낭 공격	식민지 시대
1867	프랑스 남베트남 점령	
1873	프랑스 하노이 공격	
1887	프랑스령 인도차이나 성립	
1930	인도차이나 공산당 창당	
1940	일본군의 베트남 진주	
1941	베트남독립연맹(월맹) 성립	
1945	8월 혁명, 베트남민주공화국 성립	
1946	전국 총선, 호찌민 국빈 자격 프랑스 방문, 베트남~프랑스 조약체결	
1946~1954	프랑스의 재침과 1차 인도차이나 전쟁	
1954	프랑스군 베트남군에 대패, 제네바협정(프랑스 군 철군, 베트남의 통일 인정, 군사력 격리목적의 일시적 남북분단, 1956년 총선 규정)	
1955	사이공 정권 수립(응오딩지엠)	대미항쟁 및 독립 전쟁시기
1960	민족해방전선(NLF), 베트콩 결성	
1965	미군 북폭개시, 2차 인도차이나 전쟁	
1968	미군과 사이공 정부에 대한 민족해방전선의 구정공세, 북폭중지, 파리평화회담 시작	
1973	파리평화회담 조인, 미군 철수 시작	
1975.4	사이공 함락 4월 30일	통일사회주의 베트남
1976.7	베트남사회주의공화국으로 개명	
1976~1978	캄보디아(크메르루지) 정권의 베트남에 대한 계속된 침공, 민간인 학살	
1979.1	크메르루지 정권 전복	
1986.12	베트남공산당 6차 당 대회 개최: 도이머이 정책 결정	경제개혁 시기 도이머이
1989.9	캄보디아 철군 완료	
1991.6	7차 당 대회 개최, 중국과의 관계 정상화	
1992.4	베트남 헌법 개정	
1992.12	한국과 수교	
1993.11	1차 베트남 지원국 회의 개최	
1994.2	미국의 베트남 경제 제재 해제	
1995	아세안 가입, EU와의 협정, 미국과 수교	
1996.6	8차 당 대회 개최	
1998	APEC 가입	
2001.4	9차 당 대회 개최	
2002.5	11대 국회의원 선거	
2006.4	10차 당 대회	
2007.5	12대 국회의원 선거	
2011.1	11차 당 대회	

년대	주요사건	구분
2011.5	13대 국회의원 선거	
2016.1	12차 당 대회	
2016.5	14대 국회의원 선거	
2021.2	13차 당 대회	
2021.5	15대 국회의원 선거	

2 고대국가 B.C.690~B.C.111

해신海神 락롱꿘Lạc Long Quân과 아름다운 산신山神 어우꺼Âu Cơ 의 결합으로 100여 명의 아들이 탄생하였는데, 이중 홍Hùng 홍왕이 반랑국을 건설(BC. 690)하였고 나중에 어우락국이 성립되었다.

3 중국의 지배 B.C.111~A.D.938

어우락국은 중국인들에게 패망하였다. 한무제漢武帝는 현재 베트남의 북부를 쟈오찌Giao Chi부로 명명하고 중국 행정구역의 하나로 편입하여 이 지역에 부를 설치했다. 이후 쯩Trưng 씨 자매의 저항을 비롯한 몇 차례의 저항운동에도 불구하고 938년 베트남이 중국으로부터 독립을 쟁취하기까지 중국의 지배가 계속되었다.

4 베트남의 독립 939~1883

938년 남한南漢 군을 격파하고 응오꾸엔이 응오Ngô, 吳 왕조를 수립, 중국의 지배에서 벗어나 독립했고, 그 후 19세기 응웬Nguyễn, 阮 왕조가 프랑스 침략으로 프랑스의 피보호국이 되기까지 약 950년간 베트남은 독립왕조를 유지했다. 이 기간에 베트남은 중국의 송, 원, 명, 청의 침략을 차례로 격파했다. 16세기 레Lê, 黎 왕조가 쇠퇴하여 북의 찡Trịnh, 鄭 씨와 남의 응웬 씨 가문으로 분열되었고 17세기에는 55년에 걸쳐 남북 간의 전쟁이 계속되었다.

남의 응웬 왕조는 참파를 정복하고 남하했다. 남북조의 대립은 18세기 들어 중부에서 발생한 농민봉기로 쌍방 모두 멸망했고 농민 봉기 지도자가 떠이선Tây Sơn, 西山왕조를 세우고 청나라 침략군 20만 명을 하노이에서 대파했다. 살아남은 응웬씨 일족인 응웬아잉Nguyễn Ánh이 떠이선 왕조를 전복시키고 1802년 통일된 베트남을 수립하고 중부 후에Huế시를 수도로 정하고, 자신을 쟈롱Gia Long 嘉隆 황제로 칭하였다.

5 프랑스령 식민지 시대 1859~1954

쟈롱 황제 이후 프랑스 선교사 처형사건을 계기로 프랑스가 1858년 베트남을 무력침공, 남부 지역, 하노이, 후에의 순으로 제압한 뒤, 1883년 베트남은 프랑스의 피보호국으로 편입되었다. 프랑스는 1887년 캄보디아를 포함한 인도차이나 연방을 창설, 하노이에 총독부를 두고 통치, 1899년 라오스도 합병하여 2차 대전 말까지 인도차이나 보호령을 유지하였다.

프랑스 통치 시 애국적인 왕정 세력, 농민, 지식인들이 반프랑스 저항운동을 벌였다가 혹독한 탄압 때문에 모두 실패하였다. 1930년 창당된 공산당을 중심으로 한 베트남독립동맹회가 반일 항쟁을 전개하였고, 일본의 패망을 계기로 1945년 8월 전국적인 총봉기를 성공적으로 이끌어 1945년 9월 2일 호찌민이 하노이에서 베트남민주공화국의 독립을 선언하였다.

1945년 3월, 일본군은 베트남에 주둔하던 프랑스군을 무장 해제시켰다. 이로써 60여 년간의 프랑스에 의한 인도차이나 통치가 종식되었다. 그런데 2차 대전 이후 프랑스는 다시 인도차이나 복귀를 시도, 일본군 무장해제를 위해 베트남 남부에 파견된 영국군의 협조 아래 군사적으로 재개입하였다.

한편 1946년 3월과 9월에 베트남민주공화국 정부는 2번이나 임시 협정을 체결하여 한때 프랑스연합 내에 인도차이나 연방국으로 인정되었으나, 실질적 독립을 추구한 베트남과 연방 내의 한 자치국으로 인정한 프랑스 측이 대립, 하노이에서의 무력 충돌에 이어 1946년 12월 전면전으로 확대되어 호찌민 정권은 서북 산악지역으로 철수하였다.

1949년 프랑스는 8월 혁명 이후 황제에서 물러나 망명 생활을 하던 응웬 왕조의 마지막 황제인 바오다이와 교섭, 그를 수뇌로 한 베트남공화국을 수립했으나 베트남 인민과 군대가 프랑스군에 대한 전국적인 공세를 펼쳐 결국 1954년 5월, 디엔비엔푸 전투에서 프랑스군에게 승리를 거둠으로써 프랑스는 인도차이나에서 철수하게 되었다.

6 대미항쟁 및 통일 전쟁 시기 1954~1975

1954년 7월 인도차이나에서 전쟁을 종식하기 위한 국제회의가 제네바에서 개최되어 베트남, 라오스, 캄보디아 휴전협정을 1954년 체결, 베트남의 독립과 통일의 인정 및 이를 기초로 북위 17도 선의 잠정 군사분계선 설정, 국제 감시위원회 설치 등이 정해져 통일을 위한 총선거를 1956년에 실시키로 하였다.

베트남민주공화국은 이 기간에 토지개혁과 경제 관계 개조를 추진하는 등 사회주의 제도의 공고화와 사회주의 과도기 경제발전을 통하여 통일의 기반을 마련했고, 한편 남부 베트남에서는 1955년 바오다이가 퇴진한 후 천주교 신자이며 반공주의자인 응오딩지엠Ngô Đinh Diệm을 대통령으로 한 베트남공화국이 수립되어, 강력한 반공 정책 및 통일 거부에 매진하면서 독재적 성향을 보였다.

제네바협정에는 1955년 남북 대표가 1956년 총선의 실시를 위해 협의하게 되어 있으나 미국과 응오딩지엠 정권의 통일 거부 주장으로 총선은 실시되지 못했다.

미국은 공산주의 확산을 막는다는 명분 아래 프랑스를 대리하여 베트남에 대한 간섭을 확대하는 가운데, 불교도 및 진보 세력을 중심으로 한 반지엠~반미 운동과 게릴라 활동이 활발하였으며, 1960년에는 공산주의자 및 반정부 지식인으로 구성된 남베트남민족해방전선이 결성되어 남베트남 정부 전복 활동을 강화하였다.

1963년 격렬한 반정부운동과 함께 지엠 정권은 군사 쿠데타로 붕괴하였고, 그 후 계속된 쿠데타 등으로 정정이 극도로 혼란해지고 전황도 악화하여 미국은 1965년 본격적인 북폭과 남베트남에 전투부대 투입을 개시하였으며 영향권을 확대하려는 해방전선과의 전투도 격화되었다. 1968년 해방전선의 구정 공세로 파리회담이 시작되었다.

미국의 북베트남에 대한 폭격은 1965년부터 1968년 11월까지 계속되어 그 후 파리회담을 앞두고 잠시 중단되었으나 1972년 12월 18일부터 29일까지 2차 북폭이 12일간 주야로 계속되었는데, 1945년 히로시마에 투하된 원폭의 5배 분량의 폭탄 10만 톤이 투하되었다.

이러한 전투 중에서도 베트남민주공화국 정부와 민족해방전선은 남베트남에서 결성된 민족평화연맹이 만든 임시혁명정부의 파리회담 참여를 주장하였고, 우여곡절을 겪으면서 마침내, 1973년 1월 27일 자로 조인된 파리협정으로 미국은 베트남에서 철수하였다.

협정 후 60일 내 철군 합의에 따라 미국은 철수하였으나 협정실행을 둘러싸고 전쟁이 계속된 가운데, 북베트남군은 1975년 총공세를 취해 4월 30일 사이공의 대통령궁에 임시혁명정부기를 게양함으로써 전쟁이 막을 내렸다.

7 통일과 사회주의화 시대 1976~1979

전쟁이 종식된 후 남북 베트남은 선거를 통해 1976년 7월 베트남사회주의공화국을 수립했다. 통일된 베트남은 외국 원조의 단절, 낙후성, 심각한 전쟁의 후유증, 미국과 서방의 제재 및 봉쇄정책, 이웃 강대국과의 관계 악화, 캄보디아 크메르루주 정권에 대한 공격 등으로 매우 어려운 처지에 있었다.

8 경제개혁 도이머이 시대 1986~현재

1986~1991년 기간 동안 베트남은 경제, 사회, 정치의 운용 면에서 근본적인 변화를 맞게 되었다. 이 같은 변화는 각 부분에서 당면한 여러 가지 난관을 극복해 베트남을 본격적인 발전의 궤도에 올려놓음으로써 국제 및 지역사회와 점진적인 통합을 이루어 나가기 위해 취해진 것이었다.

베트남공산당은 1986년 12월 제6차 전당대회를 열고 당의 지도 노선과 지도 방법에 중대한 잘못이 있음을 인정했다. 그에 따라 경제구조와 경제 운용 방식을 쇄신하고 법률체계를 확립하며 당과 국가조직을 개혁할 필요성이 있음을 분명히 천명하게 되었다.

뒤이어 국가쇄신 방안을 둘러싼 각계각층의 온갖 의견이 라디오와 TV, 신문 등을 통해 봇물 터지듯 터져 나왔다. 이런 변화의 물결 속에서 문학과 미술, 연극, 영화 부문 등도 활기를 띠며 활동하게 되었다.

경제면에서 국가는 복합경제구조Multi-Sectoral Economic Structure와 시장기능을 받아들였다. 시장기능이란 자극제가 가장 빠르고 효율적인 수단이라고 판단했기 때문이다. 이에 따라 베트남 경제는 진정한 의미에서 개방화의 첫걸음을 내딛게 되었다. 국가보조금에 크게 의존하고 수입과 외국 원조에 의존하던 경제모델에서 수출과 균형예산 지향적인 경제모델로 바뀌었다.

국가는 법률체계를 정비하고 시장경제에 유리한 환경을 조성하기 위해 수많은 법률과 시행령을 제정했다. 동시에 여러 가지 중요한 경제적 조치들이 시행되었다. 농가에 대한 농지 배분, 2중 가격제도의 폐지, 은행 금리의 인상, 금 및 외환시장의 자유화, 외국인 투자법 채택 등이 그런 것이다.

이 같은 조치로 말미암아 베트남은 곧바로 세계 1위의 쌀 수출국이 되었고, 시장에는 다양한 상품이 넘칠 듯 쏟아져 나왔다. 또한, 상거래와 교역의 순환 속도가 훨씬 빨라졌고, 수많은 산업개발프로젝트가 착수되는가 하면 외국인 투자가 급증하게 되었다.

1990년 말 베트남 경제는 여러 가지 어려움을 맞게 되었다. 베트남에 적잖은 원조를 제공하고 또 베트남의 주요 수출시장이 이었던 소련과 동유럽에 격변이 일어났기 때문이었다.

그러나 베트남은 이런 난관을 빠르게 극복해 나갔다. 베트남이 채택한 시장경제로 전환 덕분이었다. 특히 베트남은 정치 및 사회 안정을 잘 유지할 수 있었다. 시장경제에 따른 물품의 품귀현상은 사회보장기금과 '빈곤 축소 및 기아 근절 계획'을 통해 곧바로 해소되었다.

1991년 6월에 열린 베트남공산당 제7차 전당대회는 복합 경제 개발과 대외경제 관계의 확대, 개방적 시장경제 체제의 창설, 중앙과 지방 차원의 정치제도 개혁, 능률성 제고를 위한 국가기구의 단순화, 국가기능의 점진적 법제화, 사회 전반의 민주화 확산, 인민의 문화 및 정신생활에 관한 관심 강화, 협력과 평화 공존, 호혜의 원칙을 바탕으로 사회~정치체제와 관계없이 모든 나라와의 우호 협력관계 강화 등의 도이머이(개혁) 정책을 계속 실행해 나간다는 결의안을 채택했다.

1991년 말을 전후해 전개된 일련의 정치적 사태는 베트남의 건실한 대외관계를 재확인시켜 주었다. 캄보디아와의 평화협정 타결, 보반키엣 수상의 동남아시아 국가 순방, 베트남~중국 국교 정상화, 베트남~EU 외교관계 수립, 국교 정상화 문제를 협의하기 위한 미국과 베트남의 첫 공식 대화 등이 그런 중요한 정치적 움직임이었다.

1992년부터 오늘까지 베트남은 시장경제 체제로의 전환에 따른 여러 가지 심각한 난관들을 극복하고 이제 탄탄하고 안정된 발전 궤도에 진입하게 되었다. 세계 언론은 이런 점을 자주 기사화했고 유엔의 여러 회원국과 국제경제기구, 세계적인 명성을 지닌 여러 저명인사가 그 같은 성공 사례에 주목했다.

미국이 1994년 2월 베트남에 대한 무역 금지 조치를 해제한 데 이어 1995년 7월에 국교 정상화를 결정하고 하노이에 대사관을 설치함으로써 두 나라 관계는 중대한 전환점을 맞게 되었고 이 같은 변화는 베트남의 국제관계 전반에 상당한 영향을 끼치게 되었다.

이에 앞서 베트남은 EU와의 협정을 체결하였으며 1995년 8월에 ASEAN에 정식 가입했으며, 미국과의 무역협정 체결 및 비준 이후 지속하여 대미수출을 확대해 가고 있다.

2001년 4월에 열린 제9차 전당대회를 통하여 베트남은 "부민 강국과 민주화되고 문명화된 정의 사회"를 지향하면서, 역내 및 세계의 발전에 함께하기 위해 노력을 다하고 있다.

베트남이 도이머이를 선언한 지 거의 40년이 되는 지금, 눈부신 경제성장을 이룩했다. 하루가 다르게 변화는 도시의 모습을 보면서 역동적인 베트남을 느낄 수 있다. 경제 규모가 커지고 있지만 외국 투자 자본 의존도가 높은 점과 부정부패 척결이 베트남에 풀어야 할 과제이다.

제 7 장

국가

---

1 국가주석 Chủ tịch nước

국가 주석은 국가의 원수이며 대내외에 대하여 베트남사회주의공화국을 대표하며(헌법 86조), 국회의원 중에서 국회가 선출하고, 임기는 국회의 임기에 따른다. 그러나 국회의 임기가 종료되었어도 새로운 국회가 새로운 국가주석을 선출할 때까지 계속 임무를 수행하도록 함으로써 주석직에 대한 공백이 없도록 규정하고 있다(헌법 87조).

1.1. 주석의 임무와 권한

2013년 개정헌법 6장 88조에 국가주석의 권한과 임무에 관해 규정하고 있는데, ① 법률 헌법 공포권 및 제의 요구권 ② 국회에 부주석, 수상, 최고인민법원장, 최고인민검찰 총장의 임명 및 해임 제청권 ③ 국회와 국회 상임위의 의결에 근거하여 부수상, 장관 등에 대한 임명 및 해임권 ④ 국회와 국회 상임위의 의결에 근거한 선전포고 및 대사면 공포권 ⑤ 국회와 국회 상임위의 의결에 근거하여 총동원령, 국부 동원령 그리고 전국 또는 일부 지역에 대한 긴급사태 선포권 ⑥ 최고인민법원 부원장, 판사와 최고 인민검찰청 부청장, 검사의 임명 및 해임권 ⑦ 고급장교, 외교관, 정부 직위에 대한 서열의 결정 및 훈장, 포상 결정권 ⑧ 대사의 파견, 소환 및 외국 대사의 접수, 외국 국가 원수와 회담 진행, 국제조약 참가 및 체결권(국회 승인이 필요한 경우는 제외) ⑨ 베트남 국적의 부여, 정지, 박탈 결정권 등이 있으며, 국회 상임위원회와 정부의 각 회의에 참여할 권리가 있다. 또한, 주석의 명령, 결정을 공포할 수 있는 권리가 있다. 국가 주석의 유고 시에는 국회에서 새로운 주석을 선출할 때까지 부주석이 대리한다.

1.2. 역대 국가주석

순서	국가 주석 성명	재임 기간	
1	Hồ Chí Minh	1945.09.02 ~ 1969.09.02	24년
	Huỳnh Thúc Kháng	1946.05.31 ~ 1946.09.21	4개월
2	Tôn Đức Thắng	1969.09.03 ~ 1969.09.22	19일
		1969.09.22 ~ 1980.03.30	10년 6개월
	Nguyễn Hữu Thọ	1980.03.30 ~ 1981.07.04	1년 3개월 권한대행
3	Trường Chinh	1981.07.04 ~ 1987.06.18	6년
4	Võ Chí Công	1987.06.18 ~ 1992.09.22	5년 3개월
5	Lê Đức Anh	1992.09.23 ~ 1997.09.24	5년
6	Trần Đức Lương	1997.09.24 ~ 2006.06.26	8년 9개월
7	Nguyễn Minh Triết	2006.06.27 ~ 2011.07.25	5년 1개월
8	Trương Tấn Sang	2011.07.25 ~ 2016.04.02	4년 9개월
9	Trần Đại Quang	2016.04.02. ~ 2018.09.21	2년 6개월
10	Nguyễn Phú Trọng	2018.09.21. ~ 2021.04.05	2년 5개월
11	Nguyễn Xuân Phúc	2021.04.05. ~ 2023.01.18	1년 10개월
12	Võ Văn Thưởng	2023.03.02. ~ 현재	

1.3. 보반트엉võ Văn Thưởng 주석

보반트엉 주석은 1970년 12월생으로 원적은 남부 빙롱성이다. 1988년 호찌민 인사대 철학과에 입학하여 1992년 졸업했다. 주로 청년단에서 활동했으며, 2003년 10월 호찌민시당 당위원으로 피선되었다. 2005년에서 2010년까지 베트남 청년연합회 의장을 역임했다. 12대부터 현재 15대 국회의원이다. 2021년 2월에 정치국원으로 선출되었다. 2023년 3월 1일 정치국이 국가주석으로 국회에 추천했고, 3월 2일 국회에서 다수 득표로 선출되었다.

2 국회 Quốc hội

베트남 국회는 헌법상 "인민의 최고 대표기관이며 베트남사회주의공화국의 국가 최고 권력기관이다(헌법 69조). 국회는 유일한 입헌, 입법기관이다. 국회는 국가의 대내외 기본정책, 경제~사회, 국방, 안보의 임무, 국가 기관의 조직과 활동에 관한, 공민의 사회관계와 활동에 관한 주요 원칙을 결정한다. 국회는 국가의 모든 활동에 대한 최고 감사권을 행사한다."(헌법 70조)라고 규정하고 있다. 그러나 이러한 최고 권력기관으로서의 위치를 누리게 된 것 역시 도이머이의 영향이다.

7대 국회 이전의 베트남 국회는 일 년에 단지 1회 그리고 매번 3~4일만 열렸다. 그리고 만장일치제였기 때문에, 형식적으로 운용되었다. 그리고 도이머이 이후인 8대 국회에 이르러서야 더 민주적인 국회 활동이 시작되었다. 베트남 국회 역사에서 최초로 장관에 대한 국회의원의 질의가 시행되었다. 이는 당시 국회의장이던 레꽝다오의 역할이 컸다고 한다(Huy Đức, 2012b, pp.

299~301).

실질적으로는 국회가 독자적으로 국가정책을 입안하지는 못하며, 당의 정치 노선과 주장, 정책을 그대로 시행해야 한다. 기본적으로 국회의 의견은 당의 노선과 다를 수는 없다. 그러나 만일 세부적인 사안에 대해서 의견이 다를 경우에는 정치국에 국회의 의견을 제시하여, 협의를 통해 해결할 수 있다.

2.1. 국회의 임기, 권한과 임무

국회의원의 임기는 5년이고, 임기 만료 60일 전까지 새로운 국회의원 선거를 마쳐야 한다(헌법 71조 2항). 다만 국회 상무위원회가 제안하고, 재적의원 2/3 이상이 찬성하면 임기의 연장 또는 단축할 수 있지만, 전시를 제외하고, 12개월을 초과할 수는 없다. 정기 국회는 1년에 두 번 개최하게 되어 있고, 국회 상무위원회 또는 국회의원 1/3 이상이 찬성하면 임시 국회를 개원할 수 있다.

국회는 ① 헌법과 법률의 제정 및 개정 ② 각 국가 기관에 대한 최고 감찰권 ③ 국가 경제~사회 발전계획의 결정 ④ 국가의 재정, 금융정책, 예산심의, 승인 ⑤ 민족 정책 결정 ⑥ 입법, 사법, 행정기관의 조직 및 활동을 규정 ⑦ 국가주석, 부주석, 국회의장, 부의장, 상무위원회, 각 상임위원장, 최고인민법원장, 최고인민검찰 총장의 선출, 면직, 정직 결정과 주석의 건의 및 수상의 제청에 의한 관료의 승인 ⑧ 정부 부처의 신설 및 해체 결정과 성급 이상의 경계선 설정, 행정 특구 신설 및 해체 결정 ⑨ 헌법과 법률에 어긋나는 입법, 사법, 행정부의 공문 폐지 결정 ⑩ 특별사면 결정 및 훈포장 수여 결정 ⑪ 국가안보와 관련된 특별한 결정 ⑫ 국제조약의 비준 및 폐지 ⑬ 국민투표 실시 여부 결정 ⑭ 고위공직자에 대한 신임투표 시행 등의 권한과 임무를 갖고 있다(헌법 70조).

2.2. 국회 조직도 14대 국회

2.3. 국회 상무위원회 Uỷ ban thường vụ Quốc hội

베트남 국회는 일부 극소수의 무소속 의원이 있으나, 일당에 의한 국회이기 때문에 여야의 개념이 없다. 그리고 정기 국회는 일 년에 단 두 번 열리게 되어 있으므로 평상시 국회의 기능을 수행할 수 있는 기구가 필요하다. 그래서 베트남 국회에는 상무위원회라는 기구가 있다.

이 상무위원회는 사실상 베트남 국회의 모든 활동을 주관하는 기구로, 국회의장과 부의장이 각각 상무위원장과 부위원장이 되고, 몇 명의 위원으로 구성된다. 2016년 7월에 구성된 14대국 회의 상무위원회는 국회의장, 부의장(4명)을 포함하여 18명으로 구성되었고, 15대 국회도 18명이다.

상무위원회의 권한은 위에서 언급한 대부분의 국회 권한을 갖고 있으며(헌법 74조, 국회 조직법 3장), 특히 국회가 열리고 있지 않을 때는 선전포고는 물론 수상을 포함한 정부 인사의 임명과 해임을 포함한 모든 국회의 권한을 위임받고 있다.

15대 국회 상무위원회 18명

상무위원회	성명	직책	
위원장	Vương Đinh Huệ	국회의장	
부위원장	Trần Thanh Mẫn	국회 부의장	정치국원, 라오스의원그룹
	Nguyễn Đức Hải		중집위원, 캄보디아의원그룹
	Nguyễn Khắc Định		중집위원, 러시아의원그룹
	Trần Quang Phương		중집위원, 중장, 중국의원그룹
위원	Nguyễn Thúy Anh	사회위원장, 중집위원, 프랑스의원그룹	
	Dương Thanh Bình	민원위원장, 중집위원, 인도의원그룹	
	Bùi Văn Cường	국회사무처장, 중집위원, 아세안의원그룹	
	Vũ Hải hà	대외위원장, 중집위원, 국제의원연맹	
	Lê Quang Huy	과학기술환경위원장, 중집위원, 미국의원그룹	
	Lê Quang mạnh	재정예산위원장, 중집위원	
	Lê Thị Nga	사법위원장, 중집위원, 폴란드의원그룹	
	Lê Tấn Tới	국방안보위원장, 중집위원, 소장, 호주의원그룹	
	Vũ Hồng Thanh	경제위원장, 중집위원, 헝가리의원그룹	
	Nguyễn Thị Thanh	의원업무위원장, 중집위원, 한국의원그룹	
	Hoàng Thanh Tùng	법률위원장, 중집위원,	
	Nguyễn Đắc Vinh	문화교육위원장, 중집위원, 이탈리아의원그룹	
	Y Thanh Hà NieeK'đăm	민족위원장, 중집위원, 캐나다의원그룹	

2.4. 상임위원회 Các ủy ban Quốc hội

국회 조직법에는 ① 법률위원회 ② 사법위원회 ③ 경제위원회 ④ 재정예산
위원회 ⑤ 국방안보위원회 ⑥ 문화교육위원회 ⑦ 사회위원회 ⑧ 과학기술환경
위원회 ⑨ 대외위원회의 9개 분과위원회를 두게 되어 있으며, 별도로 소수 종
족 관련 정책을 다루는 ⑩ 민족평의회가 있다(국회조직법 66조).

각 분과 상임위원회는 법률안 제출권이 있으며, 상무위원회가 위임한 사
항을 심사하여 상무위원회에 제출하고 해당 분야에 대한 감독권을 행사한다.

각 기관에 대한 자료 제출 요구권이 있고, 조사단을 파견할 수 있다. 최고인
민법원장, 최고인민검찰 총장, 각 성·시 인민위원장에게 건의권이 있으며, 이때
해당 기관장은 15일 이내에 답변할 책임이 있다. 또한, 특정 문제를 연구하기

위한 소위원회를 구성할 수 있다.

2.5. 국회의원의 선출

베트남의 국회의원 선출은 2013년 개정헌법과 2014년 국회 조직법 그리고 2015년 국회의원과 인민의회 의원 선거법에 근거하여 선출한다.

베트남 국회의원 선거는 보통, 평등, 직접 및 비밀투표 원칙에 따라 진행되며 민족, 남녀, 사회 성분, 직업, 거주시한에 차별 없이 만 18세 이상인 자는 선거권이 있고 만 21세 이상인 자는 피선거권이 있다. 다당제를 채택하지 않고 베트남공산당이 집권당인 베트남에서 국회의원 후보 출마방식은 ① 일반인의 자진 출마방식과 ② 베트남 조국전선에 의한 전국 각 기관, 조직, 단위, 군, 정부 기관에서 후보자 선발, 소개받는 방식을 채택하고 있다.

국회의원 선거를 주관하는 기관으로는 ① 국회 상무위원회 ② 베트남 조국전선 ③ 중앙선거위원회가 있는데, 이들 개별기관의 선거 주관, 관리 직능은 아래와 같다.

국회 상무위원회는 국회의원 선거를 공고하고 주재하며 선거를 감찰하고 선거가 법률에 따라 민주적으로 진행되도록 추진한다. 동시에 국회 내에서 인민 각계각층의 합리적인 의원 비율을 보장하기 위해 관계기관들과 의견을 교환한 후, 전국 각 기관, 조직, 단위, 군과 정부 기관에서 국회의원 후보로 선출할 사람 수 및 기구, 성분에 관해 3차에 걸쳐(선거일 80일, 70일, 40일 전)에 예측하고, 이 예측 내용을 베트남 조국전선으로 보낸다.

베트남 조국전선은 베트남공산당의 전위조직인데, 2013년 헌법 제9조에는 "베트남 조국전선과 그 구성조직들이 인민 정권의 정치 기반이다. 조국전선은 전 인민의 전통적인 단결을 발휘하고 인민에서 정치와 정신에 관한 일체감을 증진해 인민 정권을 건설하고 공고히 하며 국가와 더불어 인민의 정당한 이익을 보살피고 인민이 주권을 행사하게 하고 헌법과 법률을 엄정히 시행하도록 하며 국가 기관, 민선 대표, 간부의 활동을 감시한다. 국가는 조국전선과 그 구성조직이 효과적으로 활동할 수 있는 조건을 조성한다."라고 규정하고 있다. 또한, 국회의원선거법 제8조에서 "베트남 조국전선이 국회의원 후보자 선별, 소개 협상을 조직하며 국회의원 선거 감찰에 참여한다."라고 규정하고 있다.

따라서 베트남 조국전선은 국회의원선거법에 따라 전국 각 조직, 기관, 단위, 군 및 국가 기관에서 국회의원 후보로 선출할 사람 수, 기구, 성분에 관한 국회상임위원회의 1차, 2차, 3차 예측과 국회의원 후보를 내는 각 기관, 조직, 단위가 개최한 유권자 회의 회의록 및 후보자를 내는 각 기관, 조직, 단위에서 후보자에 관해 개최한 자체 회의록 등을 근거로 하여 관계기관 대표의 참석 하에 후보자 선정, 협상 회의를 개최한다. 베트남 조국전선은 협상 회의 결과 보고서를 국회 상무위원회와 중앙선거위원회로 제출한다. 국회상임위원회는 베트남 조국전선의 협상 회의 결과보고서를 2차, 3차 예측에 활용한다.

중앙선거위원회는 베트남 조국전선으로부터 받은 후보자 공식 명부에 따라 전국 선거 단위별로 후보자명부를 작성하여 공고한다. 개별선거 단위 후보자 수는 실제로 개별 선거단위에 배정된 국회의원 수보다 많아야 한다. 후보자는 선거일 20일 전에 후보자명부가 공고된 후에, 유권자와의 만남과 접촉을 통해 자기의 정견을 발표하는 등 선거운동을 할 수가 있다. 그러나 규정에 따르면, 후보자의 유권자와의 만남과 접촉은 베트남 조국전선이 주관한다.

국회의원 선거비용은 국가가 부담하는 공영제(국회의원선거법 제7조)를 시행하고 있으며, 중앙선거위원회는 총선 결과를 종합하여 선거 결과 및 당선 자명단을 공고한다.

당선자라 하더라도, 국회는 국회의원 자격심사위원회를 구성하여 심사한 후 개별적으로 국회의원 자격 여부를 확인한다.

베트남에서 국회의원 후보는 일차적으로 후보자 선정 과정에서 베트남 조국전선이 주관하는 선정, 협상 회의와 거주지 유권자 회의에서 그리고 직장 회의에서 후보자자격이 있는 것으로 인정받아야 후보자가 되며 이차적으로 선거에서 당선되어야 하며 마지막으로 새로운 국회에 구성된 국회의원 자격심사위원회로부터 국회의원 자격을 인정받아야만 비로소 국회의원이 된다.

베트남 국회의원은 상근 국회의원과 비상근 국회의원으로 나뉘며, 그 수는 국회가 정하게 되어 있다. 국회의원은 법률 제안권과 정부 각 기관에 대한 질문권이 있고, 국민의 청원을 해당 기관에 전달하고 해당 기관은 그에 대해 답변해야 하며, 청렴의 의무와 유권자에 대한 활동 보고의 의무가 있다.

성, 시별로 국회 대표단을 구성하여 활동할 수 있고, 조국전선 또는 유권자의 요구에 따라 국회에서 의결을 거쳐 해임될 수 있다. 면책특권을 가지며 국회의원의 체포, 소추 및 사무실과 주택에 대한 수색은 국회의 동의를 받아야 하고, 국회 상무위원회의 동의 없이 소속 직장에서 해임, 휴직 당하지 않는다. 비상근 국회의원은 국회 활동에 근무 시간의 1/3 이상을 할애해야 하고, 상근 국회의원은 임기가 끝났을 때 직장을 알선받으며 국회 활동 기간은 근속연수에 합산된다.

2.6. 국회의장단 Chủ tịch, phó chủ tịch Quốc hội

국회의장은 국회 회의를 주재하며 국회의 결정, 법에 서명하고 국회 상임위원회 사업을 지도하고, 국회 예산 집행을 지도하며, 국회를 대표하여 대외 관련 업무를 수행하고 국회의원과의 관계를 유지할 임무와 권한을 갖고 있으며, 국회 부의장은 국회의장의 업무 분담에 따라 의장을 보좌한다.

2.7. 역대 국회 현황

구분	임기	총선일자	의석수	의원수	주요직
초대	1946~1960	1946.1.6	403	333명	정부주석: 호찌민 국회의장: 부이방도안
2대	1960~1964	1960.5.8	453	362명	국가주석: 호찌민 상무위원장: 쯔엉찡
3대	1964~1971	1964.4.26	453	336명	국가주석: 호찌민 상무위원장: 쯔엉찡
4대	1971~1975	1971.4.11		424명	국가주석: 똔득탕 국회의장: 쯔엉찡
5대	1975~1976	1975.4.6		424명	국가주석: 똔득탕 국회의장: 쯔엉찡
6대	1976~1981	1976.4.25		492명	국가주석: 똔득탕 국회의장: 쯔엉찡
7대	1981~1987	1981.4.26		496명	국가평의회의장: 쯔엉찡 국회의장: 응웬히우터
8대	1987~1992	1987.4.19		496명	국가평의회의장: 보찌꽁 국회의장: 레꽝다오
9대	1992~1997	1992.7.19		395명	국가주석: 레득아잉 국회의장: 농득마잉
10대	1997~2002	1997.7.20		450명	국가주석: 쩐득르엉 국회의장: 농득마잉
11대	2002~2007	2002.5.19		498명	국가주석: 쩐득르엉 국회의장: 농득마잉
12대	2007~2011	2007.5.20		493명	국가주석: 응웬밍찌엣 국회의장: 응웬푸쫑
13대	2011~2016	2011.5.22		500명	국가주석: 쯔엉떤상 국회의장: 응웬싱훙
14대	2016~2020	2016.5.22		494명	국가주석: 쩐다이꽝 국회의장: 응웬티낌응언
15대	2021~2026	2021.5.23		500명	국가주석: 응웬쑤언푹 보반트엉 국회의장: 브엉딩후에

3   정부 Chính phủ

지금까지 베트남은 1946년 헌법을 제정한 이후로 1959년, 1980년, 1992년
에 걸쳐 헌법을 개정했는데, 각각의 헌법에 규정된 정부의 조직, 임무와 권한
은 서로 다른 점이 있으며 정부의 명칭도 1946년 헌법에서는 "정부Chính phủ",

1959년 헌법에서는 "정부평의회_{Hội đồng Chính phủ}", 1980년 헌법에서는 "각료평의회_{Hội đồng Bộ trưởng}"로, 1992년 헌법에서는 다시 "정부_{Chính phủ}"로 개칭하였다. 각 헌법에서 규정한 정부의 성격은 아래와 같다.

1946년 헌법에서 "정부"는 "전국의 최고행정기관"이다. 정부는 국가주석, 국가부주석과 내각으로 구성되며 내각은 수상, 장관, 차관으로 구성하나 부수상도 포함할 수 있다고 규정했다. 이 헌법에서 규정한 정부의 조직과 활동을 다른 3개 헌법과 비교하면, 즉 정부가 비록 의회에 의해 수립되지만, 정부는 의회의 집행기관이 아니며, 정부 구성에 국가주석을 포함하고 있다. 국가주석은 전군을 통수하고 수상을 임명하고 대내외적으로 국가를 대표하며 정부 회의를 주재한다. 의회가 회기 중이 아닐 때는 전쟁 또는 정전을 선포하는 등의 권한을 가진다. 국가주석은 반국가범죄를 제외하고 의회에 대해 어떠한 책임도 지지 아니한다. 반면 내각은 의회에 대한 책임을 진다.

1959년 헌법에서는 국가주석을 정부로부터 분리하고 "의회"를 "국회"로 개칭했다. 제5장에 국가주석을 신설하고 제6장에 정부평의회를 두었다. 1959년 헌법에서는 정부를 정부평의회로 개칭하고 "정부평의회는 최고의 국가 권력기관인 국회의 집행기관이며, 베트남민주공화국의 최고 국가행정기관이다."라고 규정하고, "국회는 베트남민주공화국의 최고국가 권력기관이다."라고 규정했다. 정부평의회는 수상이 대표하며 국회의 집행기관으로서 국회(국회가 회기 중이 아닐 때는 국회 상무위원회)에 대해 책임지고, 보고한다.

또한, 국회에서 선출되는 국가주석은 정부의 구성원이 아니며, 국가주석은 국회의 의결에 근거하며 수상, 부수상 및 기타 정부 구성원 임명을 통해 정부를 지도하고 필요시 정부평의회 회의에 참여하여 회의를 주재하는 권한을 가지나 정부로부터 분리되고, 1946년 헌법에서 부여받았던 권한 일부가 국회 상무위원회로 이양되었기 때문에 1959년 헌법에서의 국가주석은 대내외적으로 국가를 대표하는 사람이다. 반면 최고국가행정기관인 국가평의회는 모든 분야에서 국가행정을 담당한다.

　1980년 헌법에서는 정부를 "각료평의회"로 개칭했다. 이 헌법에서는 "국회는 인민의 최고 대표기관이며 베트남사회주의공화국의 최고국가 권력기관이다. 국회는 입헌 및 입법권을 가진 유일한 기관이다."라고 규정하고 "각료평의회는 베트남사회주의공화국의 정부이며 최고 권력기관(국회)의 최고 집행 및 행정기관이다."라고 규정했다. 국회와 각료평의회를 이처럼 규정함으로써 국회는 입법, 행정, 사법권을 완전히 장악하며 국회가 국가 권력을 행사하는 집단이 된 것이다. 그러므로 국회에 의해 수립된 다른 국가 기관은 국회의 직능과 임무의 분임으로 실현하는 기관이다. 최고 권력기관(국회)의 최고 집행 및 행정기관인 각료평의회(정부)도 이와 같은 헌법정신에 따라 조직되기 때문에 각료평의회의 직능, 임무는 국회로부터 부여받은 행정권을 집행하는 것이다. 우리는 베트남이 삼권분립제도를 채택하지 않고 삼권을 국회에 집중시키며 국회에 집중된 삼권을 입법부(국회), 행정부(정부)와 사법부(최고인민법원과 최고 인민검찰청) 간에 분담과 분임을 통해서 행사한다는 관점이 헌법에 반영되고 있음을 알 수가 있다.

　1992년 헌법에서는 제8장에 정부를 규정하고 있다. 1992년 헌법에서는 1946년 헌법에서와 같이 "정부"로 명칭하고, 정부를 최고국가 권력기관(국회)의 집행기관, 베트남사회주의공화국의 최고 행정기관으로 규정했다. 이처럼 정부를 1959년 헌법과 같이 규정한 것은 권력을 국회에 집중시키기 위한 것이다. 1992년 헌법 개정 시 일부에서 정부를 헌법에 관한 권력기관, 최고 행정기관으로 보자는 의견을 제시했으나 받아들여지지 않았고 정부를 국회의 집행기관, 국가의 최고 행정기관으로 규정했다. 그러므로 1992년 헌법정신은 정부를 최고 행정기관으로 보지 않고 국회의 집행기관으로 보고 있다는 것을 인식해야 한다. 베트남 정부는 일부 국가처럼 정부가 국회에서 제정한 법과 의결을 부결하거나 시행하지 않거나 할 수 없으며, 정부는 헌법상 국회에서 제정한 법과 의결을 올바로 집행하고 국회에 대해 보고해야 하는, 국회의 집행기관이다.

3.1. 정부의 위상

국가 권력 구조에서 정부의 법적 지위는 정부와 국회, 국회 상무위원회, 국가주석 간의 관계와 헌법에서 규정한 권리와 의무 그리고 법률의 규정으로 확정된다. 1980년 헌법은 정부수립에 관해 모든 각료평의회(정부 구성원), 국가위원회 주임은 모두 국회가 선출하도록 규정했으나 1992년 헌법에서는 국회는 국가주석의 제의에 따라 수상을 임명, 해임하며 수상의 부수상, 정부 구성원 임명에 관한 제청을 국회가 회기 중이 아닐 때는 국회 상무위원회가 승인한다고 규정하고 있다.

1946년 헌법과 1959년 헌법에서는 국가주석이 의원, 국회의 의결에 근거하여 수상을 임명했으나 1992년 헌법에서는 국가주석이 국가 부주석, 수상, 최고 인민법원장, 최고 인민 검찰 총장의 임명과 해임을 국회에 제청하는 권한을 갖는 것으로 되어 있다. 1946년 헌법에서는 수상과 장관은 모두 의원 중에서 선출하도록 규정했고, 1959년 및 1980년 헌법에서는 명확하게 규정하지는 않았으나 정부 구성원 대부분이 국회의원이었다. 1981년에 공포된 각료평의회(정부조직법)에서는 각료평의회 구성원은 국회의원이 아니어도 되지만 각료평의회 의장과 각료평의회의 주요 구성원은 국회의원이어야 한다고 규정했다. 그리고 1992년 헌법에서는 수상 외의 다른 정부 구성원은 반드시 국회의원이 아니어도 된다고 규정했다. 이는 이전 헌법과 비교해서 새로운 것이다. 1997년 7월 20일에 실시한 10대 국회의원 선거에서 부수상 2명, 장관 15명, 차관 5명이 국회의원에 당선되었다.

또한, 정부의 책임에 관해서, 1946년 헌법을 제외한 1959년 헌법과 1980년 헌법에서 "수상(정부평의회, 각료평의회)은 국회와 국회가 회기 중이 아닐 때는 국회상임위원회에 책임을 지고 보고한다."라고 규정했으며, 1992년 헌법에서는 "수상은 국회, 국회상임위원회, 국가주석에게 책임을 지고 보고한다."라고 규정하고 있다. 1946년 헌법에서, 내각은 의회에 대해서만 책임을 지는 것으로 규정했다.

그러나 1992년 헌법 제117조에서 "정부와 장관 및 기타 정부 구성원은 전국적인 범위에서 자신이 많은 부문에 관해 국가관리 책임을 진다."라고 규정하고 있어, 개인의 책임을 강조하고 있다.

3.2. 정부의 임기

정부의 임기는 국회의 임기에 따르며, 국회가 임기가 끝났을 때는 새로운 국회가 구성되어 새로운 정부를 수립할 때까지 임무를 계속 수행하는 것으로 되어 있다. 현재는 국회의원의 임기가 5년이므로 정부의 임기도 5년이다. 다만 국회의원 2/3 이상의 찬성으로 국회의원의 임기를 단축하거나 연장하면 정부의 임기도 그에 따르게 되어 있다.

3.3. 수상의 권한과 임무

헌법 114조에 수상의 임무와 권한이 규정돼 있는데, 수상은 ① 정부, 정부 구성원, 각급 인민위원회의 사업을 영도하고 정부 회의를 주재하며 ② 부와 부급 기관의 설립 또는 해체를 국회에 건의하며 부수상, 장관, 정부의 기타 구성원의 임명, 해임을 국회에 제청하여 동의받고 ③ 차관과 차관급의 임명과 해임, 성, 중앙 직속 시의 인민위원장, 부위원장 선거의 승인, 임명과 해임 ④ 헌법과 법 및 국가 상급 기관의 문서에 어긋나는 장관의 지시, 시행규칙, 성 및 중앙 직속 시 인민위원회와 인민위원장의 결정, 지시의 시행정지 또는 폐지 ⑤ 정부가 해결해야 할 중요한 문제에 관해 대중매체를 통해 인민에게 직접 보고할 수 있다.

3.4. 정부 조직

```
                        수상
                         │
                       부수상5
        ┌────────────────┼────────────────┐
     국방부             공안부             외교부

     내무부             사법부          계획 · 투자부

     재정부             상공부         농업 · 농촌개발부

   교통 · 운송부          건설부          자원 · 환경부

  정보 · 미디어부      노동 · 사회복지부    문화 · 체육 · 관광부

   과학 · 기술부        교육 · 훈련부          보건부

  * 정부행정실         * 중앙은행          * 정부 감사실

  * 민족위원회        * 부급 기관
```
* 18개 부와 4개의 부급 기관

3.5. 제15대 정부 부처 및 장관명단 (2023.12.26. 기준)

구분	직책	성명	당내 직책
1	수상	Phạm Minh Chính	정치국원
2	부수상	Lê Minh Khái	중앙집행위원
3	부수상	Trần Hồng Hà	중앙집행위원
4	부수상	Trần Lưu Quang	중앙집행위원
5	국방부 장관	Phan Văn Giang	정치국원

구분	직책	성명	당내 직책
6	공안부 장관	Tô Lâm	정치국원
7	외교부 장관	Bùi Thanh Sơn	중앙집행위원
8	내무부 장관	Phạm Thị Thanh Trà	중앙집행위원
9	사법부 장관	Lê Thành Long	중앙집행위원
10	계획·투자부 장관	Nguyễn Chí Dũng	중앙집행위원
11	재정부 장관	Hồ Đức Phớc	중앙집행위원
12	상공부 장관	Nguyễn Hồng Diên	중앙집행위원
13	농업·농촌개발부 징관	Lê Minh Hoan	중앙집행위원
14	교통·운송부 장관	Nguyễn Văn Thắng	중앙집행위원
15	건설부 장관	Nguyễn Thanh Nghị	중앙집행위원
16	정보·미디어부 장관	Nguyễn Mạnh Hùng	중앙집행위원
17	노동·사회복지부 장관	Đào Ngọc Dung	중앙집행위원
18	문화·체육·관광부 장관	Nguyễn Văn Hùng	중앙집행위원
19	과학·기술부 장관	Huỳnh Thành Đạt	중앙집행위원
20	교육·훈련부 장관	Nguyễn Kim Sơn	중앙집행위원
21	보건부 장관	Nguyễn Thanh Long	중앙집행위원
22	정부행정실 주임, 장관	Trần Văn Sơn	중앙집행위원
23	민족위원회 주임, 장관	Hầu A Lềnh	중앙집행위원
24	중앙은행 총재	Nguyễn Thị Hồng	중앙집행위원
25	정부감사위원장	Đoàn Hồng Phong	중앙집행위원
26	중앙은행 총재	Nguyễn Thị Hồng	중앙집행위원
27	정부감사위원장	Đoàn Hồng Phong	중앙집행위원
28	자원·환경부 장관	Đặng Quốc Khánh	중앙집행위원

3.6. 정부 직속기관 các cơ quan thuộc Chính phủ

순서	기관명
1	베트남 사회과학 한림원 Viện Hàn lâm Khoa học xã hội Việt Nam
2	베트남 과학기술 한림원 Viện Hàn lâm Khoa học và Công nghệ Việt Nam
3	베트남 통신사 Thông tấn xã Việt Nam
4	베트남 라디오 방송국 Đài Tiếng nói Việt Nam
5	베트남 텔레비전 방송국 Đài Truyền hình Việt Nam
6	베트남 사회보험 Bảo hiểm Xã hội Việt Nam
7	호찌민 정치~행정 대학원 Học viện Chính trị~Hành chính Quốc gia Hồ Chí Minh
8	호찌민 주석릉 관리위원회 Ban Quản lý Lăng Chủ tịch Hồ Chí Minh

3.7. 팜밍찡Phạm Minh Chính 수상

팜밍찡 수상은 1958년 타잉화성에서 태어나, 루마니아 부쿠레슈터에서 유학하여 건설 기사가 되었고, 2000년에 법학 박사 학위를 받았고, 부교수의 직함도 갖고 있다. 유학 시절부터 공안 분야에 발을 디딘 후에 2006년에는 공안부 정보총국 부총국장을 맡았으며, 2007년 공안부 준장으로 진급, 기술지원 총국장, 공안부 소장으로, 2010년에는 공안부 차관으로 임명되었다. 11대, 12, 13대 중앙집행위원, 꽝닝성 당서기, 중앙당 조직위 부위원장, 12대에 이어 13대 정치국원이다. 2021년 4월 수상으로 선출되었다.

4 인민법원 Tòa án Nhân dân

베트남의 법원 체계는 우리의 대법원에 해당하는 ① 최고 인민법원이 있고 ② 성급 법원 ③ 현급 법원 ④ 군사 법원과 ⑤ 법률 정하는 법원이 있다. 우리와 다른 점은 베트남 법원이 행정단위와 상응하게 법원이 설치된 것이다. 군 단위 법원과 광역시도 단위 법원 그리고 중앙정부에 상응하는 최고 인민법원이 있다.

최고 인민법원장은 국가주석의 제청으로 국회가 임명, 해임하며 임기는 국회의 임기와 같고, 최고 인민법원장은 국회에서 보고의 의무가 있으며, 지방 인민법원장은 각 지방 의회에 보고 의무가 있다. 이러한 점 때문에 베트남 사법부는 삼권분립 차원에서 본다면 그 권한이 행정부, 입법부와 비교하면 현저히 낮다고 할 수 있다. 심지어 베트남공산당 정치국의 지시가 법률보다 우선한다고 자조하는 때도 있다(Quốc hội, 2002.04.02.).

4.1. 법원 체계도

출처: 저자 발췌 및 작성.

4.2. 최고 인민법원 Tòa án nhân dân tối cao

최고 인민법원은 ① 법관평의회 ② 중앙 군사법원 ③ 형사재판부 ④ 민사재판부 ⑤ 경제재판부 ⑥ 노동재판부 ⑦ 행정재판부 ⑧ 각 최고 인민법원 2심재판부 ⑨ 감사위원회 ⑩ 서기위원회 ⑪ 조직국 ⑫ 법원 간부학교로 구성되어 있다. 법관평의회Hội đồng Thẩm phán는 17명 이내로 구성된다.

4.3. 성급 인민법원 Tòa án nhân dân cấp tỉnh

성급 인민법원(성, 중앙 직속 시 법원)은 ① 법관위원회 ② 형사재판부 ③ 민사재판부 ④ 경제재판부 ⑤ 노동재판부 ⑥ 행정재판부 ⑦ 지원조직으로 되어 있다. 법관위원회Ủy ban Thẩm phán는 법원장, 각 부법원장 및 판사로 구성하며 9명 이내로 한다. 각 전문 재판부에는 재판장, 부 재판장, 판사, 법원 서기가 있다.

4.4. 현급 인민법원 Tòa án nhân dân cấp huyện

현급 인민법원(구, 현, 성 직속 시 인민법원)은 ① 법원장 ② 1~2명의 부 법원장 ③ 판사 ④ 배심원 ⑤ 법원 서기 ⑥ 지원조직으로 구성되어 있다.

4.5. 판사의 자격과 임명

베트남에서 판사thẩm phán로 임명되기 위해서는 법학사 학위를 갖고, 재판 관련 교육을 이수한 후 4년 이상 현급 재판 관련 업무에 종사한 자 중에서 능력이 있다고 판단되는 자에게 현급 판사의 자격을 준다.

현급 법원 판사로 5년 이상 근무한 자와 법학사 학위를 갖고, 재판 관련 교육 이수 후, 재판 관련 현업에서 10년 이상 근무한 자는 성급 판사로 임명될 수 있다.

성급 판사로 5년 이상 근무한 자와 법학사 학위를 갖고, 재판 관련 교육 이수 후, 재판 관련 현업에서 15년 이상 근무한 자는 최고 인민법원의 판사로 임명될 수 있다. 판사의 임기는 보임된 날로부터 5년이다(Ủy ban Thường vụ Quốc hội, 2002.10.04.).

최고 인민법원장은 국가주석의 제청으로 국회에서 인준되고, 최고 인민법원의 부 법원장은 법원장의 제청으로 국가주석이 임명한다. 지방 법원장과 부 법원장은 최고 인민법원장이 해당 지방의 인민의회와의 협의를 거쳐 임명한다. 각급 법원장, 부 법원장의 임기는 보임된 날로부터 5년이다.

4.6. 2심제도 chế độ hai cấp xét xử

베트남의 재판은 우리와 같은 3심제가 아니고 2심제이다(Bộ Luật Tố tụng

hình sự, Điều 20.). 1심 재판은 베트남어로 '서텀sơ thẩm 初審'이라고 하고, 2심 재판
은 '푹텀phúc thẩm 覆審'이라고 한다.

그러나 사형을 선고하면, 재판 관련 서류를 최고 인민법원장과 최고 인민
검찰청장에게 보내야 하고, 2개월 이내에 "감독심giám đốc thẩm 監督審" 또는 "재심tái
thẩm 再審"을 할 것인지를 결정한다. 감독심이란 "재판 과정에서 또는 판결문, 결
정문에서 법률을 위반한 경우(Bộ Luật Tố tụng hình sự, Điều 272)"에 실시하
는 재판으로 우리나라의 대법원 재판과 유사하다. 즉, 사형이 선고되는 경우는
3심을 할 수 있다는 것을 의미한다. 재심은 "재판의 결과에 영향을 줄 수 있는
새로운 사실이 발견되었을 때"에 행하는 재판이다(Bộ Luật Tố tụng hình sự,
Điều 290).

5 인민검찰청 Viện Kiểm sát nhân dân

베트남 검찰 체계는 앞에서 본 법원 체계와 같다. 최고 인민검찰청과 성급
인민검찰청 그리고 현급 인민검찰청이 있고, 군검찰이 있다.

최고 인민검찰청장은 국가주석의 제청으로 국회가 임명한다. 최고 인민검
찰청 부청장과 최고 인민검찰청 검사는 최고 인민검찰청장의 제청으로 국가
주석이 임명한다. 지방 검찰청장과 부청장 그리고 지방 검찰청 검사와 최고 인
민검찰청 수사관은 최고 인민검찰청장이 임명한다.

검사의 등급은 초급(1~3), 중급(1~3), 고급(1~4)으로 3단계로 구분되고, 각
급은 다시 1~4등급으로 나누어져 있다. 초급 검사의 자격은 대학에서 법률을
전공하였거나 검찰 전문대, 법리 중급 자격증, 검찰 중급 자격증 또는 이에 상
당하는 자격을 갖고, 현급에서 검찰 업무에 종사할 능력이 있으며 수사, 재판

에 참여한 경험이 있는 자이다.

중급 검사는 법대, 검찰 전문대 졸업자 또는 그에 상당하는 자로, 성급 사건의 수사, 재판에 참여한 경험이 있으며, 하급 검사와 현급 검찰을 지휘할 능력을 갖춘 자이다.

고급 검사는 법대, 검찰 전문대 졸업자 또는 그에 상당하는 자로, 범죄 예방과 수사에 대해 종합적으로 연구할 수 있는 수준을 갖추고, 복잡하고 심각한 사건의 수사와 재판에 참여한 경험이 있으며, 성급 검찰청장의 업무를 지원하고 초급, 중급 검사를 지휘할 능력을 갖춘 자이다. 베트남 검사는 정해진 계급장을 달고 제복을 입는다(Quốc hội, 2002.04.02.).

6 각 국가 기관과의 관계

본 장에서는 베트남 정치의 핵심을 이루는 공산당과 국가를 이루는 입법, 사법, 행정기관에 대해서 알아보았다. 각 기관을 하나하나 떼어놓고 보면 나름대로 삼권분립에 기초하여 국가 기관이 만들어진 것으로 보인다. 그러나 앞에서 본 바와 같이 당과 정부, 입법기관과 사법기관 사이에 서로 유기적으로 연결되어 있음을 알 수 있다. 예를 들어, 행정부의 장인 수상은 당의 핵심기구인 정치국원을 겸하면서, 입법부인 국회의원의 신분을 갖고 있다.

현 최고 인민검찰청장인 응웬화빙은 중부의 꽝응아이성 당서기를 역임하고 현재 중앙 집행위원으로 있다. 또한, 정부 각 부처의 장관들은 당 중앙 집행위원 또는 정치국원이다. 이러한 내용을 종합해 보면 베트남을 실질적으로 이끄는 세력은 "베트남공산당"이라고 할 수 있다. 당은 입법, 사법, 행정 어디에나 간섭할 수 있는 구조로 되어 있다.

현행 베트남 헌법에는 입법부인 국회가 베트남 "최고의 권력기관"이라고 되어 있지만, 그 최고의 권력기관을 구성하는 것은 '당'이다. 아래 그림은 당을 제외하고 국회, 정부, 사법부 간의 관계를 표시해 놓은 것이다. 실선은 직접, 점선은 간접적인 관계를 표시하고 있다. 국민은 국회의원과 각급 의회 대표만을 투표를 통해 선출할 뿐이며, 각급 행정기관의 장은 해당 인민의회에서 선출하게 되어 있다.

이는 1992년 개정헌법 제4조에 "베트남공산당은 베트남 노동자의 선봉대이고 노동자, 농민계급 및 전 민족의 권리에 충성하는 대표로서 마르크스~레닌주의와 호찌민 사상을 신봉하는 국가 및 사회의 영도 세력이다. 당의 모든 조직은 헌법과 법률의 테두리 내에서 활동한다."[1]라고, 분명하게 언급한 것에서도 잘 나타나 있다.

아래 표는 권력 기관별 직책과 그에 따른 급여 등급을 나타낸 것으로, 주요 직책에 대한 서열 관계를 유추할 수 있다.

등급	정부	공산당	국회~법원	조국전선
직책				
13.00	· 국가주석	· 서기장		
12.50	· 수상		· 국회의장	
12.00		· 서기국 상무위원		
11.10	· 국가 부주석	· 정치국원		· 조국전선 중앙위 의장
10.40	· 부수상 · 대장	· 중앙당 서기 · 중앙 감사위원장	· 국회 부의장 · 최고인민법원장 · 최고 인민 검찰 총장	
9.80	· 중장		· 국회 상무위원	
9.70	· 장관 · 부급 기관장 · 국가주석실 실장 · 국가회계원장 · 하노이 시장 · 호찌민시 시장	· 당 위원장 · 중앙당 각 실장 · 호찌민 정치학원장 · 인민일보 편집장 · 공산잡지 편집장 · 하노이 시당 부서기 · 호찌민시 시당 부서기	· 민족평의회 의장 · 국회 상임위원장 · 국회 행정실장 · 하노이 인민회의 의장 · 호찌민시 인민회의 의장	· 조국전선 부의장 겸 총서기 · 베트남 노동연맹 의장 · 농민회 회장 · 호찌민공산 청년단 중앙단 제1 서기 · 여성연맹 회장 · 참전용사회 회장

---

1) 1946년에 헌법을 제정한 이래 1959년, 1980년, 1992년에 헌법을 개정하였고, 1980년 헌법에서부터는 "베트남공산당이 국가와 사회를 영도하는 세력"임을 명문화하고 있다.

베트남 국가 기관 관계도

출처: 저자 발췌 및 작성.

7 베트남 법률체계

아래는 베트남 주요 기관에서 공포하는 법적 효력을 갖는 문건의 종류와
공포기관을 표로 정리한 것이다. 개방 이후 베트남은 "법에 따른 통치"를 강조
해 오고 있으며, 많은 법률 문건을 제정, 개정하고 있다. 대체로 우리와 비슷하
지만, 꼭 그렇지 않기 때문에 세밀하게 볼 필요가 있다. 예를 들어, 국회에서 제
정하는 법률 문건은 헌법, 부율, 법, 법령, 의결이 있다. 여기서 "부율, 법, 법령"
은 어떤 차이가 있는지, 아래에 설명한다.

제정 기관	법률	의결	시행령	결정	지시	시행규칙	연부 시행규칙	연부 의결	명령
국가주석		0							0
국회	0	0							
정부		0	0					0	
수상				0	0				
각부 장관				0	0	0	0	0	
각급 인민의회		0							
각급 인민위원회		0			0				
법관평의회법원		0					0	0	
최고검찰청장				0	0	0	0	0	

7.1. 베트남 법규범의 종류 (Nhiều tác giả, 1999)

7.1.1. 헌법 Hiến Pháp, 憲法

전국 범위의 일반적이고 가장 중요한 문제에 관한 규정으로 국회에서 제정된 최고의 법적 효력을 갖는 법률 규범 문건이다.

7.1.2. 부율 Bộ Luật, 部律

헌법 다음으로 높은 법적 가치를 갖는 것으로, 국회에서 제정된 법률 규범 문건이다.

예) 민법, 노동법, 형법, 형사소송법, 항해법 등.

7.1.3. 법 Luật, 律

헌법의 특정한 문제를 구체화하거나 국회의 권한과 임무에 속한 특정한 문제를 규정하기 위하여 국회에서 제정된 헌법 다음의 가치를 갖는 법률 규범 문건이다.

예) 국적법, 토지법 등

7.1.4. 법령 Pháp lệnh, 法令

국회 상무위원회에서 제정되고 국가주석이 공포하는 법률문건이다. 앞의 국회 편에서 설명했듯이 국회 전체회의가 열리지 않을 때, 상시로 국회의 기능을 하는 국회 내의 기관이 상무위원회인데, 여기서 통과시킨 법률 문건을 번역하면 "법령"이라고 한다.

예) 공무원법령, 행정위반처리법령, 개인의약업법령 등

7.1.5. 영 Lệnh, 令

주석의 권한과 임무를 수행하기 위하여 국가주석이 공포하는 문건이다. 특히 국회 상무위원회에서 통과시킨 "법령"은 반드시 국가주석을 통해 공포하는데, 이때 법령의 앞 장에 국가주석의 "영"으로 공포한다.

7.1.6. 시행령 Nghị Định, 議定

특정한 범위에 속한 법적 관계를 조정하기 위하여 또는 법 시행을 위해서 정부가 공포하는 법 아래의 법률문건이다.

7.1.7. 시행규칙 Thông Tư, 通諮

상급 기관, 국회, 국회 상무위원회, 국가주석, 수상의 법률 규범에서 해당 분야의 관리를 위임하거나 자신의 관리영역에 속한 규정을 실현하기 위하여 각부 장관, 부급 기관장, 정부직속 기관장이 공포하는 법적 규범 문건이다.

7.1.8. 연부 시행규칙 Thông Tư liên tịch, 通諮聯席

해당 기관의 권한과 임무, 직능에 관련된 문제에 관한 상급기관의 법률 규범 문건의 시행을 안내하기 위하여 각부, 부급 기관, 정부 직속기관이 함께 서명하고 공포하는 법률 문건이다. 최고인민법원과 최고인민검찰 사이, 각 부처와 최고인민법원 및 최고인민검찰 사이에서 공포하는 것도 포함된다.

7.1.9. 결정 Quyết Định, 決定

각 기관, 직속 단위의 활동과 조직에 관하여, 해당 분야의 경제적 기술적 한계와 기준을 규정하고 자신의 관리기능 또는 정부가 위임한 문제를 실현하려는 방법을 규정하는 법률 규범 문건이다.

7.1.10. 지시 Chi Thị, 指示

해당 기관과 상급기관의 법률 규범 문건을 실현하기 위하여 자신이 관리하는 분야에 속한 기관과 단위의 활동을 감사하고, 협의하고, 독촉하고, 지도하는 방법을 규정한 문건이다.

7.1.11. 의결 Nghị Quyết, 議決

법률이 정한 절차에 따라 토론과 표결을 거친, 회의제도에 따른 기관의 결정문이다. 다수결 또는 절대 다수결로 표결하는데, 국회와 국회 상무위원회의 의결은 과반수의 찬성으로, 국회의원의 제명, 국회의 임기 단축이나 연장, 헌법의 개정은 재적 2/3 이상의 찬성으로 가결된다.

7.1.12. 연부 의결 Nghị Quyết liên tịch, 議決聯席

상급 기관의 문서에 규정된 각 주체 사이의 업무 협의 관계를 구체화하기 위하여 중앙정부 기관과 정치 사회조직의 중앙기관 사이에 연석으로 만든 법률 규범 문건이다. 예를 들면, "베트남 노동총연맹과 정부 사이의 업무 관계에 관한 규정"이 있다.

　　프랑스 식민지하에 있던 1911년 6월에 상선을 타고 프랑스로 망명한 응웬 떳타잉_{Nguyễn Tất Thành}[2]은 러시아에서 10월 혁명이 성공한 후에 이름을 응웬아이 꾸옥_{Nguyễn Ái Quốc}으로 바꾸고 1918년 프랑스 사회당에 입당하여 활동했다.

　　1925년 6월에 호찌민은 베트남공산당의 전신인 "베트남 청년혁명동지회" 를 만들고, 기관지로 "청년_{Thanh Niên}"을 출판하면서 베트남에서의 공산당을 설립하기 위한 기반을 닦았다.

　　1929년 3월에 베트남 최초의 공산당 지부가 7명의 당원으로 하노이에 설립되었고, 1929년 6월 17일에 북부지역에 있던 당 기초조직의 대표들이 모여서 인도차이나 공산당을 설립하기로 의결하였다. 또, 1929년 5월에는 제1차 베트남 청년혁명동지회 전국대표자대회가 열려 '베트남에서 혁명 사업을 전면적으로 지도하기 위한 유일한 당'을 설립하기로 하고, "인도차이나 공산당_{Đông Dương Cộng Sản đảng}"을 설립(1929.6)했다.

　　1929년 7월에는 중국에서 활동하던 당원들이 인도차이나 공산당에 서신을 보내, 비밀 공산당을 설립하기로 했다는 것을 통보하였고, 그 결과 "안남공산당_{An Nam Cộng Sản đảng}"이 탄생하게 되었다. 이와 같은 두 당의 출현은 기존의 신월혁명당_{新越革命黨}의 분화를 급속히 촉진하는 한편, 신월혁명당에서 분리되어 각 당 지부가 설립되기 시작했다. 한편 신월혁명당은 "인도차이나 공산연단_{Đông Dương Cộng Sản liên đoàn}"을 설립기로 선언하였다. 이로써 1929년 6월부터 9월 사이에 베트남에는 3개의 당이 출현하게 된 것이다.

---

2) 호찌민_{Hồ Chí Minh, 胡志明}의 다른 이름. 호찌민은 수십 개의 이름을 사용하였다. 전 세계 지도자 중에서 가장 이름이 많은 지도자로 알려져 있음. 더글러스 파이크. 녹두편집부 역 1985, 『베트남 공산주의 운동사 연구』, 서울: 도서출판 녹두. pp.93~94.

이에 국제공산당은 '인도차이나에 유일한 무산계급의 혁명당을 창당'해야 한다고 권고하였고, 호찌민은 베트남에서의 유일한 공산당 창당의 책임을 맡게 되었다.

1930년 2월 3일부터 7일까지 홍콩의 주룽 지역에서 호찌민의 주재하에 모임을 하고 인도차이나 공산당과 안남공산당을 통합하기로 하고 통합당의 명칭을 베트남공산당으로 결정하였으며, 축약된 정강 정책, 당 규약 등을 통과시켰다. 이로써 "베트남공산당"이 정식으로 출범하게 되었다.

창당대회에 참가했던 대표들이 베트남으로 귀국하여 국내에 있던 기존의 기초 당 조직을 통합하면서 7명의 위원으로 임시 중앙 집행위원회를 발족시켰다.

그러나 그때까지도 인도차이나 공산연단은 여전히 별도로 존재하고 있었으며, 1930년 2월 24일에 회의를 열어 베트남공산당과 통합하기로 의결하였다.

이렇게 정식으로 출범하게 된 베트남공산당이 프랑스 식민지 당국에 대한 반식민지 투쟁을 계속하는 가운데, 소련에서 교육받고 1930년 4월에 귀국한 쩐푸Trần Phú는 7월에는 임시 중앙 집행위원회 위원으로 피선되고, 1930년 10월 14일부터 31일까지 쩐푸의 주재하에 제1차 중앙 집행위원회가 홍콩에서 개최되었고, 쩐푸를 당 서기장으로 선출하였다.

1930년에 극소수의 사람들이 모여 결성한 베트남은 공산당은 15년 뒤에는 베트남민주공화국을 세우게 되고, 1945년부터는 매우 어려운 30년 전쟁을 승리로 이끌어 1975년에는 통일된 베트남을 세우게 된다. 이 과정에서 가장 뛰어난 인물이 호찌민이다. CIA의 전신인 OSS Office of Strategic Service 소속의 베트남 책임자인 패티 소령이 중국 남부의 한 국경 마을에서 1945년 4월 30일 호찌민을 만나서 서로의 협력 방안에 관해 논의를 시작하였지만, 당시의 국제상황은 이들의 협력을 적대적인 전쟁 관계로 만들었다. 그리고 1975년 4월 30일 호찌민의 북베트남은 남북의 통일을 이루었다. 패티는 호찌민에 대해 "그의 깊은 동포애와 일생을 통한 애국심에 지울 수 없는 강한 인상을 받았다."라고 술회했다(마이클 매클리어, 2002, pp. 19~26).

8.1. 당의 조직체계

당의 조직체계는 국가의 행정조직체계와 상응하게 조직한다. 당 기초조직은 행정, 사업, 경제 기초단위에 조직되며 성 직속, 구, 현, 시 위원회 급의 영도하에 둔다. 당, 특히 정치국과 서기국은 인민군대 및 경찰을 모든 면에서 직접 영도한다. 인민군대와 경찰 내부의 당 조직은 당의 정치 강령, 당 규약, 당의 의결, 지시 및 국가의 법률에 따라 활동한다. 당 위원회 급의 각 위원회는 직능에 따라 인민군대와 경찰 내에 있는 위원회 급의 당 사업을 지도, 감사한다. 해당 상급위원회 급이 직속 당부, 지부의 설치 또는 해체를 결정한다(Điều lệ Đảng Cộng sản Việt Nam, Điều 10).

8.2. 당 조직도

8.3. 당의 조직원칙

11차 전당대회에서 채택한 당 규약에서 베트남공산당은 민주집중의 원칙에 따라 조직하며 그 원칙의 기본 내용은 아래와 같이 규정하고 있다(Điều lệ Đảng Cộng sản Việt Nam, Điều 9).

1) 당의 각급 영도기관은 선거로 설립하며, 집단이 영도하고 개인이 담당한다. 즉, 개인이 업무를 담당하나 집단지도체제를 유지한다.
2) 당의 최고 영도기관은 전국대표자대회(전당대회)이다. 각급에서 영도기관은 대표자대회 또는 당원대회이다. 전기와 후기의 두 전당대회 중간에 당의 영도기관은 당 중앙 집행위원회, 각급 당부, 지부 집행위원회(위원회 급이라 약칭)이다.
3) 각급 위원회 급은 자기의 활동에 관해 동급 대회에 대해서 그리고 상급 및 하급 위원회 급에 책임을 지며, 자기의 활동 상황에 관해 정기적으로 직속 당 조직에 통보하고 자아비판과 비판을 한다.
4) 당 조직과 당원은 당의 의결을 집행해야 한다. 그리고 소수는 다수에, 하급은 상급에 복종하고 개인은 조직에, 당내 각 조직은 전국대표자대회와 중앙 집행위원회에 복종해야 한다.
5) 당의 각 영도기관의 의결은 그 기관 구성원 과반수의 찬성이 있어야 시행 효력이 있다. 표결하기 전에 각 구성원은 자기의 의견을 발표한다. 소수에 속한 의견을 가진 당원은 자신의 의견을 보류할 수 있고 전당대회까지 상급위원회에 보고할 권리를 가진다. 그러나 결정된 의결은 엄정히 집행해야 하며 당의 의결에 어긋나는 의견을 전파할 수 없게 되어 있다. 소수에 속한 의견을 가진 당원을 차별 대우하지 않는다.
6) 당 조직은 자기의 권한 조직에 속한 문제점을 결정한다. 그러나 당의 원칙, 노선, 정책과 국가의 법률 및 상급의 의결을 위반해서는 안 된다.

8.4. 전당대회 Đại hội đại biểu toàn quốc

전당대회[3]는 당의 최고의 영도기관이며, 정기 전당대회는 5년마다 소집하나 일 년 이내의 범위에서 일찍 또는 늦게 소집할 수 있다. 중앙 집행위원회가 필요하다고 판단하거나 직속 위원회 급 과반수의 요구가 있을 때 임시 전당대회를 소집한다. 전당대회에서는 전 임기의 의결 시행 결과를 평가하고, 차기의 당의 노선, 정책을 결정하고, 중앙 집행위원과 후보위원의 수를 정하고, 선출하며 필요시 당의 정치 강령, 당 규약을 수정, 보완한다.

전당대회 개최년도 및 당원 수

구분	개최년도	장소	대표자수후보	당원수
1차	1935.3.27~31	마카오	13명	600명
2차	1951.2.11~19	뚜옌꽝성	158명53명	766,349명
3차	1960.9.5~12	하노이	525명51명	500,000명
4차	1976.12.14~20	하노이	1,008명	1,555,000명
5차	1982.3.27~31	하노이	1,033명	1,727,000명
6차	1986.12.15~18	하노이	1,129명	1,900,000명
7차	1991.6.24~27	하노이	1,176명	2,000,000명
8차	1996.6.28~7.1	하노이	1,198명	2,130,000명
9차	2001.4.19~21	하노이	1,168명	2,479,719명
10차	2006.4.18~25	하노이	1.176명	3,100,000명
11차	2011.1.12~19	하노이	1,376명	3,600,000명
12차	2016.1.20.~28	하노이	1,510명	4,500,000명
13차	2021.1.24.~2.2	하노이	1,500명	4,600,000명

---

3) 직역하면 "전국대표자대회"이다.

역대 전당대회 요약

전당대회	당 서기장	내용
창당대회	Trần Phú	~ 국내 3개 공산당을 통합 베트남공산 창당 ~ 프랑스 식민통치 하에서 독립운동 전개 ~ 프랑스 공산당 및 국제 공산당과 연계활동
1차	Lê Hồng Phong Hà Huy Tập Nguyễn Văn Cừ Trường Chinh	~ 국제 공산당과 연계하여 국내외에서 활동
2차	당주석: Hồ Chí Minh 서기장: Trường Chinh	~ 1945.9.2 독립선언, 베트남 민주공화국 수립, 항불투쟁 전개 ~ 1954.7 제네바협정 체결, 프랑스군 베트남에서 철수 ~ 북부 베트남에서의 사회주의 건설, 개조사업 착수
3차	당주석: Hồ Chí Minh 당제1서기: Lê Duẩn	~ 대미구국투쟁 전개, 통일정책 본격 추진 ~ 1975.4.30 무력 통일 달성
4차	Lê Duẩn	~ 중국관계 소원, 친소정책 추진 ~ 1978.12 캄보디아 침공, 1979.1 중국과 무력 충돌
5차	Lê Duẩn Trường Chinh	~ 미국의 대베트남 고립화 정책, 금수조치 등으로 경제 악화
6차	Nguyễn Văn Linh	~ 개방, 개혁정책 채택 ~ 서방국가와 외교관계 강화
7차	Đỗ Mười	~ 개혁, 개방정책 지속 추진 ~ 시장경제 추진
8차	Đỗ Mười Lê Khả Phiêu	* 1997.12월 중앙 집행위원회 4차 회의에서 Đỗ Mười 퇴임, Lê Khả Phiêu를 당 서기장으로 선출
9차	Nông Đức Mạnh	- 고도성장 지속 - 과학기술, 문화의 발전 - 국방, 안보의 확고, 대외관계 개선
10차	Nông Đức Mạnh	- 당원의 개인경제 활동에서의 규모 제한 철폐
11차	Nguyễn Phú Trọng	- 개인 기업주의 입당 허용 - 중앙집행위의 권한 확대
12차	Nguyễn Phú Trọng	- 서기장 재임 - 6.5~7% 성장, GDP U$3,200~3,500 - 당 규약 개정 않음.
13차	Nguyễn Phú Trọng	~ 서기장 재선(3연임)

8.5. 중앙 집행위원회 Ban Chấp hành Trung ương Đảng

전당대회에서 선출되는 당 중앙 집행위원회는 전당대회가 결의한 정책, 당의 정치 강령, 당 규약, 전당대회의 의결을 시행, 지도하고, 대내외에 관한 주장, 정책, 군중 사업 및 당 건설 사업을 결정한다. 또한, 정기 전당대회, 임시 전당대회를 준비하며, 중앙 집행위원회의 정기(6개월 1회) 또는 임시회의를 소집한다. 정치국원을 선출하고 정치국원 중에서 당 서기장을 선출한다. 서기장을 포함하여 일부 정치국원과 중앙 집행위원회에서 선출한 위원으로 서기국을 구성한다. 중앙감사위원을 선출하고 감사위원 중에서 위원장을 선출한다. 서기장은 두 임기까지만 연임할 수 있다. 정치국원, 서기국 위원, 중앙감사위원의 수를 결정한다. 13대 중앙 집행위원 수는 위원 180명, 후보위원 20명으로 구성되어 있다(Điều lệ Đảng Cộng sản Việt Nam, Điều 15~16).

전당대회별 중앙 집행위원 수 및 정치국원 수

순서	중앙 집행위원회원수후보	정치국원수후보	서기국원수
1차	13		
2차	191		
3차	47/31	11	
4차	101/32	152	9
5차	116	132	10
6차	124/49	131	13
7차	146	13	9
8차	170	19	*정치국 상임위원: 5명
9차	150	15	11
10차	161/20	15	10
11차	175/25	16	11
12차	180/20	19	10
13차	180/20	18	11

8.6. 정치국 Bộ Chính trị

정치국은 전당대회와 중앙 집행위원회의 의결 시행을 지도, 검사, 감찰하고, 주장, 정책, 조직, 인사에 관한 문제를 결정한다. 중앙 집행위원회 회의 소집 및 회의 내용에 대한 준비를 결정하며, 중앙 집행위원회 회의 또는 중앙 집행위원회의 요구에 따라 실시한 업무를 보고한다.

정치국은 사실상 최고의 권력기관이라고 할 수 있다. 보통 15명 내외로 구성되는 정치국원들이 베트남공산당, 베트남 국가를 이끌어 가는 핵심이라고 할 수 있다. 그러므로 베트남의 정치체제를 집단지도체제라고 말하는 것이다. 물론 최고 권력자는 서기장이지만 서기장 역시 정치국원 중 한 사람이다. 12대 정치국원은 19명, 13대는 18명을 선출했으나, 2024년 1월 20일 기준으로 3명의 결원(응웬수언푹 주석, 팜빙밍 외교장관과 쩐뚜언아잉 당 경제위원장)이 생겨서 15명이다. 정치국원이면서 중앙당 서기국원 직 겸직도 가능하고, 여러 위원이 겸직한다(Điều lệ Đảng Cộng sản Việt Nam, Điều 16).

제13대 정치국원 명단

순서	성명	직책
1	Nguyễn Phú Trọng	1944, 하노이, 당 서기장
2	Phạm Minh Chính	1958, 타잉화, 중앙당 조직위원장, 수상
3	Vương Đình Huệ	1957, 예안, 하노이시 당서기, 재무장관, 국회의장
4	Võ Văn Thưởng	1970, 빙롱, 중앙당 선교위원장, 국가주석
5	Trương Thị Mai	1958, 꽝빙, 중앙당 민운위원장
6	Nguyễn Văn Nên	1957, 떠이닝, 호찌민시 당서기(신임)
7	Tô Lâm	1957, 흥이엔, 공안부장관, 중장
8	Phan Đình Trạc	1958, 예안, 중앙당 내정위원장(신임)
9	Trần Cẩm Tú	1961, 하띵, 중앙당 감사위원장(신임)
10	Phan Văn Giang	1960, 남딩, 국방부장관, 인민군 총참모총장(신임)
11	Nguyễn Hòa Bình	1958, 꽝응아이, 최고인민법원장(신임)
12	Trần Thanh Mẫn	1962, 허우장, 조국전선 중앙위원장(신임)
13	Nguyễn Xuân Thắng	1957, 예안, 호찌민정치학원장, 중앙이론위원장(신임)
14	Lương Cường	1959, 푸토, 베트남인민군 정치총국 주임(신임)
15	Đinh Tiến Dũng	1961, 닝빙, 닝빙성 당서기, 하노이시 당서기(신임)

8.7. 서기국 Ban Bí thư

서기국은 일상적인 당의 업무를 담당한다. 당 건설 사업과 군중 사업을 지도하고, 경제, 사회, 국방, 안보, 대외에 관한 당의 의결, 지시 이행을 검사, 감찰한다. 각 정치조직 사이의 협의 활동을 지도하고, 조직, 인사 및 중앙 집행위원회가 부여한 기타 문제를 결정한다. 정치국에 보내 토론 및 결정할 문제의 준비를 지도하고 감찰한다. 13대 중앙당 서기국원은 11명이다(Điều lệ Đảng Cộng sản Việt Nam, Điều 17).

13대 서기국원 명단

순서	성명	직책
1	Nguyễn Phú Trọng	1944, 하노이, 당 서기장
2	Võ Văn Thưởng	1970, 빙롱, 중앙당 선교위원장, 정치국원(신임)
3	Trương Thị Mai	1958, 꽝빙, 중앙당 민운위원장, 정치국원(신임)
4	Trần Cẩm Tú	1961, 하띵, 중앙당 감사위원장, 정치국원(신임)
5	Phan Đình Trạc	1958, 예안, 중앙당 내정위원장, 정치국원(신임)
6	Nguyễn Hòa Bình	1958, 꽝응아이, 최고인민법원장, 정치국원(신임)
7	Lê Minh Hưng	중앙당 행정실장
8	Nguyễn Trọng Nghĩa	인민군 정치총국 부국장, 당선교위원장
9	Đỗ Văn Chiến	당 민족위원장, 조국전선 의장
10	Bùi Thị Minh Hoài	당 중앙감사위 상임부위원장, 당민운위원장
11	Lê Minh Khái	정부 감사원장, 부수상

8.8. 중앙군사위원회 Quân ủy Trung ương

중앙군사위원회는 정치국이 선임하며 군내에 근무하는 중앙 집행위원과 군 밖에서 근무하는 일부 중앙 집행위원으로 구성한다. 중앙군사위원회는 중앙 집행위원회 영도 하에 둔다고 되어 있지만, 실제적으로는 정치국이 중앙군사위원회를 영도한다. 중앙군사위원회는 군사 노선, 임무 및 국방에 관한 문제를 연구하여 중앙 집행위원회가 결정하도록 제출한다. 주력부대 및 국경선 부대 내 당위원회 급은 해당 급 당 대회가 선출하며 자기 급에 속한 각 단위를 영도한다. 관구 단위는 동급 대회가 선출한다. 각급 지방 군사 당조직은 모든 면에서 그 급 지방위원회 급 산하에 둔다. 동시에 전 인민 군사 임무와 지방 군사 사업에 관한 상급 군사 당위원회의 의결을 실행한다. 중앙군사위 위원장은 당 서기장이 맡는다.

8.9. 중앙경찰 당위원회 Đảng ủy Công an Trung ương

중앙경찰 당위원회는 정치국이 지정하며 경찰 내에서 근무하는 일부 중앙 집행위원과 경찰 밖에서 근무하는 일부 중앙 집행위원, 그리고 중앙경찰 당부 내에 속한 사업을 하는 일부 사람으로 구성되고, 중앙 집행위원회의 산하에 둔다. 그러나 정치국이 직접 영도한다. 중앙경찰 당위원회는 노선, 정책, 정치 안보, 사회 안전, 질서 보장에 관한 문제를 연구하여 중앙 집행위원회에 제출 한다. 중앙경찰 당위원회는 경찰 내의 모든 사업을 영도한다. 성, 시, 구, 현, 읍 경찰 당위원회는 동급 대회가 선출한다.

8.10. 중앙 감사위원회 Ủy ban Kiểm tra Trung ương

감사는 당의 영도 직능 중의 하나이며, 당 조직은 감사를 시행하며 당 조직 과 당원은 당의 감사를 받아야 한다. 각 당위원회 급은 감사업무를 영도하고 당원의 당 정치 강령, 당 규약, 당의 결의 및 지시 수행을 감사할 임무가 있다. 중앙에 당 중앙 감사위원회를 두며 지방에도 감사위원회를 둔다. 각급 감사위 원회는 동급 위원회 급이 선출하며 위원회 급 내의 일부 당원과 위원회 밖에 서 근무하는 일부 당원으로 구성한다. 하위급의 감사위원회 위원과 위원장 임 명은 차 상급위원회 급의 승인을 받아야 한다. 13대 감사위원회는 위원장 1명, 8명의 부위원장과 15명의 위원으로 총 24명으로 구성되어 있다.

8.11. 지방당 조직

성, 중앙 직속 시 당위원회, 구, 현, 면 당 위원회 대회는 동급 위원회 급이 5 년 1회 정기대회를 소집한다. 대회에서는 상급위원회의 문건을 토론하고 지난 임기의 실현결과를 평가하고 새로운 임기의 임무를 결정한다. 위원회 급, 상급

위원회 급에 참가할 대표를 선출한다. 성, 중앙 직속 시 위원회 급과 성 직속 시, 구, 현, 면 위원회 급은 대표자대회의 의결, 상급의 의결, 지시에 대한 실천을 영도한다. 각급 위원회는 상무위원을 선출하고 상무위원 중에서 서기와 부서기를 선출하고, 감사위원을 선출하며 감사위원 중에서 위원장을 선출한다. 상무위원 수와 감사위원 수는 정치국의 지도에 따라 위원회 급이 결정한다.

8.12. 당 서기장 Tổng bí thư

베트남공산당의 최고위직으로 중앙 집행위원회에서 선출된다. 현 당 서기장인 응웬푸쫑은 1944년 하노이에서 태어났다. 하노이 종합대학교 국문과를 졸업하고, 당 신문사에 근무하였다. 1981년에 연구생 자격으로 러시아에서 유학했으며, 1983년 귀국 후에 다시 "공산 저널"로 복귀하여 1991년에는 편집장에 올랐다. 2000년에 하노이시 당서기로 피선되었고, 2006년 6월 국회의장에 올랐다가 2011년 당 서기장으로 선출되었고 2016년 1월 재선되었다.

역대 당 서기장

순서	성 명	기 간	재임년수
1	Trần Phú	1930.10 ~ 1931.9	10개월
2	Lê Hồng Phong	1935.3 ~ 1936.7	1년 3개월
3	Hà Huy Tập	1936.7 ~ 1938.3	2년 9개월
4	Nguyễn Văn Cừ	1938.3 ~ 1941.5	3년 2개월
5	Trường Chinh	1941.5 ~ 1956.7	15년 8개월
6	Lê Duẩn	1960.9 ~ 1986.7	25년 10개월
7	Trường Chinh	1986.7 ~ 1986.12	6개월
8	Nguyễn Văn Linh	1986.12 ~ 1991.6	4년 6개월
9	Đỗ Mười	1991.6 ~ 1997.12	6년 6개월
10	Lê Khả Phiêu	1997.12 ~ 2001.4	3년 4개월
11	Nông Đức Mạnh	2001.4 ~ 2011.1.19	9년 9개월
12	Nguyễn Phú Trọng	2011.1.19. ~ 2021.1.30	10년
13	Nguyễn Phú Trọng	2021.1.31	13대(삼선)

베트남 조국전선 Mặt Trận Tổ quốc Việt Nam

베트남 조국전선은 정치조직, 각 정치~사회조직, 사회조직 및 각계각층, 각 종족, 각 종교 및 해외 거주 베트남인 중에서 대표적인 개인들의 자원한 연합이며, 정치연맹 조직이다(Luật Mặ trận Tổ quốc Việt Nam, 14/1999/QH10). 조국전선은 당과 군을 포함하여 주요 직능단체를 회원으로 둔 정치조직이다. 베트남공산당은 조국전선의 회원인 동시에 조국전선을 지도한다. 행정기관과 조국전선은 상호 존중의 평등 관계이며, 헌법과 법률로 규정되어 있다. 조국전선의 업무 준칙은 민주적 협상, 평등한 협력, 상호 존중과 진정한 단결, 행동의 협의와 통일이다. 이 조국전선은 베트남의 정치 시스템의 일부분이라고 할 수 있다(Đào Thanh Hải, 2006, pp. 29~34). 특히, 국회의원과 각 인민의회 의원 후보를 추천하고, 선거운동에 참여하고, 선거를 감찰할 수 있는 권한이 있다(Luật Mặ trận Tổ quốc Việt Nam, Điều 8). 또한, 소송에 참여할 수 있고, 판사 선발위원회에 참가하고, 배심원을 추천할 수 있다(Luật Mặ trận Tổ quốc Việt Nam, Điều 10). 조국전선의 예산은 정부에서 지원한다.

조국전선의 조직은 행정조직과 같이 중앙에서 지방까지 동급의 조직이 있으며, 동급의 행정기관과 조국전선이 같이 업무를 협의하는 것을 원칙으로 한다. 예를 들어, 정부는 조국전선 중앙위 정부 부처는 조국전선 중앙위 주석단과 각 성, 시 인민위원회는 동급 조국전선 위원회와 업무 협의 규정을 만들어 활동하게 되어 있다(Chính phủ, 2001.08.16.). 산하 회원단체는 47개로 아래와 같다(http://www.mattran.org.vn).

베트남 조국전선 산하단체

01. 베트남 공산당 Đảng cộng sản Việt Nam

02. 호찌민 공산청년단 Đoàn thanh niên cộng sản Hồ Chí Minh

03. 노동총연맹 Tổng Liên đoàn Lao động Việt Nam

04. 농민회 Hội Nông dân Việt Nam

05. 여성연합회 Hội Liên hiệp Phụ nữ Việt Nam

06. 참전용사회 Hội Cựu chiến binh Việt Nam

07. 과학기술연합회 Liên hiệp các Hội Khoa học và Kỹ thuật Việt Nam

08. 문학예술연합회 Liên hiệp các Hội Văn học nghệ thuật Việt Nam

09. Liên hiệp các tổ chức Hữu nghị Việt Nam

10. 친선연합회 Hội Liên hiệp Thanh niên Việt Nam

11. 합작사연맹 Liên minh Hợp tác xã Việt Nam

12. 상공연단 Liên đoàn Thương mại và Công nghiệp Việt Nam

13. 적십자회 Hội Chữ thập đỏ Việt Nam

14. 법률가회 Hội Luật gia Việt Nam

15. 기자회 Hội Nhà báo Việt Nam

16. 불교회 Giáo hội Phật giáo Việt Nam

17. 천주교 단결위원회 Ủy ban Đoàn kết Công giáo Việt Nam

18. 정원회 Hội Làm vườn Việt Nam

19. 시각장애인회 Hội Người mù Việt Nam

20. 조경회 Hội Sinh vật cảnh Việt Nam

21. 의학총회 Tổng hội Y học Việt Nam

22. 노인회 Hội Người cao tuổi Việt Nam

23. 가족계획회 Hội Kế hoạch hoá Gia đình Việt Nam

24. 권학회 Hội Khuyến học Việt Nam

25. 기독교회(북부) Hội Thánh Tin Lành Việt Nam (Miền Bắc)

26. 해외교포 연락회 Hội Liên lạc với người Việt Nam ở nước ngoài

27. 역사회 Hội Khoa học Lịch sử Việt Nam

28. 고엽제 피해자회 Hội Nạn nhân chất độc da cam/đioxin Việt Nam

29. 귀금속 가공회 Hội Mỹ nghệ - Kim hoàn - Đá quý Việt Nam

30. 퇴직 교육자회 Hội Cựu Giáo chức Việt Nam

31. 출판협회 Hội Xuất bản Việt Nam

32. 어업협회 Hội Nghề cá Việt Nam

33. 고아장애인지원회 Hội Bảo trợ Người khuyết tật và trẻ mồ côi Việt Nam

34. 장애아동구호회 Hội Cứu trợ trẻ em tàn tật Việt Nam

35. 공공의료회 Hội Y tế Công cộng Việt Nam

36. 민간병원협회 Hiệp Hội Bệnh viện tư nhân Việt Nam

37. 구방공청년단회 Hội Cựu Thanh niên xung phong Việt Nam

38. 상이군경과 장애인 기업협회 Hiệp hội Doanh nghiệp của Thương binh và người khuyết tật Việt Nam

39. 전문대 대학협회 Hiệp hội Các trường Đại học, Cao đẳng Việt Nam

40. 중송기업협회 Hiệp hội Doanh nghiệp nhỏ và vừa Việt Nam

41. 쯔엉선과 호찌민 루트 전통회 Hội Truyền thống Trường Sơn - Đường Hồ Chí Minh Việt Nam

42. 전통마을 협회 Hiệp hội Làng nghề Việt Nam

43. 한의회 Hội Đông y Việt Nam

44. 절은 기업인회 Hội Doanh nhân trẻ Việt Nam

45. 변호사회 Liên Đoàn Luật sư Việt Nam

46. 청정수와 환경회 Hội Nước sạch và Môi trường Việt Nam

47. 아동권리보호회 Hội Bảo vệ quyền trẻ em Việt Nam

9.1. 베트남 노동총연맹

베트남 노동총연맹의 명칭은 적공회赤工會 Công hội Đỏ, 1929~1935, 애우업단愛友業團 Nghiệp đoàn Ái hữu, 1935~1039, 반제공인회反帝工人會 Hội Công nhân Phản đế, 1939~1941, 구국공인회救國工人會 Hội Công nhân Cứu quốc, 1941~1946, 베트남 노동총연단越南勞動總聯團 Tổng Liên đoàn Lao động Việt Nam, 1946~1961, 베트남 총공단越南總工團 Tổng Công đoàn Việt Nam, 1961~1988 그리고 현재의 노동총연맹Tổng liên đoàn lao động Việt Nam, 越南勞動總聯團은 1988년부터 다시 사용하기 시작했다(Công đoàn, 2023.12.23.).

산하 기관으로 노동 보호 기술연구소, 노동출판사, 노동 및 노동조합 저널,

노동 관광회사, 노동조합대학, 노동신문, 노동연맹 게스트하우스, 노동자 및 노동조합연구원, 노동조합 인쇄주식회사, 똔득탕 대학교, 노동조합 기술학교가 있다.

노동연맹 조직도

9.2. 호찌민 공산청년단

호찌민 공산청년단은 1931년 봄에 인도차이나 공산청년단으로 설립되었으며, 그동안 여러 번 명칭이 변경되었고 현재의 명칭은 1976년 12월에 변경되었다.

만 16세에서 30세의 베트남 청년으로서 이력이 분명한 자는 자원하여 청년단에 가입할 수 있다. 30세가 되어 계속 청년단으로 활동하기를 원하면 35세까지 연장할 수 있다. 그리고 각급 청년단에서 간부를 맡은 자는 청년단에서 계속 근무할 수 있다. 청년단원은 당과 호찌민 주석의 이상을 위해 항상 분

투해야 하고, 조국 건설과 보위, 사회활동에 적극적으로 참여해야 한다. 그리고 베트남 청년연합회, 대학생회, 호찌민 선봉 소년대 건설에 적극적으로 참여한다. 청년단은 중앙, 성급, 현급, 기초 급의 4급으로 구성된다(Điều lệ Đoàn thanh niên Cộng sản Hồ Chí Minh, Điều 1, 4, 6).

9.3. 베트남 여성연맹

1930년 10월에 설립된 조국전선 산하의 정치~사회조직으로 여성의 권리 신장, 남녀평등, 여성 계발을 목적으로 한다. 여성연맹은 중앙연맹, 성시 연맹, 시군구 연맹, 읍면동 연맹으로 4단계로 조직되어 있다. 전국 여성 대표자대회는 5년마다 열린다. 2011년 12월 기준으로 15,342,302명의 회원이 있다. 산하에 베트남 여성학원을 두고 있는데, 2012년에 설립되었고, 2013년부터는 사회봉사 및 경영학에 대한 대학 과정 양성을 허가받았다. 또한, 여성 계발센터를 두고 있는데 2002년에 설립되었고, 호텔, 식당 서비스, 요양 보호, 미용 서비스 등을 가르치고, 제공한다(Hội Liên hiệp Phụ nữ Việt Nam, 2023.12.27.).

9.4. 베트남 참전용사회

베트남 참전용사회는 1989년 12월 공산당 정치국의 결정으로 설립된 베트남공산당이 지도하는 정치~사회조직이다. 우리나라의 향토예비군과 유사한 조직이다. 2005년 10월에는 참전용사법이 제정되었는데, 참전용사란 1945년 이전 베트남공산당이 조직한 무장단체에서 근무했던 사람, 베트남 인민군에 근무했던 자, 민방위대, 유격대원, 외침에 대항한 전투에 참여한 국방 노동자, 군무원 등으로 규정하고 있다. 12월 6일을 참전용사의 날로 지정하였다. 참전용사회의 조직 역시 다른 단체들과 유사하게 행정단위에 상응하게 되어 있다.

중앙회, 성시회, 시군구회, 읍면동회의 4단계이다(Pháp lệnh Cựu chiến Binh, Điều 2).

9.5. 베트남 친선연합회

베트남 국민과 외국 국민 및 외국 비정부조직과의 협력을 촉진하고, 우호, 단결 관계를 확대, 발전시키며, 평화를 위한 각계각층의 투쟁을 모으는 사업을 전문적으로 하는 조국전선 산하의 정치~사회조직이다. 1950년 11월 17일에 설립되었다. 이 연합회 산하에는 각국과의 친선협회가 회원으로 되어 있다. 베트남~한국 친선협회 사무실은 베트남 친선연합회 사무실 주소와 같다. 즉, 친선연합회 사무실이 하노이에 있는데, 이 연합회 내에 각과의 친선협회가 있으며, 각국 친선협회는 상주 근무자가 없고, 오직 친선연합회에만 상주 근무자가 있다. 베~한 친선협회는 1994년 11월 3일에 설립되었고, 현 베트남 상공회의소 회장인 부띠엔록이 회장, 외국 투자 기업협회장 마이타잉하이, 하노이시 베~한 친선협회장이며, 대하 합작회사 사장인 당호앙껀 그리고 전직 주한 베트남 대사였던 팜띠엔번 씨가 부회장을 맡고 있다. 또한, 친선연합회는 호찌민시에 지회를 두고 있다(LIÊN HIỆP CÁC TỔ CHỨC HỮU NGHỊ VIỆT NAM, 2023.12.27.).

9.6. 베트남 청년연합회

1946년 6월 베트남 청년총단이 설립되었고 이듬해 1948년 베트남 청년연단으로 이름을 바꾸었고, 1955년 베트남 청년연합회로 발족하였다. 각종 청년 관련 단체들이 회원으로 있으며, 호찌민 공산청년단도 이 청년연합회의 회원이다. 기관지로 '청년Thanh niên'이라는 신문을 발간하고 있다. 조직은 중앙회, 성시회, 구현회 그리고 기초단위 지회로 되어 있다.

제 8 장

베트남 경제

1 남북통일과 통합과정

베트남이 남북통일을 이룬 후 남베트남에서의 사회주의화 과정과 그 과정에서 벌어진 대표적인 정책, 사건을 소개한다. 이러한 과정과 그 결과가 도이머이 정책을 선언하게 이끈 계기이기 때문이다.

1.1. 상공업 분야 개혁

남베트남에서의 상공업 분야 사회주의화 과정은 농업보다 더 급진적으로 이루어졌다. 우선은 '매판자본가'를 제거하는 계획을 세웠는데 이것을 "X-2 작전_{Chiến dịch X-2}"이라고 불렀는데, 2차에 걸쳐 진행되었다. 1차는 1975년 9월 9일 밤에 실시되었고, 2차는 12월 4일에서 6일 사이에 실시되었다(Đặng Phong, 2008, pp. 95~96). 1차 X-2 작전에서 60여 명의 자본가가 체포되었는데, 그중에는 쩔런_{Chợ Lớn}에 사는 화교들이 있었다. 이들로부터 금과 보석, 달러, 재산을 몰수했다. 그러나 이 작전이 사전에 누설되어 일부 사람들은 미리 재산을 분산시키거나 숨기는 경우가 있었고, 2차 작전에는 주로 화교 자본가를 대상으로 실시되었다(Huy Đức, 2012a, pp. 72~73).

1.2. 환전[1]

1975년 9월 22일과 23일 사이공 정부의 구화폐를 신권으로 교환하는 환전 đổi tiền을 단행했다. 비율은 500:1이었다. 이것을 "X~3 작전"이라고 불렀다. 구권 500동을 신권 1동으로 교환하고, 한 가족당 최대 10만 동까지, 기업의 경우 최대 50만 동까지만 교환한다는 내용이었다. 그러나 짧은 기간에 제한적으로 이루어진 이 X~3 작전으로 많은 사람은 자신들이 소유하고 있던 남베트남 정부의 화폐가 '휴지' 조각이 되는 것을 목격하게 되었다. 현금을 많이 소유했던 사람들은 한순간에 재산을 모두 잃어버렸다. 원래 계획은 9월 22일 오전 5시까지 환전 신고서 접수 준비를 마치는 것으로 되어 있었다. 그러나 짧은 시간에 수만 명을 동원하여 교육하는 일이 순조롭지 않아서 일부 지역에서는 오전 11시까지도 신고를 받을 준비가 덜 되어 있었고, 결국 접수 시간을 22일 밤 9시까지 연장하였고, 9월 23일부터 환전을 시작했다(Huy Đức, 2012a, pp. 74~75).

환전 신고서를 받아오는 데만 수 시간이 허비되었다. 많은 사람이 한꺼번에 몰렸기 때문이었다. 다시 신고서를 작성하여 줄을 서서 기다리며 접수해야 했다고 한다. 게다가 일부 기관에서는 자기들이 보유하고 있던 현금이 1억 동이었다면 1억 5천만 동으로 신고하고, 나머지 5천만 동은 주민들로부터 사들였다고 한다. 주민들은 각 가정에 할당된 환전 액이 십만 동이었기 때문에 나머지는 휴지 조각이 될 것으로 생각하여 50% 이하의 가격으로 팔았다. 심지

---

[1] 이 환전은 남부 베트남에서만 이루어졌기 때문에 '화폐개혁'이라는 용어를 사용하지 않았다.

어 마감 시간 직전에는 10%의 가격으로 팔았다고 한다. 응웬히엔레(Nguyễn Hiến Lê, 2011)는 파출소에서 이러한 불법 거래를 알았을 것이지만 묵인했을 것이라고 했다. 그는 호찌민 주석이 몇십 년 동안 가르쳤던 사회주의 혁명 동지들의 아름답지 못한 실상을 보고, 처음으로 실망했다고 토로했다.[2]

1.3. 합작사 hợp tác xã 合作社

전쟁이 끝난 후, 베트남 정부는 남베트남의 경제구조를 자본주의 경제에서 사회주의 경제 모형으로 바꾸는 조치를 했다. 중앙 집중의 계획경제 모형인 사회주의 경제란 모든 생산수단의 국유화 또는 집단화를 의미하는 것이다. 베트남은 농업 국가였고, 농업에서 가장 중요한 생산수단은 '토지'였다. 이 토지를 국가 소유로 편입시키고, 국가 또는 집단이 관리하는 것으로 전환하게 된 것이다. 경제체제의 집단화란 '합작사'를 만드는 것이었다. 즉, 북베트남에서 실시하고 있던 사회주의 경제 모델을 남베트남에 적용하는 것이었다. 이 작업은 1977년에서 1980년까지 실시되었는데, 농민들이 합작사의 구성원이 되어, 공동으로 농사를 짓고 그 수확물은 정해진 가격으로 국가에 팔았다. 물론 시장가격보다 아주 낮은 가격이었다. 대신 국가는 합작사에 물자와 소비재를 공급해 주었다. 그러나 이미 자본주의 경제를 경험한 남부 베트남에서의 이러한 모델은 적합지 않았다. 생산성이 현저히 떨어지면서 식량부족 현상이 나타났다.

이러한 현상은 이미 북베트남에서 일찍이 경험했던 것이었다. 1950년대 말에, 농촌지역에서 시작된 합작사로 전환은 1960년대 초에 이미 그 불합리성이

---

2) 이 회고록은 1992년 초판이 나온 뒤에 8번의 재판이 나왔다. 이 회고록에는 21장, 22장, 24장이 삭제되어 출판되었다. 인터넷에서 이 삭제된 부분이 추가된 pdf판을 구했고, 인터넷판 468~469페이지에서 가져왔다.

노출되었다. 사회주의 원리의 필수 요소는 두 가지로 볼 수 있는데 첫째는 사회주의 소유제도이고 둘째는 집단노동 형식이라고 할 수 있다. 합작사는 바로 그러한 원리에 따라 만들어진 것이었다. 농민들은 함께 모여 농사를 짓고, 그 성과를 나누었는데, 농민들이 노동에 참여한 근무일 수$_{công}$와 노동의 강도 계수$_{điểm}$를 곱한 점수로 계산하여 분배했다. 합작사에서 생산한 총생산량 중에서 국가에서 부여한 일정량의 수확물을 내고 남은 양을 합작사 사원들이 나눠 가지는 형태였다. 이러한 방식은 이론적으로는 매우 합리적인 것으로 보였지만 실제는 정반대의 결과를 가져온 것이다. 그 이유는 ① 접대비나 기금 등의 간접비가 예상보다 많이 지출되었고 ② 합작사 관리자 등 직접 노동에 참여하지 않는 자들의 점수가 높았고 ③ 동기부여가 안 되어 일에서 게으름을 피우는 현상이 널리 퍼졌으며. ④ 실제로는 일을 하지 않았으면서도 거짓으로 점수를 받는 현상이 벌어졌기 때문이었다. 그 결과는 벼 수확량의 현저한 감소로 나타났고, 수확량의 감소는 합작사 사원들에게 분배할 몫이 줄어드는 것을 의미했다(Đặng Phong, 2013, pp. 164~168).

1.4. 신경제 구역 건설

베트남 정부의 노동력 재배치하는 정책을 일컫는 말로, 주로 도시지역과 평야 지역의 잉여 노동력을 구릉지와 산악지역, 섬, 국경지대로 이주시켰다. 주로 서부 고원지대의 닥락성이나 럼동성 그리고 동남부 지역이 붕따우, 동나이성, 동남부, 서남부 지역으로 이주시켰다. 수백만 명이 이 정책에 따라, 같은 성 내의 다른 지역 또는 다른 성으로 이주했다. 1960년대 초부터 북베트남에서 실시했으며, 통일 후에는 주로 호찌민시 주민 중에서 스스로 선택하거나 반강제로 이주시켰다. 이때 한 가족당 500㎡의 토지를 지급하고, 초기 3개월 동안은 정부에서 식량 등을 지원을 해주고 그 이후에는 스스로 독립하도록 했다.

그러나 도시의 문명 생활을 경험한 사람들이 갑자기 전기와 수도가 없는 산골에서 땅을 일구는 일에 적응하지 못하고, 식량이 떨어지자 다시 도시로 돌아오는 사람들도 상당수였다. 1976년에서 1996년까지 신경제 지역으로 이주한 사람은 전국에 약 4백5십만 명에 이른다고 한다(Huy Đức, 2012a, pp. 208~210).

1.5. 제6차 중앙집행위원회 의결

1979년 초, 베트남공산당 제4대 중앙집행위원회 6차 회의에서 발표된 의결을 말한다. 베트남의 도이머이 정책 선언과 관련하여 이 회의의 의결은 아주 특별한 의미가 있다고 할 수 있다. 이 의결은 1979년 9월 20일 의결 제20호로 발표되었는데, 제목은 "급박한 경제 문제들"이었다.

이 의결의 주요 내용은 계획경제와 시장의 원리를 결합하는 것을 허용하고, 국가 관리 하에서 개인경제를 사용하며, 합의에 따른 농산물 가격을 인정하고, 중앙정부에서 독점하던 무역을 지방에도 허용한다는 것이었다. 이는 그동안 베트남 정부가 주장하던 중앙집중식 계획경제를 완화하여 시장과 개인기업의 활동은 제한적이지만 허용하고, 국가가 정한 가격이 아니라 판매자와 구매자 간의 합의에 따른 가격을 인정한다는 것으로 당시의 베트남 분위기를 참작한다면 아주 '혁명'적인 것이라고 할 수 있었다.

제한적이나마 국영기업에 대한 생산 원료의 수급과 상품 판매 자율성을 부여하는 결정을 내림으로써 특히, 호찌민시에는 많은 생산기업이 출현하게 되었다.

1.6. 코안 못짬(100)

'코안khoán'이란 "일을 주고 그 결과에 따라 임금을 지급하다"라는 의미인데, 도급제라는 의미에 가깝다. 중앙당 서기국의 1981년 1월 13일 자 지시 100호를 통상적으로 "코안 100"이라고 부른다.

이른바 "도급제"라는 것이 시작된 것은 오래전이다. 1966년 하노이 서북쪽에 있는 빙푹성의 당서기였던 낌응옥[3]씨에 의해서 실시되었지만, 당에서 금지했다. 이어서 통일 이후 1976년 하이퐁시에 속한 한 면$_{xã}$에 60가구가 있었는데, 그중에는 거지 생활을 하는 가정도 있었다고 한다. 그래서 합작사에서는 자기들만의 비밀로 하고, 합작사 소유의 논을 구성원들에게 나누어 주고, 수확 후 일정량을 합작사에 내도록 했다. 1 사오$_{sào}$[4]의 논에서 약 70kg의 나락을 내도록 했는데, 이는 합작사가 직접 농사를 지을 때 얻을 수 있는 수확량이었다. 즉, 농사를 지어서 70kg만 합작사에 내고 나머지는 농사를 지은 농민이 처분하도록 한 것이다. 이 '도급제'를 실시한 첫 수확에서 평균 140kg 정도를 수확하여, 농민들은 70kg을 내고도 그만큼의 소득을 올리게 되었다. 그러나 이 사실이 발각되어 비판받은 일이 있었다. 농업 분야에서 이러한 '도급제'를 광범위하게 허용하는 지시를 "코안 100"이라고 불렀다(Huy Đức, 2012a, pp. 307~309). 즉, 생산과정 일부를 농민들이 자율적으로 관리하도록 하고, 잉여생산물을 농민이 갖도록 하는 인센티브제를 도입함으로써 3차 5개년 계획(1981~1985) 기간의 연평균 농업성장이 5%가 증가하여 조금이나마 식량난 해결에 도움을 주었다.

"코안 므어이"는 도이머이 이후인 1988년 4월 5일에 발표된 정치국 의결 제10호의 별칭이다. 농민들에게 생산과 판매의 자유를 허용하고 국가에 세금을 내도록 한 조치로, 베트남 농업 생산에 새로운 활기를 불어넣은 정책이다.

---

3) 낌응옥Kim Ngọc, 1917~1979은 "도급제의 아버지"로 불리며, 1995년에는 1급 독립 훈장을 받았고, 2010년 9월에는 드라마로 제작되어 방송(VTV1)되었다.

4) 베트남의 옛 면적 단위로 북부에서 360㎡에 해당하고, 중부에서는 470㎡, 남부에서는 1,000㎡에 해당한다.

2 도이머이 정책

우리는 앞에서 통일 이후 남북의 정치, 경제적 통합 과정과 경제적 어려움, 또 그것을 탈피하기 위한 시도에 대해서 알아보았다. 아래에서는 도이머이의 의미와 선언 과정 그리고 추진 과정에 대해서 알아본다.

2.1. 도이머이의 의미

"도이머이"의 사전적 의미는 "발전의 요구에 부응하여 낙후, 지체 상태를 극복하고 보다 진보적이며, 전과는 다르게 바꾸는 것 또는 그렇게 바꾸다"(Viện ngôn ngữ học, 1995, p. 326)는 뜻의 동사도 되고 명사도 되는 단어이다. 즉, '바꾸다'는 뜻의 "도이$_{đổi}$"라는 동사와 '새롭다'라는 뜻의 "머이$_{mới}$"라는 형용사로 이루어진 복합어다. "새롭게 바꾸다"는 의미이다.

도이머이는 "적절치 못한 것을 새롭게 바꾼다."라는 의미가 강하며 시대성, 역사성이 함축된 말로, 현실에 맞지 않는 것을 고쳐나가고 그러기 위해서는 새로 생각해야 한다는 의미에서 "사유[5]의 도이머이"를 강조하고 있다.

제6차 전당대회 중앙집행위원회의 정치보고서에는 "자신의 전투력과 실천적 조직능력을 증강하기 위하여 당은 여러 방면에서 – 사유, 특히 경제적 사유의 도이머이, 조직의 도이머이, 간부대오$_{幹部隊伍}$의 도이머이, 영도와 업무처리 방식의 도이머이 ~ 도이머이를 해야 한다."고 하면서 "우리나라에 있어서 도이머이는 혁명사업의 시급하고 절실한 요구이며 생존의 의미가 있는 문제이다."라고 주장하면서, 그중에서도 먼저 사유의 도이머이를$_{đổi\ mới\ tư\ duy}$ 강조하였다(Ban

---

5) 베트남어에서는 "사유의 개혁"이라는 말은 사용하지 않는다. 개혁$_{cải\ cách}$, 改革이라는 말은 베트남에서 토지개혁, 교육개혁 등에 쓰인다.

tuyên huấn Trung ương, 1987, p. 6).

사유의 도이머이 주장은 베트남공산당 제4차, 제5차 전당대회에서 천명한 일반적인 노선의 내용에 포함된 것이었다. 그런데 왜 이 시점(6차 전당대회)에서 사유의 도이머이를 특히 강조하고 있는가? 그것은 "현시점에서 사유의 도이머이는 삶의 명령"이기 때문이라고 밝히고 있다. 그만큼 도이머이 해야 할 절박성을 나타내고 있다고 보아야 할 것이다.

그 이유로는 3가지를 들고 있는데, 첫째는 통일 이후 10년 동안 사회주의 건설을 시도했지만, 경제, 사회가 안정되지 못했는데, 그것은 낙후된 관념에 따른 당의 지도에 있어서 잘못이 있었고, 그것을 해결하기 위해서는 구 관념을 버리고 신 관념을 가져야 한다는 것이다. 실천적인 새로운 사유 없이 올바른 지도를 할 수 없다는 것이다. 둘째는 세계의 변화 추세에 적응해야 한다는 것으로, 베트남이 세계의 역외에 놓여 있는 것이 아니라 세계 속의 한 부분이기 때문에 복잡하게 변화하는 세계를 보는 시각을 바꾸어야 한다는 것이다. 과거의 승리 아니면 패배라는 이분법적 시각은 현재 상황에 맞지 않는다는 것이다. 셋째는 과학기술은 인간의 사유 활동의 결과인 동시에 인간의 사유 활동에 영향을 미치는 것이기 때문에 많은 관심을 가져야 한다는 것이다(Ban tuyên huấn Trung ương, 1987, pp. 6~12).

2.2. 도이머이의 선언

베트남은 1961~1965년의 1차 5개년 계획 이후 미국과의 전쟁으로 인해 중단되었다가 통일 이후인 1976~1980년의 2차 5개년 계획을 추진했다. 그러나 이 기간의 경제성장은 연 1.9%인데 반해 인구는 연 2.4%씩 증가함으로써 극심한 식량난에 봉착하게 되었다. 식량만 부족한 것이 아니었다. 수도인 하노이조차 식수가 부족해서 밤마다 물 길으러 다니는 것이 큰일 중의 하나였다. 사람들은 "밤이 되면 온 집안이 물 걱정하고, 아침이 되면 온 나라가 집안일 걱정한다. Đêm đến cả nhà lo việc nước/Sáng ra cả nước lo việc nhà."는 노래를 만들어 불렀다고 한다 (Huy Đức, 2012a, p. 329). 베트남어에서 '물'과 '나라'는 같은 단어이다.

1984년 4월에 프억롱 방직공장에 각 지방과 분야별 지도자 200여 명이 모여서 3일간 회의를 열었고, 이 자리에서 '이중장부'에 대한 질문이 있었다. 프억롱 방직공장 사장은 "내가 이중장부를 가진 것은 맞다. 합법적인 장부는 상부에 보고하기 위한 것이고, 합리적 장부는 기업을 운영하기 위한 것이다. 예를 들어, 대나무를 살 때 사람들은 1개에 1.5동에 판다. 그런데 물가위원회는 한 개에 1동으로 구매하는 것만을 허용한다. 나는 대나무 하나를 사서 직원들에게 둘로 자르도록 한다. 합법적인 장부에 두 개로 기록하기 위해서이다."라고, 대답하였다(Huy Đức, 2012a, p. 311). 이는 사회주의 중앙 집중 경제체제에서 발생한 기업의 문제점을 파악하기 위한 자리였고, 이를 통해서 경제 상황이 얼마나 심각한지를 당 지도부도 파악하기 시작했다.

후이득은 "1980년대는 아마도 베트남 사람들에게 육체는 물론 정신적으로 가장 많은 상처를 남긴 기간이었다."라고 말할 정도로 어려운 시기였다 (Huy Đức, 2012a, p. 329). 한 예로 하노이에 사는 한 교수가 아파트 2층에서 돼지를 길렀다고 한다. 주민들이 불평하자 관리사무소에서 찾아와서 아파트에서의 돼지사육을 비판하고, 경위서를 작성했다고 한다. 그 교수는 그들의 지적과 비판에 대해 수긍하면서, 경위서에 쓰인 "반느끄엉 교수가 2층에서 돼지를 길렀다."라는 문장을 "돼지가 2층에서 반느끄엉 교수를 길렀다. Lợn nuôi giáo sư Văn Như Cương ở tầng hai."라고 고친 다음에 서명했다고 하는 얘기가 전설처럼 전해지고 있다(Huy Đức, 2012a, p. 330).

이러한 심각한 어려움을 타개하고자 1986년 12월 제6차 전당대회에서 도이머이를 선언한 것이다. 그러나 베트남공산당 지도부에서 이러한 결정을 하기까지는 그리 간단치 않았다. 이른바 보수층에서는 반대가 만만치 않았다. 그러한 상황에서 운 좋게 구소련의 고르바초프 서기장이 도이머이를 지지했기 때문에 보수파도 암묵적 동의를 한 것이었다. 당시에는 베트남에서 전당대회가 열리기 전에 당 지도부가 통상적으로 중국과 소련을 방문해서 당의 노선에 관해 설명하고, 지지를 받는 것이 관례처럼 되어 있었다. 다만 1986년 당시에 베트남과 중국 사이가 좋지 않은 시기였기 때문에 베트남 지도부는 중국은 방문하지 않고 소련만 방문했고, 고르바초프는 "베트남의 개혁 예정이 창조적"이라고 칭찬했다고 한다(Huy Đức, 2012a, pp. 355~356).

이러한 매우 어려운 과정을 거쳐서 도이머이 선언을 끌어낸 핵심 인물은 쯔엉찐Trương Chinh[6])이었다. 제6차 전당대회에서 쯔엉찐의 뒤를 이어 당 서기장에 피선된 응웬반링[7])이 도이머이의 주창자로 알려져 있는데, 이는 당시에 외부에서는 베트남 내부 정치 상황을 파악하기 어려웠기 때문이었다. 전당대회에서 우여곡절 끝에 서기장으로 피선된 응웬반링Nguyễn Văn Linh이 전당대회 폐막식에서 공개적으로 전당대회 의결, 즉 도이머이 선언을 발표했기 때문이었다(Huy Đức, 2012a, p. 367).

당풍은 도이머이 직전 베트남 경제 분야에서 기존의 '틀' 즉, '중앙집중 경제'를 파괴한 각 분야의 20개 사례를 소개하면서, 그들이 베트남의 도이머이를 이끈 선봉대라고 소개한다. "우리는 낭비가 심하고, 아주 길게 돌아가는 길을 선택했었고, 초기에 우리는 그 길이 가장 빠르고, 가장 쉽고, 가장 짧고, 가장 바른 길이라고 확신했었다. 그리고 역사적으로 나타난 통상적인 고속도로가 위험하고, 힘들고 재난으로 가득 찼으며, 그것을 '피할 필요'가 있으며, '피

---

6) Trường Chinh1907~1988, 본명은 당수언쿠Đặng Xuân Khu이며, 두 번의 당 서기장과 국무회의 의장, 국회의장을 역임. 남딩성 출신으로, 초기에는 보수적이라고 평가받았으나 후기에는 도이머이를 주도했다.

7) Nguyễn Văn Lĩnh1915~1998, 흥이옌성 출신으로 당 서기장1986~1991, 호찌민시 당서기1975~1976, 1982~1986 역임하였다. 서기장 취임 이후 개혁정책을 추진하여 신임을 얻었다.

할 수 있다'라고 오해한 적이 있었다. 그래서 그곳에 '위험'이라는 여러 종류의 금지 표지판을 설치했었다. 도이머이는 구부러진 것을 바로 잡는 큰 과정이었고, 상식의 고속도로를 다시 찾는 것이었으며, 그로부터 우리의 자동차가 덜 힘들고, 더 빠르게 나갈 수 있었다. 그리고 도이머이 직전의 여러 개혁 시도는 바로 우리가 바른길로 가게 하려고, 상식에 맞지 않는 금지 표지판들을 점차로 뽑아내는 일이었다. 그리고 '위험'하고 '사람 죽이는' 금지 표지판을 뽑아내는 일, 그 자체 또한 위험하고 '사람 죽이는 일'이었다. 바로 그래서 도이머이 이전에 개혁 사업에 선봉에 섰던 사람들을 칭송하는 이유이다."라고, 말하면서 그들의 기여에 대해서 언급하고 있다(Đặng Phong, 2013, pp. 493~494).

2.3. 도이머이의 추진

도이머이를 공식적으로 천명한 응웬반링 서기장은 도이머이 정책을 전파하는 데 온 힘을 쏟았다. 계획경제에서 시장경제로의 전환은 오랫동안 사회주의 경제체제에 익숙한 사람들에게는 쉽게 이해되지 않았다. 특히 도이머이 정책에 대해 암묵적 동의를 했던 보수적인 동료들과 "그 결정에 이르기 위해, 도이머이를 주장한 사람들 역시 바로 자기 자신과 당내의 동지들을 설득하기 위해서 아주 많은 시간을 허비해야 했다"(Huy Đức, 2012a, pp. 4~6).

응웬반링은 우선 언론 기고를 통해서 자기 생각을 전파하기 시작했다. 그의 첫 기고문은 "가격 질서는 존중되어야 할 필요가 있다."[8]는 것이었다. 이후로 때로는 독자의 의견으로, 때로는 직접 기고를 계속하면서 개혁을 전파하고 있었다. 그의 언론을 통한 의견 발표 방식에 대해 정치국 내에서도 반대 의견

---

8) Trật tự giá cả cần phải được tôn trọng. 그는 기고문에서 [N.V.L.]이라는 필명을 사용했는데, 사람들은 그의 이름을 딴 약자라고 생각했다. 그러나 후에 그는 [NÓI VÀ LÀM]의 약자라고 말했다고 한다. 그것은 "말하고 일한다."라는 의미이다.

이 있었다. 이에 대해 그는 인민일보를 통해서 공개적으로 왜 글을 계속 써야 하는지를 발표했고, 인민일보 편집국도 이에 호응하기 시작했다고 한다. 이후 각 신문과 잡지에서 행정기관이나 기업에서의 잘못을 지적하기 시작하면서 언론이 활기를 띠기 시작했다(Huy Đức, 2012a, pp. 4~6).

또한, 베트남 작가들 100여 명을 모아 놓고 이틀(1987.10.6.~7) 동안 그들의 의견을 경청하고, 작가들을 고무했다. 전에도 이러한 모임이 간혹 있었지만, 서기장이 얘기하고 작가들은 듣는 방식이었다면 이번은 그 반대로 이틀 동안 서기장은 1시간 정도만 얘기하고 나머지는 작가들에게 자유롭게 발표하도록 했다. 작가들은 그동안 억눌려 있던 것들을 솔직하게 털어놓았다. 이를 통해 서기장과 작가 사이가 한층 가까워졌다(Huy Đức, 2012a, p. 7). 그러나 이러한 밀월도 1990년에 끝나게 된다(Huy Đức, 2012a, p. 83).

도이머이 과정에서 갑자기 어려움에 직면한 분야가 하나둘이 아니었다. 교육 분야도 심각한 어려움에 직면한 분야 중의 하나였다. 도이머이 이전의 교육 분야는 다른 사회주의 국가들과 마찬가지로 베트남 역시 계획경제 시스템을 따랐다. 이는 매년 각 기관과 지방의 수요에 근거하여 국가계획위원회가 각 대학에 신입생 선발 인원수를 할당하고, 그 할당 인원수에 근거하여 각 주관 부에 예산을 배정한다.

각 부는 자신의 부에서 관리하는 대학에 돈을 지급하고, 졸업생은 국가가 직업을 알선하는 것이다. 그러나 도이머이 선언 이후인 1987년부터는 각 지방에서 대학생에 대한 수요가 없고, 국가 기관에 대한 취업도 보장되지 않는 상황이 발생했다. 1987년 하노이 종합대학교에는 1천 명의 교직원이 있는데, 100명만 신입생을 선발하도록 했다. 다른 대학들 역시 유사한 상황이었다. 그해 호찌민시 공업 대학교 총장이던 쩐홍꿘[9]을 대학이나 전문 고등학부 장관으로

---

9) 당시 서기장이었던 응웬반링 부인의 친조카였다. 서기장 부인이 쩐홍꿘 장관의 이모였다.

임명하였고, 그는 1987년 여름 냐짱에 각 대학 총장과 대학 당서기를 소집하여 회의를 열었는데, 이 회의를 "냐짱 회의"라고 한다. 이 회의에서 대학 교육의 4가지 전제를 합의했는데, ① 국가 기관뿐만 아니라 경제 분야를 위해서도 교육한다. ② 미래의 수요 예측에 따라 교육한다. ③ 학업에 대한 국민의 요구를 위해 교육한다. ④ 정규 학생 외에 학비를 징수하는 비정규생도 교육한다. 이에 대해 많은 당서기가 반대하고 나섰다. 그렇게 하는 것은 사회주의 원리에 맞지 않는다는 것이라고 주장했다. 그러나 더 좋은 안을 내라는 말에 아무도 대답하지 못하고 받아들였다고 한다(Huy Đức, 2012a, pp. 43~44).

도이머이 정책은 우선 다양한 소유의 경제를 인정했다. 그 다양한 소유란 소 생산 경제수공업자, 농민, 개인 서비스 및 상인과 개인 자본경제, 국가자본 경제이다. 국가 자본경제 형식 중에는 국가자본과 개인 자본이 합쳐진 공사 합영 경제가 많이 나타나게 되었다. 6차 전당대회는 그동안 부분적으로 시행해 오던 경제의 구조조정 정책 ~ 시장경제로의 전환 ~ 을 구체화했다.

특히, 식량 생산, 소비재 생산, 수출품 생산의 3가지 프로그램에 역점을 두었으며, 정치국의 의결 16호 및 1988년 의정서 27, 28, 29호에 따라 "모든 사람의 정당한 부의 축적을 장려"하는 대내 정책과 외국 투자를 촉진하기 위한 외국 투자법이 공포(1987년)되었다.

그리고 은행체계와 경제활동의 개혁과 국영기업에 대한 자율권 부여 즉, 독립채산제(1988년 국무회의령 50호)로의 전환으로 시장경쟁의 원리가 국영기업에 도입되었다.

베트남이 도이머이 정책을 편 이후 가장 큰 영향을 받은 분야는 농업이었다. 1988년 4월 5일 자 정치국 의결 10호에 따라 농민에게 경작지를 장기적이고 안정적으로 공급함으로써 실질적으로 "농촌에서의 생산력을 해방"했다. 농촌에서의 생산 활동은 가정을 중심으로 이루어지고, 이렇게 가정을 중심으로 이루어지는 경제를 "가정경제Kinh tế hộ, 戶經濟"라고 한다. 이 "가정경제는 베트남을 식량 수입국에서 쌀 수출 세계 1위의 국가로 탈바꿈시켰다고 해도 과언이 아닐" 것이다. 농토도 변한 것이 없고, 노동력도 변한 것이 없었지만 정책의 변환으로 이와 같은 성과가 나타나게 된 것이다. 그 정책은 "정치국 의결 10호"를 말하며, 이 정책의 성공으로 일시에 식량난을 해결하는 동시에 외화 획득에도 크게 이바지했다.

국가 공무원 급여의 현물 지급을 철폐하고 화폐로 지급하였으며 국영기업에 대한 보조금 삭감과 석유류, 전기, 수도, 철강, 시멘트 등을 제외한 모든 상품의 가격을 시장가격으로 통일함으로써 이중 가격제도를 철폐했다. 이것은 가격구조를 행정력에 의한 통제에서 재정정책에 의한 조절로 전환한 것이었으며, 성공적이었다.

그러나 이러한 긍정적인 면과 아울러 각 금융조직의 파산과 이자율의 상승으로 인한 투자 감소로 1989년과 1990년에는 세수 확보에 어려움이 야기되었고, 특히 구소련과 동유럽의 정치변동은 원조와 차관의 중지 및 수출시장의 상실, 원료와 연료 공급처의 상실로 베트남 경제가 과연 회복할 수 있을지 의문을 제기하는 사람이 많았다.

이러한 가운데 1991년에 개최된 제7차 전당대회는 "부민 강국, 정의롭고 문병된 사회 Dân giàu nước mạnh, xã hội công bằng, văn minh"라는 기치를 내세우고 "사회주의 정향定向에 따른 국가관리 아래의 시장경제"를 계속 추진할 것을 확인했고, 제5차 5개년 계획 기간(1991~1995) 동안 연평균 8% 이상의 고성장과 물가안정 및 연평균 20% 이상의 수출 증대를 이룩했다.

3　외국 투자

　　도이머이 선언 이후 베트남 정부가 공을 들인 분야 중의 하나가 외국 투자를 유치하는 것이었다. 미국의 경제봉쇄 정책으로 서방 국가들과의 교역이 단절된 후, 베트남은 러시아와 동유럽 국가들과 교역 또는 원조에 의존했었다. 그러나 러시아와 동권 국가들의 정치적 변동으로 베트남 경제는 더욱 큰 어려움에 봉착했다. 따라서 외국 투자 특히 서방 국가들로부터의 투자유치는 더욱 절실했다. 베트남이 개방을 선언했지만, 초기에 외국기업은 베트남의 열악한 사회기반시설 상태와 베트남의 정치체제에 대한 신뢰를 자신하지 못하는 분위기에서 선뜻 투자를 결정하지 못하고 관망하는 분위기가 강했다. 이에 베트남 정부로서는 이들을 안심시켜야 하는 그 무엇이 필요했고, 먼저는 "외자 기업을 국유화하지 않는다."라는 내용을 투자법에 명시하면서 외국 투자유치에 열을 올렸었다. 이후 베트남 정부와 지방 정부의 적극적인 유치 노력으로 외국 투자가 증가하기 시작하면서 베트남 경제에 활력을 불어넣었고, 여러 난관이 있었지만, 현재까지는 잘 극복하고 발전하고 있는 것으로 평가받고 있다.

3.1. 외국 투자법 공포

　　베트남 정부는 투자 자본의 상당액을 외국 투자로 충당하려는 정책에 중점을 두었고, 이는 국내 자본이 절대로 부족한 상태에서 자본을 유치하기 위한 쉬운 선택이었다. 그러기 위해서 1987년 12월 29일 외국 투자법을 공포했다. 도이머이 선언 이후 1년이 지난 뒤였다. 외국 투자법이 공포되었지만, 외국인 투자자들은 여전히 베트남의 정책에 대해서 관망하는 추세였다. 초기에는 대만과 홍콩, 싱가포르 등에서 소규모 투자가 이루어졌을 뿐이다.

　　이러한 상황에서 베트남은 외국 투자법에 대한 개정을 계속했다. 1987년,

1990년, 1992년, 1996년, 2000년, 2005년 그리고 2014년에 개정되었다. 2014년 개정된 투자법에서는 직접투자와 간접투자를 구분하지 않는 것이 특징이며, 여러 절차를 간소화한 점이 특징이다.

3.2. 한국의 베트남 투자

도이머이 선언 이후 한국기업들이 베트남에 관해 관심을 두기 시작했다. 1988년부터 아주 소수의 기업이 베트남 시장을 탐색하기 시작했다. 물론 1983년부터 대한광업진흥공사에서 베트남 석탄을 수입하기 시작했지만, 공개적으로 교역을 한 것은 아니었다. 당시는 투자보다는 무역에 중점을 두고 있었다. 그리고 일부 봉제 업체와 가방 제조업체들은 수교 이전이었지만 베트남에서 임가공 형태로 생산을 시작했었다. 그리고 수교 이후 한국기업들이 본격적으로 베트남에 투자하면서 한국은 대만, 홍콩, 싱가포르 등과 함께 투자 상위권을 유지하다가, 현재는 1위 자리를 지키고 있다.

동남아 국가 중에서 한국기업의 투자가 상당 기간 일본기업과 비교하면 뒤지지 않는 나라는 베트남이 유일하다. 이는 베트남보다 10년 먼저 개방한 중국에 일본기업이 많이 진출했었다. 그 10년 동안 상당수의 일본기업이 중국에서 사업하는 데 어려움을 겪었다. 특히 사회주의라는 정치체제로 인한 어려움이 많다고 판단한 일본기업에 베트남 개방 초기에 상황을 주시하면서 진출을 꺼렸고, 이것은 우리 기업이 베트남에 일본기업보다 더 많이 진출할 기회가 되었다. 동남아를 여행하면서 베트남을 제외한 다른 국가에서는 일본기업의 진출이 두드러지고, 한국기업의 진출이 미약한 것을 볼 수 있는 이유이다.

4　무역

　　베트남의 수출은 농수산, 광물 등 1차 산품의 비중이 줄어들고 있음을 볼 수 있고, 특히 전화기와 전화기 부품의 수출이 급증하고 있음을 볼 수 있는데, 이것은 삼성전자의 진출로 인한 것으로 보인다. 수입은 전자부품, 화공약품, 철강 등 생산재 수입이 주를 이루고 있다.

　　우리나라는 베트남으로부터 농수산물과 목제품, 봉제품, 원유 등을 수입하고, 기계, 설비, 봉제용 원부자재, 석유류, 철강, 화학제품, 자동차 등을 수출하고 있다. 한국과 베트남 수교 20주년이 되던 해인 2012년 말에 양국 정부는 2015년까지 양국의 교역액을 200억 달러까지 높이기로 합의했었다. 그런데 2014년에 양국의 교역액이 거의 300억 달러에 이르렀다.

　　2014년의 통계로 보면 베트남은 우리의 10대 수출국 중에서 중국, 미국, 일본, 홍콩, 싱가포르 다음으로 6위를 그리고 하고 있는데, 이는 대만, 인도, 인도네시아, 멕시코보다 상위에 속한다. 또 베트남은 우리나라의 10대 무역 흑자국 중에서 중국, 홍콩, 미국 다음으로 제4위를 차지하고 있다. 2015년 대베트남 수출은 2백7십6억 1천4백만 달러이며, 수입은 89억3천2백만 달러로, 한국은 베트남의 네 번째 수출국이며, 두 번째로 수입을 많이 하는 나라이다.

　　2020년 우리나라 수출에서 베트남이 차지하는 비중은 9.14%, 수입에서 차지하는 비중은 4.09%로 베트남은 우리의 중요한 교역 파트너이다.

　　무역 현황 및 통계를 보려면 베트남 통계총국의 웹사이트 http://www.gso.gov.vn에 접속하면 여러 가지 통계무역, 투자, 노동, 인구 등을 볼 수 있다.

　　2014년 12월 10일 부산에서 개최된 한~아세안 특별 정상회담을 계기로 베트남과의 자유무역협정(FTA)이 타결되었다. 한국~베트남 FTA 협상 타결을 통해 수출입 무역 관세 철폐, 인하와 함께 투자자 권리 보호를 위한 상호 간 합의가 이루어진 점에 의의를 둘 수 있으며, 기존 진출한 수출 제조 기업들의 경우 관세 철폐, 인하를 통해 본국에서의 원부자재 수입 시 발생했던 수입세가 없어짐에 따라 기존 수입세 환급과 관련된 문제가 어느 정도 해소될 것으로 보인다. 또한, 베트남 내수시장 진출 기업들에는 수입세 철폐, 인하로 인한 경쟁력 상승효과가 클 것으로 기대되며, 베트남 내 기존 수출용 제조업체들의 경우 내수시장으로 눈을 돌리는 사례도 늘어나고 있다(김경돈, 2014).

제 9 장

한국과의 관계

1945년 8월 15일 일본이 항복한 후 베트남에서는 호찌민이 9월 2일에 독립 선언문을 낭독하고, 베트남민주공화국을 선포했다. 포츠담 선언에 근거하여 베트남에 잔류하는 일본군의 무장 해제를 위해 북위 16도를 기준으로 북에는 중국군이, 그리고 남에는 영국군이 들어왔다. 그러나 프랑스가 다시 기득권을 주장하며 영국군과 중국군이 물러가고, 프랑스가 다시 베트남을 지배하기 시작하였고, 호찌민 정부는 프랑스와 전쟁을 벌이고, 1954년 프랑스군이 디엔비엔푸 전투[1]에서 대패하면서 프랑스와 베트남민주공화국은 제네바협정[2]을 체결하여, 프랑스가 인도차이나반도에서 완전 철수하기로 합의하였다.

---

1) 베트남 서북 산악지대에 있는 디엔비엔푸Điện Biên Phủ는 현재 디엔비엔성의 성도이다. 이곳에서 1954년 3월 13일부터 5월 7일까지 프랑스 연합군과 베트남 인민군대 사이에 전투가 벌어졌고, 베트남 인민군이 승리함으로써 프랑스가 베트남에서 철수하게 된다. 베트남 인민군 총사령관 보응웬잡Võ Nguyên Giáp 장군의 지휘로 베트남 인민군은 전사에 기록될 대승을 거두었다.

2) Hiệp định Genève, 인도차이나반도에서 프랑스군이 철수하고, 식민지를 종식하며, 평화 회복을 위해 체결된 협정으로, 1954년 5월 8일 시작되어 7월 21일에 끝났다. 이 회담에는 영국, 소련, 중국, 미국, 프랑스, 북베트남, 남베트남, 라오스, 캄보디아 대표가 참석했다.

이에 미국에 망명 중이던 응오딩지엠이 귀국하여, 1954년 7월에 남부 베트남의 내각 수반이 되었고, 이듬해에는 남베트남에서만의 선거를 통해서 1955년 10월 남베트남의 대통령으로 취임하였다. 우리나라는 1956년 5월 사이공에 공사관을 설치하고, 1958년 4월 대사관으로 승격시켰다(崔常壽, 1966, pp. 165~166).

그리고 베트남 통일과 함께 우리나라와 베트남 관계가 단절되었으며, 베트남이 개방정책을 선언한 이후인 1992년 4월 2일 양국 정부는 연락대표부를 설치하기로 합의하고, 동년 8월에 주베트남 한국 연락대표부를 설치하였고, 베트남 측은 동년 10월에 서울에 연락대표부를 설치하였다. 그리고 12월 22일에 양국 간 대사급의 정식외교 관계를 수립하였다.

이 수교 과정에서 과거 한국군의 베트남전 참전에 관한 베트남 측의 문제 제기가 있었다. 이와 관련하여 베트남에서 아주 적지만 관련 자료가 나왔고, 그 내용을 소개한다.

그때까지도 남조선이라 부르던 한국과의 외교 관계 수립은 비록 베트남이 추진한 측은 아니지만, 편입 과정에서 기억할 만한 일이다. 한국과 베트남은 1983년부터 무역, 투자 관계를 했지만, 비정부 수준이었을 뿐이다. 부꽝씨는 "1991년 유엔의 아시아~태평양 경제사회 이사회(ESCAP)가 서울에서 열렸다. 남조선은 베트남 대표가 참석하기를 원했고, 그들은 대표단의 비행기 표와 경비를 지원했다. 나는 남조선에 간 베트남 최초의 공무원이 되었다. 서울에서 우리는 외교 관계 수립을 위한 회담을 시작했다. 그들은 바로 하노이에 대사관 설치를 원했지만, 우리는 총영사관을 먼저 개설하기를 주장했다. 양측의 협의는 비밀리에 진행되었는데 그들이 언론에 소식을 흘렸고, 나는 그만두고 귀국했다."라고 말했다.

그 뒤 남조선은 국장급 회담을 제의했다. 그들은 태국 주재 대사를 하노이로 파견했다. 응웬마잉껌에 따르면 "회담 과정에서 몇 가지에 대해 정치국에 의견을 구해야 했다. 우리는 전쟁 배상을 요구했고, 그들은 우리가 배상을 받아들이면 미국인이 어려움을 일으킬 것이라고 했다. 우리가 그들이 베트남에 대한 책임을

져야 한다고 하면, 그들은 미국이 더 큰 책임이 있으므로 그것 역시 안 된다고 했다. 배상 대신에 그들은 베트남에 대해 ODA 차관을 우선할 것이고, 양국 관계를 강력히 추진할 것이라고 약속했다."고 한다.

남조선과의 외교관계 수립하는 일은 역시 순탄치 않았다. 1975년 이전, 남조선은 호주와 함께 미국의 동맹국이었으며, 박정희 정권은 남부 베트남에 참전할 군대를 보냈었다. 정치국 회의에서 응웬하판은 "나는 결코 박정희 군대의 죄악을 잊을 수 없다. 당신들이 관계를 원한다면 박정희 군대가 많은 죄악을 일으켰던 지역인 동부지역 주민들에게 설명하고, 사상적으로 해명해야 할 것이다. 나는 주민들이 반응할 것이라고 믿는다."라고 발표했다. 그는 "다오주이뚱 역시 그들이 매우 나쁘다는 의견을 갖고 있다."라고 말했다. 응웬하판과 다오주이뚱 모두 발언자를 가리켰다. 보반끼엣에 따르면, 남조선이 베트남에 군대를 보냈다고 말하는 것은 단지 구실일 뿐이라고 했다. 남조선과 외교 수립에 대해 북조선이 반응했고, 중국은 만족하지 않음을 표시했다. 1992년 4월 양국은 연락 사무소 설치에 동의했다.

1992년 5월 24일 베트남 기자협회 회원인 수언르엉이 한국을 방문한 후, "봄이 지나는 서울"이라는 기사를 <하노이 머이> 일요판에 실었다. 기사는 "해방 후 남조선은 자원이라고 할 만한 것이 없는 데다가 '동족상잔'의 3년 전쟁으로 몹시 가난했다."라고 썼다. 1992년 5월 30일 자 <인민일보>에는 "남조선 번영의 길"이라는 제목으로 "아시아의 네 마리 용으로 출현했다."라고 묘사했다. 그 기사에 따르면 "남조선이라는 용"이 "민족정신, 인내 정신과 국가의 올바른 주장과 합해져서" 발전했다고 칭송했다.

그 후 바로 하노이 주재 북조선 대사가 외교부 신문국 부국장 다오꽁밍을 만나서 수언르엉의 두 기사에 대해서 반응했다. 대사는 조선 반도에서의 1953년 전쟁은 "해방 전쟁"이며, 소위 남조선이 발전한 것은 "그들이 미국과 일본에 빌붙어 살기 때문"이라고 말했다. 대사는 또한 "양국 언론 관계가 이별할 수도 있다."라는 문제를 제기했다.

그 전에, 평양의 반응에 대해 정치국 회의에 제시되었고, 상기되었다. 사회주의 요소가 토론의 주 내용이었다. 보반끼엣은 "북조선은 사회주의지만 우리가 캄보디아에 갔을 때, 남조선이 아니라 그들이 우리를 가장 반대한 선봉 국가였다. 좋고 나쁨에 대해서 말한다면, 누가 더 낫다고 말할 수 없다."라고 말했다. 정치국은 역내에서 그처럼 중요한 국가와의 관계를 거절할 이유가 없었다. 1992년 12월 22일 양국 외무장관은 대사급 외교 관계 수립을 공동으로 선언하고 서명했다.

1993년 2월 응웬마잉껌 외무장관이 서울을 방문했을 때, 아주 정중한 영접을 받았다. 껌 장관은 "현직 대통령과 대통령 당선인 모두 나에게 보반끼엣 수상이 방문하기를 희망한다고 말했다. 나는 수상께서 동의할 것으로 생각한다."라고 말했다.

최근에 부콴씨는 한국과의 외교 수립 과정에 대한 회상에서 다음과 같이 언급하였다.

"20년 전, 나는 우리 부급 관리로는 처음으로 서울에 간 사람이다. 양국은 전 세기 90년대 초에 서로 관계 수립을 주장하였다. 서울에서의 유엔 아시아~태평양 경제사회 이사회(ESCAP)를 계기로 한국은 항공료와 숙박비를 부담하며 우리 대표단을 맞을 준비가 되었음을 알려왔고, 나는 단장으로 파견되었다. 처음으로 한국 땅을 밟았을 때 나는 좀 애매함을 느꼈다. 솔직히 말하면 내 머릿속에 우리 인민 특히 남중부 지역의 인민들에게 '대한민국' 군대가 일으킨 죄악이 갑자기 떠올랐다. 그 느낌은 서울 시내 중심지에 있는 특급 호텔인 롯데호텔에 도착할 때까지 나를 따라다녔다. 옥상을 바라보니 개막식에 참석할 한국 대통령과 회의의 보안을 위해 이곳저곳을 겨누고 있는 총구와 얼룩무늬 군복을 입은 군인이 가득했다. 그 기회로 인해 나는 청와대라고 불리는 대통령 관저에서 열리는 한국 대통령의 만찬에 참석한 우리나라 최초의 관리가 되었다. 그곳에 앉아서 내 마음속에는 계속 '언제 내가 이곳에 앉아 있으리라 생각이나 했었는지'라는 의문이 들었다. 그리고 과거는 양국의 외교 관계 수립으로 덮였고, 나 역시 양국 관계가 제품, 기업, 국민, 영화, 문화 등.. 이처럼 폭발적으로 될 줄을 생각도 못 했다. 한국은 이제 베트남에서 넘쳐나고, 수만 명의 베트남 노동자와 신부들이 한국 땅 곳곳에 살고 있다."(Huy Đức, 2012a, pp. 275-277).

1 한~베트남 관계

1992년 12월 외교관계가 수립된 이후 대한민국의 각 대통령은 모두 1, 2회 베트남을 공식 방문했으며, 총리를 비롯한 각 관련 부처 장관, 국회의원 등이 방문했다. 또 그와 비슷한 규모로 베트남의 요인들이 한국을 방문했다.

베트남 측은 한국과의 실질적 협력관계를 중시하면서도 북한과의 전통적인 우호 관계를 유지하는 정책을 추진하고 있으며, 남북문제에 대해서는 중립적인 입장을 견지하고 있다. 베트남 측이 실질적인 협력관계를 중시하므로 양국 간에는 많은 인적교류가 있었고, 1994년 9월에는 한~베트남 우호협회가 창설되었으며, 1995년 5월에는 한~베트남 의원친선협회가 창립되어 인적교류를 확대해 왔다.

법무부 통계에 의하면, 2011년 말 기준으로 국내에 거주 베트남인은 116,219명이며, 그중에 노동자는 64,831명, 유학생이 3,100명이다. 결혼이주자는 37,516명, 이 중 181명은 남성으로, 전체 결혼이주자의 25%를 차지하고 있다(출입국외국인정책본부, 2011).

한국과 베트남과의 관계에 관해 얘기할 때 우리가 기억할 필요가 있는 사건이 있다. 1975년 베트남 통일 이후, 우리 외교관이 남베트남에서 탈출하지 못하고 베트남에 억류되어 있다가 1980년 4월에야 풀려난 일이 있었다. 이에 관해서 당사자 중의 한 분인 이대용 씨가 그의 회고록에서 "1975년 5월 12일, 베트남 공산 정부는 미처 철수하지 못하고 사이공에 잔류하고 있는 외교관들의 출국 조치에 필요하니 외무부에 등록 신고해달라고 공고했다. 이때 한국 외교관 8명도 모두 등록 신고를 했다. 6월 8일 베트남 외무부는 한국 외교관 8명의 출국 일자는 6월 17일 오전 10시로, 항공기 탑승 장소는 사이공 탄손누트 공항이라고 발표 공고했다. 그러나 며칠 후 서병호 영사와 안희완 영사의 출국을 금지한다고 발표했으며 그 이유는 밝히지 않았다"라고 술회하고 있다(이대용, 2010, pp. 115~152). 그 당시 사이공에 잔류하고 있는 한국 외교관과 민간인의 총수는 175명이었고(이대용, 2010, p. 152), 이대용 공사를 포함한 3명의 외교관은 5년여의 옥살이 끝에 1980년 4월 12일 오후 1시 20분쯤 아이젠버그 회장의 전용기로 베트남에서 출발해서 귀국하게 되었다(이대용, 2010, pp.

200~201). 그리고 베트남 정치국원 레득토[3]의 회고록 중 이와 관련 자료가 있어서 소개한다. 이 자료는 팜반동[4] 수상의 비서였던 쩐땀쨥이 레득토의 회고록에 실은 글로, 레득토와 팜반동 수상이 넓은 아량을 가진 정치가임을 칭송하기 위해 쓴 글이다. 이 글에는 일부 부정확한 사실이 들어 있다. 예를 들어, 억류 외교관 수를 7명이라고 하고, 7명 모두가 장군이라고 언급하고 있는 것 등이다. 그러한 오류가 있음에도 불구하고, 참고 자료로 사용할 수 있도록 내용 전문을 소개한다.

남부 베트남 해방 후에 우리에게 체포당한 7명의 한국 장군

우리 정부가 한국의 7명의 장군을 풀어주기 위한 우리의 주장은, 한국과의 협상에서 조선 인민민주주의 공화국에 여건을 만들어 주는 것이었다. 당시 양측은 인도 뉴델리에 있는 베트남 대사관에서 협상했었다. 북조선의 요구가 너무 지나쳐서 한국이 이에 부응하지 않았고, 양측 간의 수년 동안의 협상이 합의에 이르지 못했다. 판반동 수상과의 협의에서 레득토 동지는 이 장군들이 나이가 많고, 우리의 감금 여건이 좋지 않으며, 그들의 건강이 좋지 않아서 만일 그들의 생명에 문제가 생긴다면 우리에게 몹시 어려움을 줄 것이라고 말했다. 그 후, 우리는 외교부를 통해서 합리적인 방안이 있어야 한다고 친구(북조선)의 의견을 물었다. 친구는 이들을 그들에게 넘기라고 요구했지만 우리는 찬성하지 않았다. 그때 스웨덴 정부가 Oberg 대사를 통해 우리 정부에게 박정희 대통령의 요구 서신을 전달했다. 그들 중에는 대통령의 친구 또는 가족이 있었다. 판반동 수상과 레득토 동지는 여러 차례, 여러 측면에서 협의했고, 결국 인도적인 이유로 이 장군

---

3) Lê Đức Thọ(1911~1990), 베트남공산당 조직위원장과 정치국원을 역임하였고, 파리평화회담의 베트남 대표였다. 1973년 헨리 키신저와 함께 노벨평화상을 공동 수상했으나, 수상을 거절했다.

4) Phạm Văn Đồng(1906~2000), 베트남 수상으로 1955년부터 1987년까지 아주 오랜 기간 수상을 맡았다.

들을 자유롭게 풀어주기로 결론을 냈다. 이 일을 정치국에 보내서 결정할 때, 결코 쉬운 결정이 아니었다. 결국, 스웨덴 정부의 중간 역할을 통해서, 전용기가 하노이에 와서 위에 언급한 장군들을 인수하도록 허가했다. 한국 측은 매우 감격했고, 우리의 결정을 높이 평가했으며, 그들은 우리에게 적절한 경제적 원조를 제공하고 싶다는 뜻을 피력했었다. 비록 그 당시 아주 많은 어려움에 직면했음에도 우리는 거절했고, 우리가 인도적인 이유로 그들을 일방적으로 풀어준다는 것을 강조했었다. 그 뒤 우리는 북조선에 설명했고, 친구(북한, 역자주)는 만족하지 않았지만, 예상외의 반응은 없었으며, 통상적인 우호 관계를 유지했다(Trần Tam Giáp, 2011, p. 571).

과거로 거슬러 올라가면, 고려 말에 베트남의 왕족인 이용상이 부하와 가족을 이끌고 고려에 정착하였고, 화산 이씨의 조상이 되었다는 사실은 이미 널리 알려져 있다. 최상수의 『韓國과 越南과의 關係』에 자세히 소개되어 있다. 개방 이후 베트남에서도 이와 관련된 소식이 간헐적으로 소개되었는데, 이미 70여 년 전에 베트남에서 이를 소개한 글이 있었다. 1942년에 발간된 <찌떤Trí Tân>이라는 잡지 32호에 서꾸옹Sở Cuồng이라는 필명으로 "리 왕조 영종(1138~1175)의 22대손이 현재 고려Cao~ly에 살고 있다."라는 글을 발표하였다. 필자인 서꾸옹은 1914년 중국을 거쳐 우리나라를 여행한 적이 있었다. 그리고 귀국하는 길에 중국에서 한 조선인을 만나서 화산 이씨에 관한 얘기를 듣게 되었다. 그러다가 몇십 년 뒤에, 프랑스 극동서원에서 같이 근무하던 조선인 김영건(윤대영, 2009, pp. 57~100 참조)으로부터 <안남 화선군 이용상의 사적>이라는 자료를 얻게 되었으며, 당시 이용상의 22대손이 한국에 살고 있다는 것을 알게 되었다고 기술하고 있다(Sở Cuồng, 1942, pp. 2~3).

한국에 있는 베트남 왕족의 흔적을 찾으려 애썼던 베트남 사람이 있다. 그는 의사인 쩐다이시Trần Đại Sỹ이다. 그는 파리에 있는 아르마 의과대학 교수이며, 프랑스 – 아시아 연구소Institut Franco~Asiatique 중국사무처장을 겸하고 있다고 소개되고 있다. 그가 쓴 글이 인터넷에 소개되어 있다.

그는 1958년 11월, 당시 사이공 의과대학 1학년생이었으며, 한국의 이승만 대통령이 베트남 공화국(남베트남)을 방문할 시에, 뉴스에서 이승만 대통령이 자기 조상이 베트남 사람이라고 했다는 말을 듣고, 그 출처를 찾기로 마음먹었다고 한다. 베트남 역사서를 뒤졌고, 수십 년이 지난 후인 1980년 8월, 그의 나이 41세 때에 중국 항주에서 열린 의학 세미나에 프랑스 대표단으로 참가하게 되었고, 그곳에서 북한의 웅천에서 온 이조명과 순천에서 온 이엽영이라는 여의사를 만났는데, 그녀가 자신이 이용상의 후손이라고 얘기했으며, 그를 북한으로 초청했다고 한다. 프랑스 여권을 소지하고 있던 그는 북경주재 북한대사관에서 8일간의 관광 및 인삼 연구를 위한 여행허가서를 발급받고, 북한을 방문하여 이용상의 후손들을 만났다고 한다. 그 후, 1983년 그는 다시 남한을 찾았고, 남한에 살던 화산 이씨 일가를 만났다. 그는 남한에서 이용상 관련 유적은 거의 찾지 못했고, 남한에 살던 화산 이씨도 대부분 1954년에 북에서 남하한 사람들로 약 천 가구 정도였으며, 그들이 가져온 족보도 최근에 써진 것으로 보이고 내용도 틀린 것이 많았다고 했다. 그렇지만 그는 서울에서 정선 이씨의 후손을 만났고, 정선 이씨의 시조 역시 베트남 왕족이었다는 것을 알게 되었다고 한다(Trần Đại Sỹ, 2012.07.26.).

2   북한과의 관계

베트남(북베트남)은 1950년 1월 30일 북한과 정식 외교 관계를 수립하였으며, 1957년 7월에 호찌민 주석이 북한을 방문하였고, 1958년 11월에는 김일성 주석이 베트남을 방문하였다. 1965년 5월 20일에 북한은 베트남 전쟁에서 북베트남을 지지하는 선언을 발표하였고, 베트남 전쟁 동안 북베트남에 대한 군사적 지원을 했다. 일반적으로 베트남과 북한은 수교 이후 베트남 전쟁이 끝날 때까지 아주 우호적인 관계를 유지했다고 볼 수 있다. 그러다가 1978년 베트남의 캄보디아 원정으로 관계가 악화하였다. 북한은 당시 중국 편에 서서 베트남의 캄보디아 원정을 반대했었다. 그로부터 1992년 한~베트남 수교 이후로 관계가 소원했다가 1990년대 중반부터 관계가 개선되기 시작하여, 2000년대 들어와 양국의 고위 관리들이 상호 방문하면서 관계가 호전되었다고 볼 수 있다. 하지만 실제로 경제교류는 별로 없는 편이다. 베트남 정부는 북한에 대한 투자 타당성 검토를 위해 대표단을 파견하기도 했지만, 베트남 기업인들은 관망하는 추세이다(Triệu Phong, 2011, pp. 117~118).

경제 관계는 2000년 9월에 양국 경제~과학기술 협력위원회가 설립되어, 2001년부터 하노이와 평양을 오가며 매년 한 차례씩 회의를 개최하고 있다. 수출입은 1993년 베트남이 35,000불 정도를 수출했고, 북한에서 450만 불을 수입했다. 1996년에 북한이 베트남 쌀 2만 톤을 수입했으나 그 대금을 갚지 않은 이후로 거의 교역 관계가 중단되었다. 2007년 10월 기준으로 원금과 이자를 포함하여 약 180만 달러라고 한다.

베트남 정부는 2000년에 1천 톤, 2001년에 5천 톤, 2002년에 5천 톤, 2005년에 1천 톤의 쌀과 5톤의 천연고무를 북한에 원조하였고, 2007년에는 긴급원조로 5만 달러와 쌀 2천 톤을 지원하였다.

1993년 중반에 하이즈엉성에 350만 불 규모로, 베트남이 원료를 제공하고 북한은 기계설비를 제공하여, 합작공장을 세웠는데, 베트남 측이 이 합작공장에서 철수하여 북한이 단독으로 운영하다가 2001년에 이 공장을 베트남 측에 팔았다. 북한은 하노이에 "평양관"과 "우의관"이라는 식당을 열었다. 이 "우의관"은 2009년 8월에 폐쇄하고, 2012년 5월에 "조선유경식당"을 개관해서 영업 중이다(외교부, 2013, p. 172).

1960년대와 70년대 초까지 북한은 수백 명의 베트남 유학생을 받았고, 매년 4월에는 베트남 문화예술단이 평양을 방문하였으나, 1970년대 중반 이후로 거의 왕래가 없는 편이다. 2002년 5월 쩐득르엉 국가주석 북한 방문 시에 해상운송협정, 무역협정 등을 체결하였고, 2004년에는 베트남과 사법공조협정을 체결했다(Hiệp định Số 47/2004/LPQT, 2004.5.20.).

2.1. 북한 유학생 사건

1997년 인터넷에 한 베트남 사람의 회고록이 올라왔다. 그 회고록의 저자는 부트히엔이었다. 그는 1933년생으로, 1949년 군에 입대하였고, 1954년부터 영화 분야에 근무하면서 소련에서 시나리오를 1959년까지 공부했다. 베트남 <베트남 사진 신문_{Báo Ảnh Việt Nam}>의 편집을 맡았다. 1967년 하노이 시내를 자전거를 타고 가던 중 비밀경찰에 체포되어 호아로 하노이 교도소, 벗밧 썬떠이 교도소, 떤럽 푸토 교도소 등을 거쳐 아무런 재판 없이 1976년 석방되었다. 그의 아버지는 호찌민 주석의 경호, 의상을 담당하던 개인비서였다. 어린 시절에는 주석궁에 자주 놀러 가서 잡무를 도와주기도 했다고 한다. 반당 분자 색출 사건에 연루되어 교도소에 갔고, 풀려난 후, 고무농장에서 일하기도 했고, 1990년에는 문인회 회원이 되었으며, 1993년 베트남 회사의 통역으로 러시아에 갔다가 그 회사의 러시아 주재원이 되었고, 1995년 모스크바를 떠나 폴란드, 파리, 폴란드 등으로 옮겨 다니다가 프랑스에 망명을 신청하였다. 1997년 4월 수년 동안 집필하던 자신의 교도소 생활을 그린 "대낮 가운데의 한밤중_{Đêm giữa ban ngày}"을 출간하였다. 이 회고록 중에 중국에서 유학하던 북한 학생이 베트남으로 밀입국했다가 체포되어 교도소에서 만났던 얘기와 그가 소련에서 유학 시절에 경험한 북한 유학생의 얘기를 소개한다.

어느 북한 유학생의 얘기

아, 내 삶은 어찌 그리 기구한지! 계속해서 그런 일이 벌어지는 것은 내가 오직 비정상적인 사건들의 목격자가 되기 위해서 태어난 것 같았다. 그리고 비정상적인 사건들은 교도소에서 수없이 많았다... 마리넷보다 먼저 나는 한 조선 청년을 먼저 만났었다. 김씨 성을 가진 그 청년을 1971년 가을에 떤럽에서 만났다. 아주 드문 경우였고, 너무 이상했으며, 너무 비참했다..

김 군은 하노이 교도소로부터 떤럽으로 이송되었다. 교도소에 있던 사람들이 그들 중에 이상한 사람이 있다는 것을 우리에게 자랑하기 위해 그를 가리켰다. 조선 청년은 무심하게 혼자 서서, 누구와 얘기할 줄을 몰랐다. 나는 중국어로 그에게 "니하오?"라고 인사하고, 조선 사람이냐고 물었다.

"예!"

나의 중국어는 그 정도밖에 안 됐다. 운 좋게도 김 군은 러시아어를 할 줄 알았다. 나는 왜 체포되었냐고 물었다. 김 군은 이해할 수 없다는 표정으로 대답했다. "저는 이해할 수 없어요. 저는 아무것도 몰라요. 왜 저를 체포했을까요? 저는 북경에서 공부하던 조선 대학생입니다. 저는 베트남을 사랑합니다. 저는 자원해서 베트남을 도와 미국과 싸우려고 왔는데, 아무도 저를 받아주지 않았어요. 제가 열차를 타고 남쪽으로 내려갔는데, 그곳에 가면 틀림없이 베트남으로 가는 길이 있다고 생각했습니다. 핑셍에 도착하니, 국경을 통과하기 위해 기다리는 커다란 파이프를 실은 트럭 행렬이 보였어요. 그 파이프 속으로 기어들어 갔고, 과연 국경을 통과할 수 있었습니다. 그것은 베트남에 원조하는 기름 파이프였어요. 박쟝에 도착해서 저는 기어 나왔습니다. 저는 미국과 싸우겠다고 베트남 행정기관을 찾아갔는데, 체포되었어요.."

"사람들이 믿지 않던가요?"

"그들은 아무 말도 하지 않았어요. 먹을 것을 주고, 이 일을 조사할 것이라고 말했습니다. 그들은 하노이에 있는 우리 대사관에 물었답니다."

"대사관에서는 뭐라던가요?"

"통역을 통해서 들은 바로는 대사관에서 '조선에는 기율이 없는 공민은 없다. 베트남 동지들이 맘대로 처리해라!'라고 했답니다. 그리고 교도소에 들어왔지요."

"자네가 저항했어야지?"

"저항했지요. 그런데 그들은 '안심해라, 잠시 여기에 머물면 사람들이 더 조사할 것이다'라고 말했습니다."

김 군이 한숨을 쉬었다. 이해할 수 없는 것은 그때 내 머릿속에 장난칠 생각이 떠올랐고, 지금 생각하니 너무 심했다는 생각이 든다.

"김 군! 내 생각에 자네는 다른 혐의를 받고 있는 것 같은데... 사람들이 자네에게 말하지 않는 것 같아."

"무슨 죄요? 저는 그들에게 솔직하게 진술했는데요. 저는 베트남 인민과 함께 미국과의 전쟁에 참여하고 싶다고 말입니다."

나는 잠시 생각하는 척하다가 말했다.

"자네를 간첩이라고 생각할 수도 있어."

"간첩! 어떻게 그렇게 생각할 수 있겠어요? 제가 미국의 간첩이라고요?"

"자네도 조선의 수출품 중 강점을 가진 것이 인삼이라는 것은 알고 있을 거고."

"맞아요!"

"베트남도 인삼이 있는데, 조선 인삼과 경쟁할 수 있는 것으로, 베트남 정부가 아주 비밀스럽게 이 인삼을 지키고 있지."

"그래요?"

나는 엄지손가락을 가리키며 말했다.

"조선 인삼이 이 정도 되지? 큰 고추만 하지?"

"예. 한 뿌리에 둘 또는 세 갈래로 갈라져 있어요."

"자네 잠시 기다리면 베트남 인삼이 얼마나 큰지 알 것이네."

농장 일을 하는 죄수들이 수확한 타피오카를 부엌으로 낑낑거리며 메고 왔을 때, 김 군은 눈이 휘둥그레져서, 내가 이해할 수 없는 조선말로 감탄사를 연발했다.

그날 밤 나는 베트남 교도소에 갇힌 이 조선 청년은 다른 사람과 다른 처우를 받을 것으로 생각했지만 그렇지 않았다. 그가 징벌 독방에 감금된 것이다. 나는 김 군이 밤마다 날이 밝을 때까지 소리치며 벽을 두드리는 소리를 들었다. 며칠 동안 계속 그랬다. 그리고 독방은 완전히 침묵했다. 그는 다른 곳으로 이감되었거나 살았거나 죽었을 것이다(Vũ Thư Hiên, 1997, pp. 628-629).

호은표 사건

1956년 겨울, 소련 영화대학교에서 전에 없던 사건이 일어났다. 조선 인민민주주의 공화국 공산당원이며, 시인인 호은표라는 학생이 그가 서기로 있던 당 지부의 부정기 회의에서, 조선 노동당은 개인숭배와 비민주적 상황에 관해 김일성 주석을 엄격하게 점검해야 한다고 외쳤다.

소련에 유학 오기 전에 호은표는 서울에서 활동한 첩보 장교로, 여러 번 다치고, 적에게 체포되기도 했었다. 그가 건의서를 보낸 뒤에, 외교관을 가장한 조선의 비밀 요원들이 학교로 찾아와 대사가 부른다고 하여 데려간 다음 대사관 내에 감금시켰다. 호은표는 기막힌 꾀를 내어 그들을 속이고, 4층에서 뛰어내려 탈출했다. 바닥에 쌓여있던 눈이 20m 공중에서 떨어지는 충격을 완화했다.

그가 탈출했다는 소식을 듣고, 우리들이 찾아가서 물었다.

"저들이 너를 죽이려고 했니? 바로 대사관 내에서?"

"아니. 저들은 나를 강제로 귀국시키려고 했어."

그는 넘어져 삔 팔을 앞가슴에 대고, 대사관 탈출에 관해 얘기했다. 저들에게 귀국하기 전에 아내를 만나게 해 달라고 말했다고 한다. 그는 같은 조선 사람인 부인이 있었고, 모스크바 의대에 다니고 있었다. 그리고 기숙사에 가서 옷을 챙기게 해달라고 했지만, 저들은 "조선에 가면 아내도, 옷도 필요 없고 오직 한 벌이면 충분하다."라고 말했다고 했다.

눈물을 줄줄 흘리며 호은표는 나에게 김일성, 국회, 정부, 당에 보낸 편지를 읽어주었다. "나는 영웅적인 조선 인민을 배반한 당을 버리기로 선언한다. 나는 아픈 마음으로 조선 인민민주주의 공화국 국적을 포기한다. 왜냐하면 그것은 나에게 걸맞지 않으며, 나의 국적이 아니고, 노예의 이마에 찍힌 낙인이다. 내 몸속에는 영원히 조상의 피가 흐르고, 나는 영원히 조선인이라는 자부심을 품고 살 것이다.."

나는 호은표가 애타게 글을 읽는 것을 듣고 마음이 아팠다. 김일성의 사람은 호은표 납치에 실패했다. 20차 전당대회 후의 소련은 다른 소련이 되었다. 그러나 아주 다른 것은 아니었다. 소련 영화대학교는 부끄러운 일을 했다. 그들은 아무런 이유 없이 호은표 학생을 내쫓는 명령을 내렸다.

호은표는 타슈켄트로 가서 조선 문학 강사가 되었다. 호은표 사건이 후에 나는 김일성과 그가 통치하는 나라를 경멸했다. 소련 붉은 군대의 한 중위는 북조선이 병영으로 바뀌었으며, 민중들은 군대식으로 지배받고 있다고 했다(Vũ Thư Hiên,1997, pp. 95~96).

제 10 장

주요 도시

---

1   하노이 Hà Nội

하노이는 베트남의 수도이다. 홍하델타의 삼각지에 위치하며 동북쪽은 땀다오_{Tam Đảo} 산, 서남쪽은 바비_{Ba Vì} 산과 딴비엔_{Tản Viên} 산으로 둘러싸여 있다. 인구는 약 843만 명 2022년 기준이며, 면적은 약 3,359.8㎢이다. 그러나 1954년에는 면적이 152㎢에 인구는 54,000명에 불과했었다. 1978년에는 2,136㎢의 면적에 인구가 250만 명으로 늘어났다. 인구밀도는 시내 중심가와 교외 농촌지역이 현저하게 다르다. 가장 인구밀도가 높은 중심지는 ㎢ 당 35,000여 명인데, 인구밀도가 낮은 농촌지역은 ㎢ 당 1천 명에 불과하다.

하노이에는 크고 작은 호수가 많이 있다. 그중 시내에서 가장 큰 호수인 호떠이_{Hồ Tây, 西湖}는 면적이 500ha가 넘는다. 11세기에는 이 호수의 이름이 '안개 호수'라는 의미를 가진 덤무스엉_{đầm Mù Sương}이라고 불렸으며, 15세기부터 호떠이로 부르기 시작했다고 한다. 리 왕조 때부터 호수 주변에 궁전이나 휴식처를 세웠고, 현재 호수 주변에는 61개의 딩과 사찰, 사당 등이 있다.

다음으로는 하노이 중심부에 있는 호그엄Hồ Gươm 또는 환끼엠Hoàn Kiếm 호수라고 불리는 호수인데, 호수에서 거북이가 신검을 물고 나와 레러이Lê Lợi 왕에게 전달했고, 왕은 그 검으로 적을 물리친 뒤에 다시 그 검을 거북이에게 되돌려 주었다는 전설이 있다. 그래서 환끼엠還劍 호수라고 부른다. 현재 이 호수에는 거북이가 살고 있으며, 가끔 모습을 드러내기도 한다. 호수 가운데에는 거북탑이 세워져 있다.

호떠이 가장자리에 있는 작은 호수는 쭉박익 호수Hồ Trúc Bạch이다. 호떠이와 쭉바익 호수 사이는 도로를 사이에 두고 양쪽으로 나뉘어 있는데, 이 도로를 드엉타잉니엔Đường Thanh Niên, 청년로라 부른다. 1968년에 청년들을 동원해서 이 도로를 건설했고, 호찌민 주석이 '청년로'로 이름을 붙였다고 한다.

하노이역에서 가까운 곳, 그리고 통일공원 정문 앞에 티엔꽝 호수Hồ Thiền Quang가 있다. 전에는 이 호수가 더 넓었지만 1920~1925년에 메워서 시내를 넓혔다고 한다. 그리고 통일공원 내에 있는 호수를 바이머우 호수Hồ Bảy Mẫu라고 한다. 바이는 7이라는 의미이고, 머우는 베트남의 면적 단위로, '호 바이머우'는 면적이 7 머우라는 뜻이다. 그러나 실제로 이 호수의 면적은 30 머우가 넘는다고 한다. 그 외에도 10여 개의 호수가 있다. 1996년까지는 하노이 시내에만 40개가 넘는 호수가 있었다고 한다.

하떠이 성이 하노이로 편입되면서 두 개의 큰 호수가 하노이에 편입되었는데, 하나는 호수오이하이Hồ Suối Hai이고, 다른 하나는 호동모~응아이선Hồ Đông Mô~Ngai Sơn이다. 호수오이하이는 인공 호수로 면적이 1,000ha가 넘고, 호떠이의 두 배에 이른다. 호동모~응아이선은 산정 호수로, 호수오이하이로부터 동쪽으로 약 20㎞ 떨어져 있으며, 면적은 1,300ha에 이른다. 호숫가에 36홀의 동모 골프장이 있다. 홍강이 하노이를 관통하는데, 시를 지나는 강의 길이는 약 120㎞이고, 가장 높은 산은 짬찜 산으로 462m이다.

겨울의 평균 기온은 15.2℃이고, 1955년 1월에는 2.7℃까지 내려간 적이 있다고 한다. 여름의 평균 기온은 29.2℃이며, 1926년 5월에 42.8℃까지 올라간 적이 있다. 연간 평균 기온은 23.6℃이며 강우량은 1,800mm이다(Vũ Thế Bình, 2012, p. 134).

하노이는 B.C. 258년 안즈엉브엉_{An Dương Vương} [1]이 세운 어우락_{Âu Lạc} 국의 수도였다. 당시는 꼬로아_{Cổ Loa}라는 이름이었으며, 현재 하노이 동아잉_{Đông Anh} 지역이다. 그리고 중국이 지배할 때는 교지군의 군 소재지로 당시의 이름은 다이라_{Đại La} 성이었다. 이어 1010년 대월국 리 왕조의 태조 리꽁우언_{Lí Công Uẩn}이 호아르_{Hoa Lư}에서 다이라로 수도를 옮기면서 비로소 베트남의 수도가 되었다. 리 태조의 배가 지금의 홍 강에 다다랐을 때 노란색 용이 나타났는데, 이것은 좋은 징조라고 여겨서, 다이라를 탕롱_{Thăng Long, 乘龍}으로 바꾸었다. 1397년 호뀌리_{Hồ Quý Ly}가 동도_{Đông Đô, 東道}로, 1428년 레러이_{Lê Lợi}가 동낑_{Đông Kinh, 東京}으로, 1831년 응웬 왕조의 밍망_{Minh Mạng} 왕이 하노이_{Hà Nội, 河內} 성으로 명명했고, 1888년 프랑스 총독이 하노이시로 승격시켰다. 1946년 1월 베트남민주공화국의 수도가 되었고, 통일 이후 1976년 4월 베트남사회주의공화국의 수도로 확정되었다. 하노이는 베트남의 정치, 경제, 문화, 역사, 교육의 중심지이다(Vũ Thế Bình, 2012, pp. 137~138).

하노이는 천년이 넘는 기간 동안 베트남의 수도였기 때문에 많은 역사 유적이 있다. 물론 여러 차례의 전쟁을 겪으면서 많은 유적이 파괴되었지만, 여전히 볼만한 역사 유적들이 많이 있다. 여기에서는 대표적인 유적지나 관광지를 소개한다(Vũ Thế Bình, 2012, pp. 147~189).

---

1) An Dương Vương安陽王의 이름은 Thục Phán蜀泮으로, 베트남 역사서에 따르면 BC. 258~BC. 208년간 재위했다고 하며, 사마천의 사기에 따르면 BC. 208~BC. 179년까지 재위했다고 한다.

1.1. 꼬로아 성과 안즈엉브엉 사당

꼬로아 성은 하노이 중심부에서 약 18㎞ 떨어진 동아잉현에 있으며, 어우락국의 수도였다. 3겹으로 된 토성으로, 안즈엉브엉 사당과 그의 딸이었던 미쩌우 공주를 기리는 암자가 있다. 이 유적지에서는 청동 화살촉과 농기구, 동물 뼈 등이 출토되었다.

1.2. 문묘Văn miếu와 국자감Quốc tử giám

하노이 시내에 있으며 문묘는 유교의 성현들과 베트남의 유명한 유학자의 제사를 지내는 곳으로 1070년에 건설되었고, 오늘날의 국립대학이라고 할 수 있는 국자감은 1076년 세워졌다. 그리고 1482년 레 왕조의 성종이 1442년 이래로 과거에 급제한 사람들의 이름과 고향을 비석에 새겨, 거북이 조각상 위에 세워놓은 진사비가 있다. 현존하는 진사비는 82개가 있다. 시험을 앞둔 베트남 학생들이 이곳을 찾아 거북이 머리를 만지며 합격을 기원하는 풍습이 있다.

1.3. 하이바쯩Hai Bà Trưng 사당

리 왕조의 영종 때인 1142년부터 만들어졌으며, 중국에 대항하여 봉기를 일으켜 잠시나마 정권을 잡았던 쯩짝Trưng Trắc과 쯩니Trưng Nhị 자매를 기리기 위해 세워졌다. 두 자매의 상과 좌우에는 군대를 이끌고 전투에 나서는 12 여장군의 상이 있다. 매년 음력 2월 5일과 6일에 이들을 기리는 추모 축제가 열린다. 동년Đồng Nhân 마을에 있다고 하여 '동년 사당'이라고도 부른다.

1.4. 푸동Phù Đổng 사당

6대 훙브엉 시대에 은나라 적군을 물리친 전설적인 영웅 타잉종Thánh Gióng을 기리는 사당이다. 리 왕조 태조 때부터 건설되어 여러 번 중수되었다. 중요한 유물로는 19세기에 만들어진 계단 옆에 만든 용 석상과 사자상 그리고 1660년에 만든 현판, 잘 조각된 제단 등이다. 음력 9월 4일에는 타잉종이 은나라 군을 물리치는 모습을 재현하는 축제가 열린다.

1.5. 응옥선Ngọc Sơn, 玉山 사당

환끼엠 호수 안에 있으며 19세기에 세워졌다. 처음에는 '절'이었으나 '사당'으로 바뀌었다. 이는 과거시험을 관장하는 반스엉Văn Xương 신과 원나라 몽골군을 물리친 쩐흥다오 장군을 모시기 때문이다. 경내로 진입하는 다리 입구에는 오층탑 위에 붓을 거꾸로 세워둔 모양의 탑Tháp Bút, 1865년이 있다. 사당 안에는 거북이 박제를 전시하고 있다.

1.6. 쭈어쩐꾸옥 Chùa Trấn Quốc, 鎭國寺

호떠이에 있는 작은 섬 위에 있는 541년부터 건설된 베트남에서 가장 오래된 사찰이다. 청년로 끝에서 바라보면 호수 위에 크고 작은 탑들이 보이고, 사찰 내에는 베트남 조각 기술의 경지를 보여주는 석가모니 상이 있다. 경내에 보리수나무가 있는데 1959년 인도 대통령이 하노이 방문 때 기증한 것이다.

1.7. 쭈어못꼿 Chùa Một cột, 一柱寺

지엔히우뜨_{Diên Hựu tự, 延祐寺}라고도 불리며, 리 왕조 태종 때인 1049년에 건축되었다. 전설에 따르면, 태종이 나이가 많았는데 아들이 없어 자주 각 사찰을 찾아다니며 불공을 드렸다고 한다. 어느 날 하노이 서쪽의 네모난 호수 연꽃 위에 관음불이 나타나 아들을 왕에게 건네주는 꿈을 꾸었다. 그리고 얼마 후 왕비가 아들을 낳았고, 왕은 꿈속에서 보았던 모양대로 일주사를 짓도록 했다. 일주사는 작지만, 연꽃 모양으로 베트남의 독특한 건축양식을 보여준다.

1.8. 쭈어꽌스 Chùa Quán Sứ, 舘使寺

환끼엠 구 꽌스 거리 73번지에 있으며, 15세기에 건축되었다. 베트남 역사서 호앙레녓통찌_{Hoàng Lê Nhất Thống Chí}에 따르면, 레 왕조 세종 때에 점성국과 라오스에서 베트남에 조공을 바치는 사신을 자주 파견하였고, 그 사신들의 숙소를 지었는데, 이름을 꽌스_{舘使}라고 했다. 그리고 그 나라 사신들이 불교를 숭상해서 그 관사 내에 사찰을 지어 예불했다고 한다. 그리고 현재 관사는 사라지고 사찰만 남아있다. 1934년부터 북부 불교회 본부로 사용하다가 1942년에 재건축되었고, 1958년부터는 베트남 불교회 본부로 사용하고 있다.

1.9. 주석궁 Phủ Chủ Tịch

1901년에 건설을 시작하여 1906년 완공되었고, 인도차이나 총독의 관저로 사용되었다. 4층짜리 노란색 건물로 현재는 국가주석의 집무실로 사용하고 있다. 외국 국가원수의 베트남 공식 방문 시에 영접 의례를 행하는 곳이다. 호찌민 주석릉 옆에 있다.

1.10. 하노이 대극장 _{Nhà hát lớn thành phố}

파리의 오페라 하우스의 형태로 지은 극장으로 900석의 좌석을 갖추고 있으며, 1911년 완공되었다. 극장 앞에는 조그만 광장과 짱띠엔 거리가 보인다. 1945년 8월 17일 2층에 베트남 금성홍기가 걸렸으며, 8월 혁명을 지지하는 궐기대회가 열리기도 했다. 1997년 프랑스 정부의 지원을 받아 초기의 모습 그대로 수리됐다. 바로 옆에 대극장과 조화를 이룬 하노이 힐튼 호텔이 있다.

1.11. 호찌민 주석릉 _{Lăng Chủ tịch Hồ Chí Minh} 과 바딩 _{Ba Đình} 광장

1973년에 시작하여 1975년 완공되었다. 바딩 광장 정면에 있으며, 호찌민의 시신을 미이라 형태로 보관하는 곳이다. 이 능에는 참배객이 끊이지 않으며, 오전에만 개방하고, 일주일에 한두 번은 문을 닫기 때문에 미리 개방 여부를 알아보고 방문하는 것이 좋다. 건축물은 베트남과 구소련 기술자들의 합작품이다. 바딩 광장의 길이는 320m, 폭은 100m이다. 이곳에 1945년 9월 2일 호찌민 주석이 독립선언문을 낭독했다. 광장의 서쪽에는 호찌민 주석의 박물관, 기념품점, 호찌민 주석이 거주하던 고상 가옥 등이 있다.

1.12. 박물관

역사박물관 _{Viện bảo tàng lịch sử Việt Nam} 은 하노이 대극장 근처에 있다. 선사시대부터 8월 혁명까지의 역사 유물과 사진 등을 전시하고 있다. 혁명박물관 _{Bảo tàng Cách mạng} 은 1959년 8월에 설립되었으며, 대 프랑스 항전과 독립 투쟁, 사회주의 건설 과정에 관한 자료, 유물을 전시하고 있다. 미술박물관 _{Bảo tàng Mĩ thuật Việt Nam} 은 응웬타이혹 거리 66번지에 있으며, 1만여 점의 원본 또는 복제품을 전시하고 있다. 각 소수 종족별로, 그리고 시대별로 미술작품을 전시하고 있다. 그 외에도 도자기, 민화, 옻칠 회화, 조각품 등을 전시한다. 민족박물관_{Bản tàng dân tộc Việt Nam}은 하노이 서쪽 꺼우저이 구에 있는데, 1997년에 문을 열었다. 베트남에 거주하는 54개 종족의 생활과 문화를 소개하는 각종 유물, 사진, 비디오테이프 등의 자료와 고상 가옥 등 베트남 문화의 다양성과 독특함을 볼 수 있다. 여성박물관 _{Bảo tàng Phụ nữ Việt Nam}은 하노이 중심부에 있고, 여성 관련 연구 자료, 유물을 전시하고 있다. 여성동맹의 역사와 여성의 복장, 독립 투쟁에서의 여성의 활동 등을 볼 수 있다.

1.13. 호아로_{Hỏa Lò} 교도소 터

하노이 시내에 있는 호아로 교도소 터는 프랑스 식민지 시절에 많은 베트남 공산주의자를 가둔 곳으로, 1954년 이후로는 일반 범죄자들을 수용하던 곳이었다. 1994년에 이 교도소를 외각으로 이전하고 이곳에 26층짜리 쌍둥이 빌딩을 지었다. 그리고 이 호아로 교도소의 일부를 유적으로 남겨 놓았다. 프랑스 식민지 시대의 감옥 모형과 단두대 등을 전시하고 있다. 베트남전 당시에는 격추당해 포로가 된 미군 조종사들이 수감돼 있던 곳으로 "하노이 힐튼"이라고 불렸다.

1.14. 36 거리 36 phố phường

하노이 구시가지를 일컫는 말이다. 환끼엠 호수의 북쪽, 분수대를 지나며 시작된다. 옛날에는 각 상점이 모여서 거리를 형성했고, 그 제품의 이름을 따서 거리 이름을 붙였다. 면제품을 파는 항봉_{Hàng Bông}, 설탕, 절인 과일을 파는 항드엉_{Hàng Đường}, 함석제품을 파는 항티엑_{Hàng Thiếc}, 돗자리를 파는 항찌에우_{Hàng Chiếu,}

제사용품을 파는 항마Hàng Mã 등이 있다. 지금은 36개 거리 이름과 그곳에서 파는 제품이 일치하지 않는 경우가 많다. 그러나 앞의 몇몇 거리는 여전히 그 명맥을 유지하고 있다. 항응앙Hàng Ngang 거리는 15세기 이후 중국인들의 하노이 거주가 허용되어, 이들이 집중적으로 모여 장사하던 곳이었다. 이 거리의 양쪽 입구에는 출입문이 있었고, 밤에는 이 출입문을 잠가서 통행을 금지했다고 한다. 그런 연유로 거리 이름을 '가로 막다'라는 의미의 '응앙ngang'으로 붙인 것이다. 항드엉에서 조금 더 가면 하노이에서 가장 큰 시장인, 동수언Đồng Xuân 시장이 있다.

1.15. 기타

전통 도자기 마을인 밧짱 도자기 마을Làng gốm Bát Tràng이 있고, 뱀을 길러 약제와 음식을 만들어 파는 레멋 뱀 마을Làng rắn Lê Mật, 투레 동물원Vườn thú Thủ Lệ, 통일 공원Công viên Thống Nhất 등이 있다.

2   호찌민시 Tp.Hồ Chí Minh[2]

호찌민 시는 수도인 하노이보다 인구가 많은 베트남 최대의 상업 도시로, 면적은 2,095㎢, 인구는 939만 명(2022년)이며, 거주하는 종족은 낑족, 화교, 크메르족, 짬족 등이다. 건기와 우기(5월에서 11월)의 구분이 명확하다. 평균 강우량은 1,979mm이고 평균 기온은 27.5℃이다.

---

2) 호찌민시 공식 사이트인 http://www.hochiminhcity.gov.vn를 참고로 작성하였다.

하노이로부터 육로로 1,730㎞ 떨어져 있고, 동쪽 바다로부터는 직선거리로 50㎞ 떨어져 있다. 사이공 항구는 연간 1천만 톤의 화물을 처리할 수 있고, 떤선녓 국제공항은 시내 중심지로부터 7㎞ 거리에 있다. 사이공은 1698년 응웬 씨 가문에서 처음으로 응웬히우까잉_{Nguyễn Hữu Cảnh} 장군을 파견하면서 베트남에 편입되었다. 그는 이곳에 쟈딩부_{phủ Gia Định}를 설치하였다.

이후 1859년 프랑스가 남부 베트남을 점령하고, 이곳에 인구 50만 명의 도시 건설 계획을 세웠다. 이후 프랑스는 사이공을 남북과 동서 방향의 두 축을 중심으로 도시 개발을 시작했고, 시멘트와 벽돌로 지은 고층 빌딩, 광장, 항구, 공원 등이 세워지면서 점차 도시의 모습을 갖추었다. 일교차가 적은 기후, 지리적 편리함으로 많은 상인이 모여들기 시작했고, 1862년 사이공 항이 개항되면서 서양 상선들이 드나들기 시작했다. 1874년 3월 15일 프랑스 총통이 사이공 시로 승격시키는 문서에 공식 서명함으로써 사이공 시가 되었다. 그리고 1949년부터 남베트남의 수도였으며, 1955년 베트남 공화국 수립 이후 1975년 4월 30일까지 역시 남베트남의 수도였다. 통일 이후 1976년 7월 2일 사이공 시를 호찌민시로 개명하였다. 이러한 개명을 보반끼엣 자신이 주도했다는 것을 시인했다고 한다. 그러나 이미 1946년 8월 27일 자, 구국신문_{báo Cứu Quốc}에, 57명의 남부 출신 인사들이 사이공을 호찌민시로 개명해달라는 결의서를 게재했다고 한다. 그리고 1954년 8월에 쓴 또히우_{Tố Hữu}의 시 중에 "호찌민시에 가면..."이라는 구절이 있었고, 당시 또히우는 시인이었을 뿐만 아니라 중앙당 선전위원장이었기 때문에 그의 의견은 당연한 것으로 받아들여졌으리라는 것이다(Huy Đức 2012a: 204). 사이공은 식민지 시절부터 "원동_{遠東}의 진주"라는 별칭을 가질 만큼 경제, 문화, 관광의 중심지이며, 활력이 넘치는 '젊은 도시'이다(Vũ Thế Bình, 2012, pp. 673~674).

사이공_{Sài Gòn}이라는 명칭에 관해서는 여러 가설이 있다. 그중 하나는 사이공이 열대 식물인 "목면_{木棉, cây bông gòn} 나무가 많은 땅" 또는 "목면 숲_{rừng cây gòn}"에서 유래되었다는 설과 또 다른 설은 고대 크메르어인 "Prei Nokor"에서 왔으며, 이 뜻 역시 "나무가 많은 땅" 또는 "왕의 숲"이라는 의미라고 한다(Nhiều tác giả, 1998, p. 11).

사이공이 베트남에 편입되기 전에 이곳에 살던 사람들은 누구인가? 현재까지 충분한 유물과 사료가 없어서 누가 이곳 사이공에 살았는지 확정 짓기가 어려운 실정이다. 다만 지금까지의 여러 자료에 근거하면, 약 1세기부터 이곳에 사람이 살았으며, 초기 거주민은 소수 종족인 스띠엥Xtiêng족과 마Mạ족이 살았다. 그러나 이 종족들은 수 세기 동안 살아왔지만, 국가체제를 이루지 못했다. 당시 캄보디아는 이곳까지 영향을 미치지 못하고 있었다. 그리고 17세기에 이르러 베트남 이주민들이 이곳으로 정착하기 시작했고, 일찍이 논농사 기술에 익숙한 베트남인들은 이곳에서 농사를 지으며 생산을 확대하고, 수십 년이 흐르면서 인구가 증가하였다. 수렵채집 생활과 밭벼 재배에 익숙했던 스띠엥족과 마족 그리고 소수의 크메르인은 기술적 진보를 이루지 못하고 평야 지역을 떠나 구릉지나 산악지역으로 이동하였다. 18세기 초에 사이공 외곽에 살던 소수 종족은 그들의 종족이 오랫동안 살고 있던 북쪽의 산악지역으로 이주하였다(Trần Văn Giàu & Trần Bạch Đằng 1998: 201~202).

그리고 중국의 화교들이 이곳에 정착하게 되는데, 특히 화교들은 청나라가 집권한 후, 고향을 버리고 떠나온 명나라의 장군과 그 가족들이었다. 1679년 진상천陳上川과 양언적楊彦迪이 3,000여 명을 50척의 전함에 태워 베트남에 귀순 요청을 했고, 당시 응웬 씨 가문은 진상천 일행은 비엔호아Biên Hòa에, 양언적 일행은 미토Mỹ Thọ에 정착하도록 허락했다. 이들 중 일부가 나중에 사이공으로 다시 이주하여 마을을 형성했는데, 이것이 밍흐엉 마을làng Minh Hương이다(Cao Tự Thanh, 2007, pp. 13~14).

호찌민시는 베트남, 중국, 프랑스 건축물이 다양하게 혼재되어 있고, 개방 이후에는 현대식 건물이 들어서, 다양함과 전통이 조화를 이루고 있고, 많은 사찰과 유적, 관광지가 있다(Vũ Thế Bình, 2012, pp. 683~696).

2.1. 쭈어쟉럼 Chùa Giác Lâm, 覺林寺

떤빙 구에 있으며, 1744년에 건립되었고, 1804년과 1909년에 중수되었다. 임제종에 속하는 사찰로, 짙은 갈색 기둥에 금색으로 대구對句를 새겨놓은 것이 특징인데, 모두 143쌍의 대구가 있다. 석가모니 상과 관음보살상 외에도, 염라대왕 상, 구룡 상, 달마대사 상, 용왕 상이 있고, 113개의 구리 또는 희귀 나무로 만든 불상이 있다.

2.2. 쭈어빙응이엠 Chùa Vĩnh Nghiêm, 永嚴寺

선종의 일파인 죽림파에 속하는데, 죽림파는 쩐 왕조 인종1258~1308에 의해서 세워졌다. 죽림파의 시조와 2대, 3대가 모두 박쟝 성의 빙응이엠사에서 수행했고, 득도했다고 한다. 빙응이엠사는 1964년부터 1971년까지 건축되었고, 면적은 8,000㎡이며, 공工자 형태로 지어졌다. 관음탑은 7층으로 35m이며, 불당에는 석가모니 상 양옆에 문수보살과 보현보살상이 있다. 양쪽 벽에는 6편의 목제 부조 나한상이 있다. 빙응이엠사는 호찌민시에서 가장 큰 대승불교 사찰이다. 사찰 내에 불교전문대가 있다.

2.3. 쭈어싸러이 Chùa Xá Lợi, 舍利寺

3구에 위치하며, 1956년 8월에 공사를 시작하여 1958년 5월 준공식을 거행했다. 1층은 강당, 2층은 불당으로, 현대식 건축물이다. 이 절에는 나라다가 기증한 사리를 보관하고 있어서 사리사라고 부른다. 6.5m 높이의 돌로 된 석가모니 상이 있는데 1969년에 금박을 입혔다. 2층 불당에는 석가모니가 태어나서 열반하기까지의 과정을 그린 15편의 대형 그림이 있다. 또 7층 높이의 종탑이 있는데, 1961년에 종을 설치했다고 한다. 이 사찰은 베트남 불교회 본부로 사용되고 있다.

2.4. 마리아 성당 Nhà thờ Đức Bà

호찌민시 중심부에 있으며, '대성당'이라고도 부른다. 1877년 10월에 공사를 시작하여 1880년 4월에 완공되었다. 파리의 마리아 성당을 모델로 프랑스에서 설계했으며, 당시 금액으로 250만 프랑이 들었는데, 모두 남부 지역 총독부에서 부담했다고 한다. 폭 35m, 길이 133m, 높이 21m이다. 양쪽 종탑의 높이는 51m이다.

2.5. 기독교 교회 Nhà thờ Tin Lành

1구, 쩐흥다오 거리 155번지에 있다. 호찌민시에 여러 기독교 교회가 있지만 이 교회가 가장 큰 교회로 알려져 있으며, 베트남 기독교 동남부 지회 사무실이 있고, 1950년대에 건축되었다. 2층으로 되어 있고 본당은 2층에 있다. 현재 주일에는 베트남인들이 예배를 먼저 드리고 나서 베트남에 거주하는 우리나라 기독교인들이 이 교회를 빌려서 예배를 드리고 있다.

2.6. 쩐흥다오 사당 Đền thờ Trần Hưng Đạo

1구, 보티사우 거리 36번지에 있으며, 몽골군을 물리친 쩐흥다오 장군을 기리는 사당으로 남부 지역에서 가장 규모가 큰 사당이다. 옛날에는 번안사Chùa

Vân An가 있던 곳인데, 번안사 옆에 쩐흥다오 사당을 지었다. 1958년에 모두 허물고, 사당만 새로 지었다. 마당에 콘크리트로 만든 쩐흥다오 장군상이 있고, 본당에는 1.7m 높이의 쩐흥다오 동상이 있다. 마당 오른쪽에는 유물을 전시한 작은 박물관이 있다.

2.7. 통일 회의장 Hội trường Thống nhất

1873년부터 건축을 시작하였는데, 당시에는 '노르롬 궁'이라고 불렀다. 1954년 응오딩지엠이 대통령궁으로 사용했으며, 1963년에 새로 건축하여 '독립궁'이라고 이름을 지었다. 5층이며 100개의 방이 있다. 해방 후 1975년 12월에 통일 협상 회의가 이곳에서 열렸고, 그러한 연유로 '통일 회의장'이라고 이름을 바꾸었다.

2.8. 호찌민시 인민위원회 청사 Trụ sở Ủy ban nhân dân TP. HCM

1871년부터 프랑스 식민지 당국의 행정본부가 이곳에 있었으며, 1898년에 건축을 시작하여 1908년에 완공되었다. 1954년부터 남베트남 정부의 청사로 사용되다가 통일 이후, 호찌민시 인민위원회와 인민의회의 청사로 사용하고 있다.

2.9. 사이공 우체국 Bưu điện Sài Gòn

1861년에 건축을 시작하여 1863년에 최초의 우체국이 완공되었다. 이 건물은 비교적 단순한 건물이었다. 그 후 1890년에 지금의 사이공 우체국이 완공되었고, 이 건물은 동서양의 건축을 혼합한 형태이다. 정문 위에는 이 건물이 완공될 때부터 걸려 있는 큰 시계가 있다.

2.10. 박물관 (Vũ Thế Bình, 2012, pp. 696~704)

호찌민시 베트남 역사박물관Bảo tàng lịch sử Việt Nam은 1구, 응웬빙키엠 거리 2번지에 있는데, 1929년에 완공되었다. 북경의 여름 궁전 모양을 본떠서 지어졌고, 초기에는 미술 박물관이었으나 1979년에 이름을 베트남 역사박물관으로 바꾸었고, 베트남 선사시대부터 응웬 왕조까지의 17,000여 점의 유물을 전시하고 있다.

호찌민시 혁명박물관Bảo tàng cách mạng thành phố은 1구, 리뜨쫑 거리 65번지에 있는데, 프랑스 건축가에 의해 1890년 완공되었다. 처음 건축할 때는 남부 지역의 산물을 전시하려고 했으나 완공 후, 남부 지역 총독 사저로 사용되기도 했으며, 남부 임시행정위원회 본부로도 사용되었고, 응오딩지엠의 쟈롱궁으로 사용되었다. 1963년 11월 1일 쿠데타가 일어났을 때 지엠 대통령과 동생 뉴가 이 궁전의 지하통로로 빠져나갔었다. 응웬반티에우 대통령 시절에는 대법원으로 사용되었고, 1978년 8월에 호찌민시 혁명박물관이 되었다. 프랑스 식민지 때부터 1975년까지의 혁명 관련 유물과 자료를 전시하고 있다.

똔득탕 박물관Bảo tàng Tôn Đức Thắng은 1구, 똔득탕 거리 5번지에 있고, 남부 베트남 수상 쩐티엔키엠의 사저를 똔득탕 탄생 100주년을 기념하여 1998년 8월 20일에 박물관으로 열었다. 1917년 흑해에 있던 프랑스 전함에서 반전운동을 벌인 유일한 베트남인이었던 똔득탕을 기념하는 자료, 유물을 전시하고 있다. 똔득탕은 호찌민 주석이 사망한 이후 뒤를 이어 1969년부터 1980년까지 주석직을 맡았다.

호찌민시 미술박물관Bảo tàng Mĩ thuật TP. HCM은 1구, 포득찡 거리 97A에 있으며, 1991년에 문을 열었다. 1층에는 전시회 작품을, 2층은 회화 및 조작 작품을, 3

층에는 7세기에서 20세기까지의 미술작품을 전시하고 있다.

남부 여성박물관_{Bảo tàng Phụ nữ Nam bộ}는 3구, 보티사우 거리 202번지에 있는데, 이 건물은 남부 베트남 정부의 경찰청장의 관저였는데, 4층으로 증축하여 1984년 남부 여성박물관으로 바뀌었다. 10개의 전시실과 800석 규모의 회의장, 영사실, 도서관, 자료실이 있다.

전쟁유적박물관_{Bảo tàng chứng tích chiến tranh}은 보반떤 거리에 있으며, 1975년 9월에 문을 열었다. 미국과의 전쟁, 캄보디아 및 중국과의 전쟁 관련 사진과 유물 등을 전시하고 있다.

2.11. 꾸찌 터널 Địa đạo Chủ Chi

호찌민시내에서 서북쪽으로 약 70㎞ 떨어진 곳에 있다. 프랑스 항전 시기인 1948년부터 파기 시작했으며, 당시의 길이는 17㎞에 불과했다. 그리고 1960년대에 들어와 계속 확장되어, 총연장 길이는 약 250㎞가 넘는 것으로 알려져 있다. 3층 구조로 되어 있으며 지하 8~10m 깊이로, 회의실, 병원, 학교 등 지하 생활에 필요한 것을 다 갖추고 있다. 베트남 정부는 이곳을 역사~문화 유적으로 지정하였다.

2.12. 동식물원 Thảo Cầm Viên

사이공 식물원은 세계 8번째로 오래된 식물원으로, 1구, 응웬빙키엠 거리 2B번지에 있다. 1864년 프랑스의 열대식물학자에 의해서 공사를 시작하여 1865년에 완성되었다. 베트남 국내 및 세계의 여러 나라에서 수입한 희귀식물이 있으며, 한쪽에는 동물원이 있는데, 이 동물원은 "서투_{Sở Thú}"라고 부른다. 이곳에 1924년에는 박물관을 지었고, 1929년에는 후에 왕릉에 있는 사당을 본떠서 추모전을 지었다. 1956년 사이공 정부는 박물관을 "사이공 국가박물관"으로, "서투"를 "타오 껌 비엔"으로 바꾸었다. 동물원에는 125종의 동물과 260종의 나무, 난을 키우는 구역, 분재를 키우는 구역 등이 있으며, 면적은 20헥타르이다.

2.13. 덤샌 공원 Công viên Đầm Sen

11구에 있는데, 면적이 52헥타르에 이른다. 각종 동식물, 오락기구, 볼링장, 문화, 체육시설이 있고, 호수에서는 낚시, 보트, 수상 인형극 등을 즐길 수 있다. "덤샌"은 "연꽃 호수"라는 의미이다.

2.14. 벤타잉 시장 Chợ Bến Thành

벤타잉 시장은 시내 중심부에 있으며, 벤응에 강가에 있었다. 벽돌과 목재로 지었으나 1870년 화재로 일부가 소실되었고, 1911년에 허물고 새로 짓기 시작하여 1914년에 완공했다. 1985년 내부를 전면적으로 수리하였다. 이곳은 베트남에서 가장 큰 시장으로 외국 관광객들도 많이 찾는다.

3 하이퐁 Hải Phòng

하이퐁은 북베트남에서 가장 큰 항구 도시이며 하노이로부터 102㎞ 떨어져 있고, 동북쪽은 꽝닝Quảng Ninh 성, 서북쪽은 하이즈엉Hải Dương 성, 서남쪽은 타이빙Thái Bình성과 접하고 있다. 교통의 요충지이며, 북부 물류의 중심지이다. 꽝닝성의 까이런$_{Cái Lân}$ 항구와 더불어 중국 서남부 지역으로 물류 이동이 편리하다.

하이퐁시의 면적은 1,521㎢이고, 인구는 1,803,400명이다. 산림이 전체 면적의 15% 정도를 차지한다. 북쪽은 구릉지와 평야가 혼재된 지형이며, 남쪽은 해발 1미터 내외의 평야 지역이다. 깟바$_{Cát Bà}$섬은 "하이퐁의 진주"로 불리는데, 주변에 360여 개의 섬이 군도를 이루고 있다. 깟바섬은 면적이 100㎢이고, 해발 200미터의 산이 있다. 깟바섬에서 동남쪽으로 90㎞ 떨어진 곳에 바익롱비$_{Bạch Long Vĩ}$섬이 있는데, 흰 백사장과 평지로 이루어져 있다.

기후는 열대 몬순기후로 건기와 우기가 있고, 연평균 강우량은 1,600~1,800㎜이다. 해변 도시라서 여름에는 하노이보다 1℃ 낮고, 겨울에는 1℃ 높다. 연평균 기온은 23~26℃이며, 6, 7월이 덥고, 1, 2월이 가장 춥다. 가장 추울 때는 5℃ 이하로 내려가는 때도 있다. 평균 습도는 80~85%이며 7~9월 사이가 높고 12월과 1월은 건조한 편이다.

경작지는 약 6만 헥타르가 넘는데, 이중 경작지의 50%는 1년에 3모작(벼 2번, 기타 작물 1번)이 가능한 땅이다. 근교에서는 꽃 재배도 많이 하며, 왕골과 담배 재배로 유명하다. 과일은 바나나, 오렌지, 리치가 많고, 수산물 양식에도 좋은 조건을 갖추고 있다. 대나무와 등나무도 많이 재배한다. 광물로는 석탄, 고령토, 석회석이 있고, 철광산은 있지만 매장량이 많지는 않다.

하이퐁은 교통이 잘 발달한 항구 도시이며, 공업 도시이고, 많은 유적지와 관광지가 있는 관광의 도시이기도 하다.

하이퐁은 교통의 요충지였기 때문에 일찍이 외부와의 접촉이 많았고, 다양한 문화, 문물을 접할 수 있는 여건을 갖추고 있어서 많은 역사 유적이 남아 있고, 다양한 천연자원도 있다(Vũ Thế Bình, 2012, pp. 196~212).

3.1. 쭈어즈항 Chùa Dư Hàng

시내 중심지에서 2㎞ 서남쪽에 있다. 복림사Phúc Lâm Tự, 福林寺라고도 부른다. 띠
엔레 왕조 때 건축되었고, 쩐 왕조의 인종1258~1308은 직접 이곳에 와서 불법을
강의했다고 한다. 여러 번 중수되었으며, 불상과 종 등 귀중한 유물이 있다. 특
히 불교의 오래된 서적인 장아함경長阿含經을 보관하고 있다.

3.2. 항껭 정 Đình Hàng Kênh

1856년에 건축되었고, 1905년에 확장하여 오늘날과 같이 되었다. 목조각
작품으로 유명하며, 특히 용을 주제로 한 크고 작은 조각이 308개가 있다. 매
년 음력 2월 16일에서 18일까지 축제가 열리고, 각종 전통 공연, 씨름, 닭싸움,
장기 대회 등이 열린다.

3.3. 응애 사당 Đền Nghè

시내 중심가인 하이퐁시립극장에서 서남쪽으로 600m 떨어진 곳에 있다.
이 사당은 하이바쯩과 함께 중국에 대항해 봉기를 일으켰던 여장군인 레쩐Lê
Chân을 기리는 곳으로, 레쩐은 하이퐁의 전신인 안비엔An Biên 마을을 세웠던 인
물이다.

3.4. 도선 비치 Biển Đồ Sơn

중심지에서 동남쪽으로 약 22㎞ 떨어져 있는 해변 휴양지이다. 식민지 시대
에 프랑스가 프랑스 장교 및 베트남 상류층을 위한 휴양지로 건설하였다. 도선

비치는 3부분으로 구분되는데, 언덕과 소나무 숲이 있는 지역, 그리고 베트남의 마지막 황제였던 바오다이의 별장 지역과 사찰을 모방하여 지은 집이 있는 지역이다. 특히 반도 끝의 높은 언덕에 있는 반화_Vạn Hoa 호텔은 도선 지역에서 가장 아름다운 건축물로 알려져 있다.

3.5. 보이 산 _núi Voi_

"보이"는 '코끼리'를 의미하는데, 이 '코끼리 산'은 시내 중심부에서 서남쪽으로 약 20㎞ 떨어져 있다. 보이 산에는 여러 개의 동굴이 있고, 동굴 내에는 다양한 모양의 석상이 있다. 특히, 산 정상에는 비교적 평평한 곳이 있는데, 이곳을 "신선의 장기판"이라고 부른다. 16세기 막 왕조 시대에 건축된 것으로 보이는 사찰과 사당의 흔적이 많이 남아 있다.

3.6. 깟바 국립공원 _Vườn Quốc gia Cát Bà_

깟바는 366개의 크고 작은 섬을 가리킨다. 주 섬은 면적이 100㎢이며, 하이퐁에서 30해리 떨어져 있고, 하롱베이로 이어진다. 깟바 국립공원은 15,200헥타르인데, 산림지역이 9,800헥타르, 해변 지역이 4,200헥타르이다. 석회석으로 이루어진 산으로, 산의 높이는 평균 150m, 가장 높은 까오봉_Cao Vọng은 해발 322m이다. 여기에는 20종의 동물, 69종의 조류, 20종의 파충류와 11종의 개구리가 있고, 745종의 식물이 있다.

3.7. 박익당 강 _Sông Bạch Đằng_

하이퐁 동북쪽으로 중심지에서 약 20㎞ 떨어진 곳에 있는데, 베트남 역사에서 중국과 몽골군을 물리친 장소로 유명하다. 938년에는 응오꾸옌Ngô Quyền이 남한의 군을 물리쳤고, 981년에는 레호안Lê Hoàn이 송나라 수군을 물리쳤으며, 1288년에는 원나라 몽골군을 물리치고, 오마니Ô Mã Nhi 장군을 생포하였다.

3.8. 하이퐁시 대극장 Nhà hát lớn thành phố

시내 중심지 광장 앞에 있는 대극장은 프랑스 설계사에 의해 파리 대극장을 본떠 바로크 양식으로 지은 것으로 1904년에 공사를 시작하여 1912년에 완공되었다. 프랑스 사람들과 베트남 귀족층이 이용하던 정치, 문화의 중심지였다.

4   다낭 Đà Nẵng

다낭 시는 육지와 섬들을 포함하고 있는 중부 해안 도시로, 북쪽으로는 후에와 서남쪽으로는 꽝남성과 접하고 있다. 하노이로부터 764㎞, 호찌민시로부터는 964㎞ 떨어져 있다. 시 전체 면적은 1,283㎢이고, 인구는 2010년 기준으로 942,132명이다.

기후는 전형적인 열대 몬순 기후로, 기온이 높고, 일교차가 적다. 우기는 8월에서 12월 사이이고, 건기는 1월에서 7월 사이이다. 겨울에 가끔 추위가 밀려오기도 하지만 길지 않다. 연평균 기온은 25.9℃인데, 6~8월의 평균 기온은 28~30℃, 12~1월의 평균 기온은 18~23℃이다. 해발 1,500m에 이르는 바나Bà Nà 산의 평균 기온은 20℃이다. 연평균 강우량은 2,505mm이며, 10~11월은 월평균 550~1,000mm, 1~4월 사이에는 월평균 23~40mm이다. 연평균 일조시간은 2,156시간이다.

　지형은 산과 평야가 혼재해 있고, 높은 산이 서북쪽에서 해안 쪽으로 뻗어 있다. 해발 700~1,500m에 이르는 산이, 시 면적의 상당 부분을 차지하고 있고, 이 산들이 다낭시의 생태계를 보호해 준다. 강은 주로 서쪽과 서북쪽에서 흐르는데 길이가 짧은 편이다. 해안가의 낮은 평야지역은 염분이 많고, 농업, 공업, 군사기지 등으로 사용된다.

　광물로는 남오$_{Nam \hat{O}}$ 지역에 실리카샌드가 많은데, 매장량은 약 500만㎥이다. 화강암은 오행산$_{Ng\tilde{u} H\grave{a}nh So'n}$ 지역에 많이 있지만 보호를 위해 개발이 금지되어 있다. 건설용 자갈이 많이 생산되는 지역은 주로 서쪽 지역이다. 짙은 회색의 편석 매장량이 약 500,000㎥이다. 특히 다낭 앞바다 대륙붕에 원유가 많이 있을 가능성이 높다고 한다.

　다낭은 밍망$_{Minh M\d{a}ng}$ 왕이 "서양의 배는 다낭 항구 외에는 접안할 수 없다."라는 명령을 내리면서 중부 베트남의 가장 큰 무역항으로 성장했고, 프랑스가 베트남 전체를 점령한 1889년 이후에는 인도차이나 총독이 직접 관할하면서 명칭도 "Tourane"으로 바꾸었다. 20세기에 들어서 프랑스는 다낭을 현대식 도시로 건설했고, 하이퐁, 사이공과 함께 상업의 중심지가 되었다. 프랑스는 다낭을 1950년 바오다이 황제에게 넘겼고, 1965년 3월 미국 해병대가 다낭에 들어오면서부터 대규모 군사기지를 건설했다. 1997년 다낭은 중앙직속시로 승격되었다.

　다낭은 참파 문화가 있었던 곳이기 때문에 많은 참파 유적이 있고, 베트남 전쟁 때는 군사기지로 개발되어, 항구, 공항 등의 사회간접 시설과 공업이 발달했으며, 현재는 인근에 중꿧 정유단지가 있고, 아름다운 해변이 있어, 많은 관광객이 찾는 곳이기도 하다(Vũ Thế Bình, 2012, pp. 526~539).

4.1. 다낭 박물관 Bảo tàng Đà Nẵng

레주언 거리 24번지에 있는 다낭 박물관은 3층 건물로, 전에는 다낭시 과학기술원으로 사용했다. 박물관에는 산악지역의 소수 종족의 유적, 꽝남~다낭 지역에 남아 있는 사후잉Sa Huỳnh 문화의 유적, 1975년 이후에 출토된 짬족의 조각품과 1930년 이후의 근대 역사 유적 자료를 전시하고 있다.

4.2. 짬족 박물관 Bảo tàng Chàm

1915년에 문을 연 짬족 박물관은 짬탑의 모양을 본떠서 지어졌다. 돌과 흙을 구워 만든 짬족의 조각품을 전시하고 있다. 참파 왕국의 10세기 이전의 유물과 10세기에서 16세기까지의 유물로 나누어 전시하고 있는데, 발굴된 지명을 따서 4개로 나누어 전시하고 있다. 박물관 입구 야외에는 미선My Sơn에서 출토된 조각상을 전시하고, 이어서 짬족의 수도였던 짜끼에우Trà Kiệu에서의 생활상을 그리고 오른쪽에는 짜반Trà Bàn에서 발견된 악공, 무녀, 신상을 전시하고 있다. 300여 점의 유물 원본을 전시함으로써 짬족 연구에 중요한 자료를 제공하고 있다.

4.3. 쭈어포다 Chùa Phổ Đà

쭈어포다는 1915년에 건축되었고, 현재 주소는 판쭈찡 거리 340번지다. 1937년과 1945년 그리고 1983년에 중수되었고, 대승불교 사찰이다. ㅁ자 형태로 지었고, 3층 건물이며 본당이 있고 양옆으로는 게스트하우스와 참선하는 곳, 강당이 있다. 본당 안에는 3개의 불상이 있고, 본당 앞에는 작은 연못이 있는데, 연못 가운데 3m가 넘는 관세음보살상이 있다. 이곳은 승려를 가르치는 기능을 하는 중요한 사찰이다.

4.4. 쭈어땀바오 Chùa Tam Bảo, 三寶寺

판쭈찡 거리 323번지에 있는데, 1953년에 건축을 시작하여 1963년 완공되었고, 1990년 대규모로 중수되었다. 아래층은 강당이고, 위층은 본당으로 한 개의 불상이 있고, 위에는 사리를 보관하는 탑이 솟아있다. 이 사찰은 남종 불교 즉, 소승불교 사찰이다.

4.5. 하이번 고개 Đèo Hải Vân

하이번 고개는 후에와 다낭 사이에 있는 높은 산을 지나는 길로, 496m 정상에서 바라보는 풍경이 일품이다. 다낭 시내와 북쪽의 평화로운 마을의 풍경이 아름답다.

4.6. 오행산 Ngũ Hành Sơn, 五行山

오행산은 다낭시 동남쪽으로 8㎞ 떨어진 곳에 화강암으로 된, 바다와 인접한 5개의 산의 집합체이다. 19세기 초에 쟈롱 황제가 이곳을 지나다가 오행산으로 이름을 붙였다고 전한다. 5개 산은 금산金山 목산木山, 수산水山, 화산火山, 토산土山을 일컫는다. 이중 수산이 가장 아름답다고 한다.

4.7. 바나산 Núi Bà Nà

다낭시내에서 서남쪽으로 약 35㎞ 지점에 있는 해발 1,478m의 산이다. 정상에 비교적 평평한 조그만 고원이 있고, 기온이 17~20℃로 시원하다. 프랑스가 이곳에 여러 별장을 지었다. 이곳은 하루에도 4계절을 볼 수 있다고 한다 정상에서 내려다보는 풍경이 아주 아름다운 것으로 널리 알려져 있다. 지금은 케이블카로 산을 오를 수 있다.

4.8. 논느억 석공예 마을 Làng đá mỹ nghệ Non Nước

돌을 이용하여 각종 석상을 만드는 마을로, 18세기부터 시작되었고, 19세기부터는 이 마을 전체가 석상 조각으로 생계를 꾸려왔다고 한다. 오행산 부근에서 채취한 돌로 석상은 물론 팔찌 등 장신구도 만들고, 기념품도 만들어 관광객에게 판다.

5 껀터 Cần Thơ

껀터시는 호찌민시로부터 남쪽으로 약 170㎞ 떨어져 있고, 메콩델타 지역의 중심 도시이며, 100여 년 전에는 서남부 지역의 수도라는 의미로 "떠이도Tây Đô, 西都"라고 불렀다. 껀터는 농산물, 과일, 수산물이 풍부한 지역이고, 면적은 1,402㎢이며, 인구는 1,197,100명(2010년)이다. 북쪽으로는 안쟝성Tinh An Giang, 동쪽으로는 동탑성tinh Đồng Tháp과 빙롱성tinh Vĩnh Long 서쪽으로는 끼엔쟝성tinh Kiên Giang, 남쪽으로는 허우쟝성tinh Hậu Giang과 접하고 있다. 해발 2m 이내의 낮은 평야 지역이다. 열대 몬순기후로 연중 고온다습하며 연평균 기온은 28℃, 일조시간은 2,249시간이다. 연평균 습도는 82~87%, 연평균 강우량은 약 1,600mm이고, 건기에는 북동풍이 불고, 우기에는 서남풍이 분다. 농사짓기에 아주 좋은 조건을 갖고 있지만 우기에 홍수가 자주 발생하고, 홍수가 지면 시 전체 면적의 반이 잠길 정도이다. 또한 건기에는 농업용수가 부족할 때도 있다. 허우 강이 껀터시와 접하는 길이는 65㎞에 폭은 1.9㎞이다. 껀터 강은 허우 강의 지류로 길이는 16㎞, 폭은 280~350m이며, 건기에 농업용수로 사용 가능하고, 수로 교통으로 편리하다. 이 외에도 까이런 강(20㎞)과 150개가 넘는 크고 작은 수로, 하천이 있다.

껀터라는 명칭에 관해서는 몇 가지 설이 있다. 하나는 응웬아잉이 왕위에 오르기 전, 배를 타고 이 지역에 저녁에 도착했는데, 양쪽 강가에 여러 척의 배들이 줄지어 서 있고 등불을 켜고 노랫소리와 시 읊는 소리가 들리는데, 아름다운 밤의 정취를 느껴서, 이 강의 이름을 껌티쟝Cầm thi giang이라고 불렀고, '껌티'를 사람들이 잘못 발음하여 '껀터'로 불렀는데, 껀터 역시 좋은 이름으로 생각하여 사용하기 시작했다는 설이 있다. 또 하나는 옛날에 양쪽 강가에 자우껀rau cần과 자우텀rau thơm을 많이 재배했고, 그런 연유로 이 강을 껀텀 강sông Cần Thơm이라고 불렀으며, 껀텀의 발음이 변하여 껀터가 되었다는 설이 있다. 셋째는 이 강에 낀토Kin Tho라는 물고기가 많았고, 당시의 사람들은 강에서 많이 잡히는 물고기의 이름을 따서 강 이름을 짓는 것이 일상화되어 있었다고 한다. '낀토'는 크메르 말이었고, 크메르 사람들은 '낀'을 '껀'에 가깝게 발음한다고 한다. 옛날 남부 사람들은 '언' 발음을 '인'으로 발음하는 습관이 있었다고 한다. 따라서 '낀토'가 '껀터'로 바뀌었다는 것이다. 또 하나는 껀터Cần Thơ에서 껀Cần은 "필요하다", 터Thơ는 "시"라는 의미로 합하면 "시가 필요하다"라는 의미이다.

메콩델타는 메콩강의 풍부한 물과 넓은 평야, 충분한 일조량으로 농업 생산의 최적지이다. 그 메콩델타의 중심에 껀터시가 있다. 다양한 농산물과 과일, 민물고기 등이 많아 먹거리가 풍부하며, 북부와는 다른 남베트남의 문화를 느낄 수 있는 곳이다(Vũ Thế Bình, 2012, pp. 822~826).

5.1. 쭈어남냐 Chùa Nam Nhã 南雅堂

이 절은 전에 남아당이라는 한약방이었으며, 대 프랑스 투쟁하는 사람들의 모임 장소이자 연락처였다. 1895년에 설립되었고, 베트남 광복회의 활동 근거지였다. 1917년에 중수되었고, 본당에는 석가, 공자, 노자의 상이 있다. 본당 양측에는 5칸짜리의 남자와 여자 숙소가 있다. 본당 뒤로는 동유운동에 참가했던 사람들과 절을 건축한 사람들의 묘지가 있다. 이곳은 베트남 혁명사를 볼 수 있는 사찰이다.

5.2. 쭈어옹 Chùa Ông

껀터에 사는 화교들의 절로 광조회관Quảng Triệu Hội Quán 廣趙會館이라고도 한다. 이러한 이름을 갖게 된 이유는 원래 중국 광동 성의 광주와 조경 출신 화교들의 회관이었기 때문이다. 1894년 건축을 시작하여 1896년 완공되었다. 지붕은 청기와로 되어 있고, 지붕 꼭대기는 용과 봉황 등 여러 형상으로 장식되어 있다. 화교들의 신앙과 문화생활의 장소이다.

5.3. 빙투이 정 Đình Bình Thủy

시내 중심지에서 5㎞ 떨어진 곳에 있고, 용천고묘Long Tuyền Cổ Miếu, 龍泉古廟라고도 부른다. 1844년 태풍으로 큰 피해를 입은 주민들이 대나무와 잎사귀로 정亭을 세워 평안을 기원했다고 한다. 1852년 뜨득 황제의 특사인 후잉먼닷Huỳnh Mẫn Đạt이 배를 타고 순시하던 중 빙투이 지역에 이르렀을 때 회오리바람이 불어 배가 위험에 처했는데, 배를 급히 이곳에 정박하니 파도가 잔잔해져서 위기를 모면했다고 한다. 특사는 3일 동안 주민들과 함께 잔치를 벌였고, 이곳을 빙투이, 즉 "평안한 강平水"라고 불렀고, 조정에 돌아가서 황제에게 이 사실을 보고하니, 황제가 1853년 1월에 이 마을에 "본까잉타잉황Bổn Cảnh Thành Hoàng"이라는 성황신을 하사했다. 이에 주민들이 추가로 정을 짓고 다른 애국지사들과 같이 제사를 지내다가, 1910년에 새로 지었다. 앞채와 뒤채 모두 정방형이며, 지붕 꼭대기가 이중으로 되어 있어, 북부지역의 정과는 사뭇 다르다.

5.4. 까이랑 수상시장 Chợ nổi Cái Răng

껀터시 중심지에서 약 6㎞ 떨어져 있고 닝끼에우 나루터로부터는 배로 30분 거리이며, 까이랑 다리 근처에 있는 메콩델타 최고의 수상 도매시장이다. 메콩델타 지역에서 생산되는 농산물과 각종 과일을 판매하고, 이 상품은 캄보디아, 중국으로까지 수출된다. 이 수상시장은 새벽부터 열려서 오전 9시경이면 끝난다. 연중 음력설 이틀과 단오절에는 쉰다.

5.5. 닝끼에우 나루 Bến Ninh Kiều

껀터시 중심에서 가까운 허우 강가에 있는 나루터로, 메콩델타 지역에서 나는 많은 생산물을 실어 나르는 배로 붐비는 곳이다. 이 나루에서 가까운 곳에 껀터시장이 있고, 또 껀터 항이 있다. 신축된 나루는 5,000톤급의 배가 정박할 수 있다. 현재는 닝끼에우 공원으로 확장되었고, 야시장도 개장되어 단순한 물류의 중심만이 아니라 문화, 생활, 관광의 중심지 역할을 하고 있다.

5.6. 껀터 대교도소 Khám Lớn Cần Thơ

껀터 대교도소는 프랑스가 1878년에 건축을 시작하여 1886년에 완공했다.

후세에 대해 애국심을 고취하기 위해 베트남 정부는 1996년 이곳을 국가유적으로 지정했다. 원래의 명칭은 "성 교도소_{Prison Provinciale}"였지만 주민들이 "껀터 대교도소"로 불렀다. 1954년 제네바협정 이후 이 교도소가 남베트남 정부에 인계되었고, 명칭을 "재교육센터_{Trung tâm Cải huấn}"로 바꿔 통일될 때까지 운용되었다. 껀터시가 인민위원회 청사를 신축하면서 교도소 일부를 편입하여, 현재는 일부만 남아있다.

제11장

구비문학과 한문학

1 구비문학

베트남에서는 구비문학oral literature을 민간문학Văn học dân gian이라고 부른다. 민간 문학이라는 개념을 사용하기 이전에는 구전문장Văn chương truyền miệng, Văn chương truyền khẩu, 평민문장Văn chương bình dân 등으로 사용하였다(Đỗ Bình Trị, 1991, p. 3).

구비문학의 종류는 나라마다 다르게 분류하고 있으며, 우리나라에서는 설화, 민요, 무가, 판소리, 민속극, 속담, 수수께끼 등으로 나누나, 베트남에서는 여기에 소화笑話, 야담, 애곡哀哭, 의례 때 부르는 노래 등을 포함하고 있는데, 베트남 민간문학의 분류는 아래 표와 같다.

베트남 민간문학의 분류

구분	서사이야기, 이야기 시가			서정까자오, 민요		극민속극
	서사산문	서사시가	운문 얘기	의례서정시가	비의례 서정시가	
장르	1.신화 2.서사시 3.전설 4.고적전 5.우화 6.소화	1.베Vè 2.서사시 3.시소설	1.속담 2.수수께끼 3.무가	1.노동의례 가요 2.생활의례 가요 3.제례가요	1.노동요 2.일상요 3.사랑가	1.쩨오 2.뚜옹 3.기타극

출처: Đỗ Bình Trị 1991. p.46.

1.1. 신화 thần thoại

신화神話, thần thoại는 후옌토아이huyền thoại, 玄話라고도 부르며, 설화중에서 가장 오래된 것이며 대부분 원시 공동 사회에서 인간 생활과 자연현상을 지배하는 초자연적 신에 관한 얘기다. 북베트남이 사회주의 체제로 들어가는 1945년 이전에는 많은 지방에서 신화에 나오는 신들을 사당이나 서낭당에 모셔 제사를 지낸 것에서 알 수 있듯이, 신앙과 밀접한 관련이 있다.

베트남에서 신화를 기록한, 가장 오래된 문헌은 1392년에 나온 월전유령집[1], 1492년에 나온 영남척괴[2]이다.

베트남 신화는 크게 두 부류로 나눌 수 있는데, 하나는 만물과 우주의 근원, 자연현상에 관한 것으로 하늘 기둥 신Thần Trụ Trời, 달 여신Nữ Thần mặt Trang, 태양 여신Nu Thần mặt Trời, 비 신Thần Mưa, 바람 신Thần Gió, 바다 신Thần Biển, 썬띵~투이띵Sơn

---

1) 越甸幽靈集Việt Điện U Linh Tập은 리떼수옌Lý Tế Xuyên이 베트남의 신화와 전설을 수집하여 기록한 책이다.

2) 嶺南摭怪Lĩnh Nam Chích Quái는 쩐테팝Trần Thế Pháp이 기록한 것이라는 얘기가 전해지고 있다. 베트남의 영남척괴열전이 우리말로 번역되었다. 무경 엮음 2000, 박희병 역. 『베트남의 신화와 전설』 서울: 돌베개.

$_{Tinh\sim Th\mathring{u}y\ Tinh}$ 신화가 있으며, 다른 하나는 민족의 근원과 건국 및 문화 창조에 관련된 신화로 락롱꿘$_{Lạc\ Long\ Quân}$과 어우꺼$_{\hat{A}u\ Cơ}$신화, 딴비엔 신$_{Thần\ Tản\ Viên}$, 옹종$_{Ông}$ $_{Dóng}$, 안즈엉브엉$_{An\ Dương\ Vương}$, 목 신$_{Thần\ Mộc,\ 木神}$신화 등이 있다(Chu Xuân Diên, 1984, pp. 356~357).

락롱꿘 신화

옛날 땅과 하늘이 생겨난 후 얼마나 흘렀는지 모르지만, 홍하델타에 비엣족이 조수의 차이를 이용하여 농사를 짓고 물고기를 잡으며 살고 있었다. 당시의 락비엣 땅에 락롱꿘이란 신이 출현하였다.

사람들이 전하기를 락롱꿘은 북쪽 오령산에 있던 신농씨의 몇 대 후손이며, 적귀국의 왕인 경양왕의 아들이라고 한다. 경양왕의 어머니는 오령산 산신인 부띠엔의 딸이다. 경양왕은 동정호수의 신의 딸을 부인으로 맞아들였다. 산신의 아들과 수신의 딸이 결합하여 락롱꿘을 낳았다. 동정호 신의 딸은 용녀로 용의 혈통에 속했고, 아들은 모성의 영향을 많이 받아서 호를 락롱꿘이라고 불렀는데, 본명은 숭람이었다.

락롱꿘이 성장하자 경양왕은 락비엣을 통치하도록 했다. 당시의 적귀국의 북쪽은 동정호(중국 후난성)에 이르고, 남쪽은 점성국, 서쪽의 사천, 동쪽은 남해와 접하고 있었다.

영남척괴에 따르면, 락롱꿘은 물을 좋아하고 락비엣 땅은 사계절이 너무 춥지도 덥지도 않으며, 강이 많고, 해안이 길며 신기한 식물과 동물, 아름다운 풍경이 많았다. 락롱꿘은 해변을 따라 동남쪽으로 내려갔다.

그 당시에 해변에 살던 주민들은 커다란 물고기로부터 큰 피해를 보고 있었다. 이 물고기 귀신은 자주 북부 베트남 만에 출몰해서 주민들을 괴롭혔다. 그의 몸은 길이가 50m가 넘고 꼬리는 돛과 같으며 입을 벌리면 작은 배를 한 번에 삼킬 정도였다. 또한, 신기한 도술을 갖고 있어서 아무도 대적할 사람이 없었다. 이 귀신은 사람 고기를 좋아해서 물고기를 잡던 사람들이 얼마나 많이 피해를 보았는지 모를 지경이었다. 물고기 귀신이 머무는 곳은 바닷속에 있는 돌로 된 동굴이었고, 물고기 귀신은 돌을 쌓아서 연해를 둘로 나누고, 만을 만들었다. 양쪽으로 갈라진 주민들은 서로를 왕래하기 위해서는 산을 넘어가는 것은 아주 힘들었기 때문에 유일한 통로인 귀신이 머무는 동굴 입구를 지나야 했고, 인적을 느끼면 파도를 일으켜 배를 전복시켜서 사람을 잡아먹었다.

사람들이 얘기하기를 하늘신이 산에 길을 내주어 주민들이 물고기 귀신의 먹이가 되지 않고 왕래할 수 있도록 길을 내주러 내려왔다고 했다. 그러나 이 귀신이 흰 닭으로 변하여 산꼭대기로 올라가 세 번을 우니 길을 내고 있던 하늘신은 하늘에서 부르는 소리로 착각하여 일을 그만두고 하늘로 올라갔다고 한다. 길을 만들던 흔적은 오늘날에도 남아있는데, 사람들은 그 길은 불도의 길이라고 한다.

락롱꿘이 이곳에 이르렀을 때 그 얘기를 듣고 이 물고기 귀신을 쫓기로 했다. 배를 건조하고 큰 쇠창살을 불에 달군 다음 동굴 입구로 다가갔다. 귀신이 입을 벌려 먹으려 할 때 락롱꿘이 불에 달군 창살을 입에 집어넣었다. 귀신은 몸을 뒤틀며 미친 듯이 락롱꿘에 대들었다. 락비엣의 신과 물고기 귀신의 격렬한 싸움은 주변 지역에 파도와 물굽이를 만들었다. 양측은 삼일 밤과 낮을 싸웠다. 락롱꿘은 바다신이 폭풍을 막아주고 물고기 귀신이 바다로 나가지 못하도록 길을 막아주는 도움을 받았다. 예상치 못한 불에 달궈진 창살이 목에 박힌 데다 강한 적수를 만났기 때문에 처음에는 강력히 대항했지만, 점점 기세가 꺾여 결국에는 도망갈 궁리만 하게 되었다. 락롱꿘은 절대 놓아주지 않고 그 귀신을 세 도막으로 잘랐고, 그 피가 바다를 붉게 물들였다. 꼬리 부분의 껍질은 벗겨서 바다 가운데의 한 섬에 걸어 놓았는데 그 섬을 백룡위 섬이라고 부른다. 머리는 물개로 변했는데, 락롱꿘이 쫓아가서 찔러 죽이고 머리를 한 돌산에 버렸는데 오늘날에 구두산이라 부른다. 몸통은 파도에 휩쓸려 만꺼우라는 곳으로 갔는데 오늘날에 그곳을 꺼우 만꺼우라고 부른다.

바다에서 물고기 귀신을 제거하자, 육지에 살던 주민들은 락롱꿘에게 구미호를 물리쳐 달라고 요청했다.

당시에 하노이에서 서쪽으로 홍강과 인접한 곳에 큰 동굴이 있는 돌산이 있었는데, 그 동굴을 사람들은 구미호 동굴이라고 불렀다. 이 여우는 1000년을 넘게 살아서 귀신이 되었고, 사람과 동물로 변해서 부녀자를 잡아서 강간했다고 한다. 또한, 귀신으로 변해서 사람 속으로 들어가 병을 일으켜 죽게 만들기도 했다고 한다. 사람들이 구미호가 사람으로 변해서 괴롭혔기 때문에 무서워서 동굴 근처에 살지 못하고 집과 땅을 버리고 멀리 이주했다. 주민들이 두려워하는 것을 보고 이 구미호는 더욱더 괴롭혔고, 자오족이 사는 곳까지 나타나서 괴롭혔다.

딴비엔 산 주변에는 오랫동안 흰옷을 지어 입으며 평안하게 살던 자오족 사람들이 있었다. 사람들은 그들을 흰옷 자오족이라 불렀다.

그들은 화전으로 농사를 지으며 살았고, 일 년 내내 풍부한 자연 속에서 한가하고 행복하며 즐겁게 노래하며 살았다. 구미호는 젊은 남자 혹은 예쁜 처녀로 변해서 흰옷 자오족 속으로 파고들어 함께 노래하고 사람들을 유혹해서 동굴로 데려가 죽을 때까지 종으로 부리거나 강간을 했다. 이후로 자오족 사람들은 이 귀신 때문에 혼동 속에서 살아야 했다.

주민들의 탄식 소리가 락룡꿘의 귀에 이르고, 그는 구미호의 동굴로 찾아갔다. 사람이 온 것을 보고 구미호는 열을 내며 달려들었는데, 락룡꿘이 막았다. 격렬한 싸움이 벌어졌고, 구미호는 여러 가지 도술로 사용해서 상대방을 공격했지만, 고수를 만나서 자신이 어찌할 수 없다는 것을 알게 되었고, 결국은 도망갈 수밖에 없었다. 락룡꿘은 동굴 주변을 철저히 막고 불로 주변을 둘러싼 다음 칼을 사용해서 요귀를 죽이니 본래 모습인 꼬리가 아홉 달린 여우의 모습을 드러냈다.

구미호에게 잡혀 동굴에 갇혀있던 사람들을 풀어주었다. 구미호가 있던 동굴은 락룡꿘의 부하가 강물을 끌어들여 파괴해 버렸고, 넓고 깊은 호수로 만들어 아예 그 돌산 전체의 흔적을 없애버렸다. 사람들은 그 호수를 덤 꼰 까오(여우) 호수라고 불렀고 후에 호떠이라고 불렀다(Viện Văn học, 1999, pp. 221-255).

하늘기둥신에 관한 신화

초기 우주는 춥고 어두운 혼돈의 세계였다. 그러한 시기에 하늘기둥신이 나타나 머리 위로 들어 올려 하늘을 만들고 발아래로 땅을 밀어 육지를 만들었다. 하늘과 땅을 만들었으나 그 거리는 얼마 되지 않았다. 그래서 하늘기둥신은 땅을 파서 기둥을 만들어 하늘을 떠받쳐 올렸다. 하늘이 아주 높아졌을 때, 신은 그 기둥을 허물었다. 본래 하늘은 동그랗고, 땅은 평평한 네모꼴이었는데, 신이 기둥을 만들 때 땅을 판 곳은 강이 되었고, 기둥을 허물 때 산이 생겨났다.

이를 통해 우리는 베트남인들의 노동관을 엿볼 수 있는데, 우주를 만들기 위해서 신은 특별한 요술을 부린 것이 아니라 열심히 땅을 파서 기둥을 만들었으며, 우주도 인간의 노력에 따라 변화시킬 수 있다는 것을 암시하고 있음을 볼 수 있다.

베트남 사람들은 우주는 하늘과 땅, 물로 이루어진 것이라는 생각하고 있었다. 그리고 이러한 3가지 우주 구성요소는 각각 그것을 관장하는 신이 존재하고, 또 그들이 관찰하고 경험한 자연현상을 조정하는 신들이 있다고 믿었다.

이러한 신화는 줄거리는 아주 간략하지만, 그들이 경험한 자연현상을 나름대로 설득력 있게 설명하고 있다. 그중 우신雨神에 관한 신화는 다음과 같다.

우신

용의 모습을 한 우신雨神은 하늘로부터 땅 위의 물을 하늘로 빨아들여 육지 각 곳에 골고루 뿌려주는 임무를 부여받았다. 그러나 우신은 기억력이 없고 자주 잊는 성격으로 아홉 달 동안이나 자신의 임무를 잊어 큰 가뭄을 일으킨 적이 있었다. 이에 "두꺼비가 하늘에 제소"하는 사건이 발생했다. 이 일로 해서 우신은 옥황상제로부터 호된 질책을 받게 되었고, 그날 이후 우신은 두꺼비 울음소리만 들으면 자신의 임무를 깨닫고 비를 뿌리기 시작했다.

이 신화를 통해서 고대 베트남인들은 물의 순환과 시간과 공간에 따른 강우량 변화로 인한 가뭄과 홍수 현상 그리고 두꺼비가 울기 시작하면 비가 온다는 것을 이해하게 되었다. 베트남은 농업 국가이기 때문에 농사에 지대한 영향을 미치는 햇빛과 비는 대단히 중요한 것이었다.

1.2. 전설 truyền thuyết

전설은 역사적 사건 및 인물에 관한 얘기로, 내용은 황당무계한 요소가 많지만, 신화보다는 더욱더 사실적인 것이 많고, 야담은 등장인물이 보통 사람들인 데 반해 전설에 나오는 인물들은 모두 역사적 인물이라는 점에서 차이가 있다. 즉 민간에 전해지는 역사 이야기라고 할 수 있고, 역사에 대한 일반 백성들의 인식 표현이라고 할 수 있다.

베트남 전설 중에는 역사적 인물들의 구국 투쟁에 관한 것이 많으며 대표적인 전설로는 하이바쯩Hai Bà Trưng, 바찌에우Bà Triệu, 딩보링Đinh Bộ Lĩnh, 레러이Lê Lợi에 관한 전설 등이 있다(Chu Xuân Diên, 1984, pp. 449~450).

1.3. 고적전 truyện cổ tích

고적전은 우리의 야담과 유사한 것으로 보통 사람들의 일상생활 속에서 전해오는 이야기로, 주인공은 사회적 신분이 낮은 사람이거나 평범한 남녀이고, 가정 혹은 사회생활 속에서의 인간 사이의 관계를 다루고 있는데, 고적전을 통해서 평범한 사람들의 꿈과 이상을 볼 수 있다.

그러한 꿈들은 가난한 처녀가 왕자 혹은 임금과 결혼하거나 가난한 청년이 공주와 결혼하여 부귀영화를 누리는 것, 갑자기 재물을 얻어 부자가 되는 것 그리고 선량한 사람은 언제나 보상받게 되고, 악은 처벌받게 되어 사회정의를 이룩하는 것이다.

고적전의 내용을 베트남에서는 각 동물의 특징을 설명하는 물류 고적전物類古蹟傳, 인간 생활에 관한 얘기지만 신기한 요소가 많은 신기 고적전神奇古蹟傳, 그리고 인간 생활에 관한 얘기나 묘사에 더 합리적이고 해학성을 띤 생활 고적전生活古蹟傳으로 분류하고 있다. 베트남에서 특히, 베트남족에 있어서 물류고적전은 많지 않고 주로 신기 고적전과 생활 고적전이 많다. 1993년에 베트남 문학원에서 출판한 『베트남 고적전 창고』는 5권으로 201편의 얘기가 수록되어 있다. 아래는 수박의 기원에 관한 얘기이다.

수박의 기원

옛날 홍브엉雄王 시대의 베트남 땅은 산은 높고 강은 넓으며 날씨는 쾌청하였지만, 들판은 넓지 않고 과일도 오늘날과 같이 맛있는 것이 많지 않았다. 제17대 홍왕雄王에게는 재능과 손재주가 뛰어난 안띠엠An Tiêm이라는 양자가 한 명 있었다. 왕은 안띠엠을 사랑했기 때문에 자주 귀하고 맛있는 것들을 하사하였다.

보통 신하들은 적은 록祿을 받고도 감지덕지했지만, 안띠엠은 "하사품은 애물단지야!"라고 하면서 경시하였다. 그것이 왕의 귀로 들어가고, 왕은 화가 나서 "그렇다면 내가 그놈에게 제힘만으로 살도록 할 테니 죽지 않고 배기나 보자!"라고 하였다.

어느 날 아침 병사들이 와서 안띠엠과 부인 그리고 자식을 체포해 배에 태우면서 아무것도 가져가지 못하도록 하였다. 그가 계속 매달리자, 병사들은 호신용의 무딘 칼 한 개를 가져가도록 허락하였다. 순풍에 돛단 듯이 배는 흔들거리며 앞으로 나아갔다. 백사장과 푸른 나무들이 점점 멀어졌고, 민가의 흔적들도 더 볼 수 없었으며 단지 온통 파란색의 하늘과 바다만 볼 수 있었다.

다음 날 배가 조그만 섬에 도착하였다. 그들은 안띠엠의 가족을 내려놓고 솥단지 하나와 5일분의 식량을 던져놓고는 노를 저어 돌아갔다. 안띠엠의 부인인 바Ba와 자식들은 배가 점점 멀어지다가 사라져 버리자, 비 오듯 눈물 흘렸다. 언제 다시 이웃들과 수확기의 옥수수를 나누어 갖고, 달빛 아래 가족의 얘기를 나눌 수 있을 것인가! 황량한 섬을 돌아보고 그녀는 더욱더 겁이 났고 세월을 보내며, 살기 위해서 무엇을 먹어야 할지 알 수 없었다.

안띠엠은 부인과 자식들과 함께 움푹 팬 바위를 찾아 임시 거처를 마련하였다. 그리고 나서 그는 칼을 들고 섬을 탐색하였다. 섬은 정말 황무지였고, 드문드문 난 풀과 몇 종류의 바닷새뿐이었다. 계속 찾아 헤매다가 겨우 씁쓰레한 과일과 야생 채소를 찾아서 우선 시장기를 때웠다. 그때부터 안띠엠은 매일 채소를 심고 과일을 찾으러 다녔고, 바 부인은 바닷가로 나가서 조개를 주웠다. 안띠엠의 큰아들은 아버지를 따라서 열심히 새 그물을 쳤다. 그러나 새가 점점 그물에 익숙해지면서 어떤 때는 온종일 털 하나도 잡지 못하는 날도 있었다. 생선은 많았지만, 그물이 없고 과일은 철이 있는 것이었다. 그래서 안띠엠 부부와 자식들의 주식은 여전히 그가 밭을 일구어 심어 놓은 몇 가지의 야생 채소였다. 네 사람의 생활은 아주 힘들었고 금수와 별로 다를 바 없었다. 그렇지만 안띠엠은 언젠가는 생활이 나아질 것이라고 믿고 있었다.

어느 날 바닷가에서 모이를 쪼던 새가 안띠엠이 오는 것을 보고는 불그스레한 먹이를 떨어뜨리고는 급히 날아갔다. 안띠엠이 주워서 보니 두 뼘 정도 되는 과일 종류였다. 그는 새가 먹을 수 있는 것이면 사람도 먹을 수 있다고 생각하고 먹어보니 달콤하였다. 그는 남은 과일 조각을 다 먹고 씨는 잘 싸놓았다. 앉아서 생각에 잠겨 있는데 속이 시원하고 배고픔이 가시는 것을 느끼고는 반가워서 칼을 꺼내서 땅을 파고는 씨를 심었다.

며칠 후 그 씨앗은 싹이 나고 잎이 무성해지더니 줄기가 땅 위로 뻗어 나갔다. 바 부인은 남편을 도와서 조석으로 그 신기한 과일의 줄기를 돌보았다. 몇 개의 꽃이 피어나고, 그 꽃이 열매를 맺었는데 처음에는 새끼손가락만 하다가 한참 후에는 쥐만 하고 다시 새끼 돼지만큼 커졌다. 그것을 보고 있노라니 결코 성장을 멈추지 않을 것 같았다. 안띠엠 역시 언제 수확해야 할지를 몰랐다.

어느 날 이른 아침에 바닷가에서 까마귀가 우는 소리를 듣고 바 부인이 남편에게 말했다.

"여기는 인적이 없는 곳이고 까마귀가 결코 모인 적이 없는데, 오늘 저들이 시끄럽게 모여 우는 것은 정말 이상한 일입니다. 당신이 가서 무슨 일인지 알아보세요!"

안띠엠이 바닷가로 나가보니 까마귀 떼가 쪼아서 여러 군데 구멍이 난 과일을 내버려 두고는 날아갔다. 그는 과일을 잘라서 집으로 가지고 왔다. 그가 과일을 쪼개자 과일 속의 붉은색 때문에 집안이 환해졌다. 속은 아주 붉었고 씨는 검었으며 껍질은 파랗고 속껍질은 흰색이었다. 두 아들은 침을 흘렸고, 바 부인은 기쁜 눈으로 과일을 보면서 감탄을 하고 있었다. 안띠엠은 조심스럽게 잘라서 모두에게 한 조각씩 시식하도록 하였다. 네 사람이 한결같이, 그 신기한 과일의 부드러운 향기와 달콤한 맛을 칭찬했고, 갈증이 가시고 힘이 나는 것 같아서 흥분하지 않을 수 없었다. 점심때가 되어 안띠엠은 과일을 모두 잘라서 자식들에게 배불리 먹였다.

그리고 나서 안띠엠의 가족은 너무 기뻐서 서로 손을 잡고 바닷가로 나가서 짙은 색의 과일을 골라 집으로 가져오고 서로 교대로 과일을 지켰다. 그때부터 그들은 계속해서 과일을 심었다. 그러나 농기구라고는 무딘 칼과 갈아서 날카롭게 만든 돌뿐이었기 때문에 과일 한 개가 얼마나 많은 땀과 눈물이었는지 모른다. 그들이 정성을 다해 돌보았기 때문에, 날로 많은 열매를 맺었고, 열매의 크기는 점점 커지는데, 과육은 꽉 차고, 껍질은 얇아졌으며, 점점 달콤한 맛이 났다. 매번 수확할 때마다 안띠엠은 과일에 표시해서 바다에 띄워 보냈다. 과일을 띄워 보낸 것이 몇 번인지 모를 정도였고 초승달이 그믐달로 바뀐 것이 몇 번인지 모를 정도였지만 안띠엠은 여전히 낙심하지 않았다. 과연 어느 날 배가 와서 이 귀한 과일을 누가 심었냐고 물었고, 육지에 가지고 가서 팔려고 한다고 하였다. 그때부터 안띠엠은 일상적인 식료품들과 바꿀 수 있었고 아름다운 나뭇잎 집도 지을 수 있었다.

한편 홍 왕은 안띠엠을 무인도로 보내고 난 뒤 안띠엠이 죽었을 것이라고 확신하고 있었다. 가끔 생각이 나면 마음이 우울해졌다. 그러던 어느 날 신하가 신기한 과일을 바쳤다. 왕이 먹어보고 맛이 있어 어디서 났느냐고 물었다. 비로소 왕은 그것이 안띠엠이 섬에서 심은 것임을 알게 되었다. 왕은 자신이 잘못했다고 생각하고 배를 보내서 안띠엠의 가족을 데려오도록 했다. 안띠엠과 바 부인은 기뻤고, 익은 과일과 씨를 가지고 와서 이웃에게 나누어주고 심는 법과 기르는 법을 가르쳐 주었다. 그것이 오늘날 우리가 먹는 수박의 근원이다.

그 후로 전국에서 수박을 심었다. 그러나 사람들은 응아선Nga Son 현에서 심은 수박이 제일 맛있다고 하는데, 그것은 그곳이 옛날에 안띠엠이 살던 섬이었는데, 수천 년이 흐르면서 물이 말라 육지와 연결되었기 때문이라고 한다.

베트남인들은 빈랑檳榔을 씹는 습속이 있다. 이와 관련된 얘기는 다음과 같다(Bùi Văn Nguyên & Đỗ Bình Trị, 1974, pp. 114~117).

쩌우까우 얘기

옛날에 아주 닮은 두 형제가 살고 있었는데, 형의 이름은 떤Tân이요, 동생은 랑Lang이다. 한 지방의 세력가였던 그들의 부친은 홍Hùng 왕으로부터 상을 받고 성을

까오$_{Cao}$라고 지었다.

이들이 장성했을 때, 부모가 연달아 돌아가셨다. 아버지가 돌아가시기 전에 아버지는 형인 띤을 리우$_{Lưu}$씨 성을 가진 도사에게 맡겼다. 그러나 동생이 떨어지기를 싫어해서 할 수 없이 같이 공부하도록 했다. 리우 씨 집안에는 그들 또래의 딸이 있었다. 리우 씨 딸은 누가 형인지를 알아보기 위해서 꾀를 냈다. 그들 형제가 아주 배가 고플 때 낭자는 죽 한 그릇을 차려놓고 숨어서 지켜보았다. 죽 그릇을 양보한 청년이 형임을 알게 되었고, 그때부터 두 사람은 사랑하게 되었다. 그것을 안 리우 씨는 딸을 띤에게 시집보냈다. 결혼한 후 그들 형제는 새집에서 같이 살게 되었다.

결혼 후에도 형은 동생을 사랑했지만, 그전과는 달랐다. 동생은 고독한 날이 많아졌다. 동생인 랑은 형이 자신을 피하고 싶어 하는 것을 느끼고는 서운한 마음을 가졌다.

하루는 형제가 밭에 갔다가 밤늦게 돌아왔다. 동생이 먼저 집에 도착했고, 형수는 동생을 형으로 오인해서 동생을 포옹했다. 그때 형이 막 집에 돌아왔다. 형의 질투가 시작되었고, 랑은 부끄럽기도 하고 화도 나서 집을 나가기로 마음먹었다. 랑은 하염없이 길을 걸었고, 큰 강가에 도착했다. 강물이 세서 건널 수가 없었고, 주변은 인적이 없었다. 그러나 돌아갈 수도 없어 그곳에 앉아 한없이 울다가 죽어서 돌로 변했다.

형은 동생이 없어진 것을 대수로이 여기지 않다가 며칠이 지나도 돌아오지 않자 자신 때문인 것을 깨닫고는 동생을 찾으러 나갔다. 강가에 도착하였으나 건널 수가 없게 되어 강변을 따라가다 동생이 돌로 변한 것을 알게 되고는 그 자리에서 울다가 죽었다. 그는 죽어서 나무가 되었다.

형의 부인도 남편을 찾으러 길을 떠났다. 역시 강가에 도착하여 나무 옆에 앉아 울다 지쳐서 죽었고, 등나무가 되어 나무를 타고 올라갔다.

세 사람이 돌아오지 않자 리우 씨 부부는 사람을 시켜서 찾으러 다니다, 강가의 두 나무와 돌 앞에 세 사람의 무덤을 만들었다. 주변 사람들은 그 묘를 가리켜 "우애 깊은 형제, 지조 있는 부부"라고 불렀다.

가뭄이 심해서 모든 초목이 말라비틀어졌지만, 그 두 나무는 푸름이 변치 않았다. 그곳을 지나던 왕이 이상히 여겨 사연을 듣게 되었고, 사람을 시켜 그 나무의 과일을 따서 맛을 보니 특이한 것이 없었다. 그러나 등나무 잎과 같이 먹으니 달콤하면서도 매운맛으로 신기하였다.

그것을 씹다가 돌에 침을 뱉으니, 피처럼 붉은색으로 변하였다. 왕이 그것을 보고 그 세 가지를 같이 섞어 씹도록 하니 취기가 도는 듯하고 붉은색으로 변하였다. 왕은 "참으로 신기한 일이다. 그들의 사랑이 정말로 깊구나!"라고 감탄하였다.

그 후 왕은 그 두 나무를 널리 심도록 하였고, 결혼할 때는 그들의 사랑을 회상하는 의미에서 쩌우_{trầu} 잎과 까우_{cau} 열매, 그리고 석회_{voi}를 씹도록 했다. 이것이 빈랑 씹기_{ăn trầu}의 효시가 된 것이다.

이 얘기는 빈랑 씹기 습속의 유래를 밝히고 있기도 하지만, 베트남이 모계사회에서 부계사회로 전환하는 과정에서 나타난 갈등을 반영하고 있는 것으로 볼 수 있다.

1.4. 소화 truyện cười

소화笑話란 웃음을 자아내거나 비판할 목적으로 부정적인 인물에 관한 짧은 얘기를 말하는 것으로 등장인물은 보통 나쁜 사람이 되고, 제재는 사회악을 주로 다룬다. 내용은 해학적인 것과 풍자적인 것이 있으며, 허풍, 인간의 욕심을 풍자하고 사회 지도층이나 관리들의 부도덕성, 부패, 비인도성을 비판한다.

소화 중에서 널리 알려진 것은 「짱꿩 전」_{Truyện Trang Quỳnh}인데, 꿩_{Quỳnh}이라는 인물을 주인공으로 하고 있으며, 주로 왕과 관리들의 부정부패와 잘못된 관습을 해박한 지식과 재치로 꼬집고 비판하는 내용으로 되어 있다. 아래는 짱꿩 전의 일부이다.

돌石 요리

찡_{Trịnh} 왕은 일 년 내내 산해진미만을 먹고, 무엇 하나 부족한 음식이 없었지만, 입맛이 없었다. 하루는 꿩이 숙직을 하고 있는데 왕이 말했다.

"내가 신기하고 맛있는 음식은 다 먹어보았지만, 맛을 느낄 수가 없다. 맛있는 음식을 아는 것이 있으면 나에게 알려 주게나?"

"폐하, 돌石 요리를 드셔 보셨습니까?"

"맛있는가?"

"예, 아주 맛이 있습니다."

"실로 그렇다면 내가 맛을 볼 수 있도록 요리를 해보게."

꿩은 즉시 사람을 시켜서 돌을 가져다가 왕의 음식을 만들기 위해 달이도록 하고, 집으로 돌아와서 맛 좋은 간장 한 병과 소금 한 접시를 가지고 갔다. 간장병에는 「Đại phong, 大風」이라는 두 글자를 붙여 놓고는 감추어 두었다. 왕이 오랫동안 기다리다가 배가 고파서 물었다.

"돌 요리는 다 익었는가?"

"아직 덜 익었습니다."

왕이 수시로 익었는지를 묻자, 꿩이 아뢰었다.

"그 음식은 완전히 익혀야만 합니다. 그렇지 않으면 소화가 안 됩니다."

밤이 깊어 왕이 다시 물었다. 꿩은 왕이 정말 배가 고프다는 것을 알고는 아뢰었다.

"폐하, 우선, 이 음식이라도 드시지요. 그리고 돌 요리는 다음에 올리도록 하겠습니다."

그리고 나서 밥과 간장과 소금을 차려서 올렸다. 왕은 배가 고플 때라 맛있게 먹었다. 그런데 간장병에 대풍이라는 글자를 보고는 이상히 여겨 물었다.

"대풍이란 것은 어디서 난 요리인데 이렇게 맛있는가?"

"예, 그것은 보통 먹는 음식일 따름입니다."

"무엇인지 어서 말하여라!"

"예, 간장입니다."

"대풍이라는 글자를 써 놓았는데 무슨 의미인가?"

"대풍이란 '큰바람'이고, 큰바람이 불면 '절이 넘어지며', 절이 넘어지면 '걱정근심'이며, 걱정근심은 바로 '간장병'이라는 뜻이옵니다."

"오랫동안 먹지 않아서 맛까지 잊었었는데, 정말 맛이 있구먼!"

"폐하, 지당하시옵니다. 배고플 때는 무엇이든 맛이 있고, 배부를 때는 입에 맞는 것이 없으옵니다."

왕이 웃으며 말했다.

"자네 말이 옳네. 그래서 자네가 내 입맛을 살리려고 배고프게 만들었구먼, 언제 익을지도 모르는 돌 요리를 기다리게 해서 말이야!"

장수長壽 복숭아

하루는 꿩이 궁전에서 근무하고 있을 때, 한 사람이 '장수 복숭아'라고 불리는 복숭아 한 쟁반을 왕에게 바쳤다. 꿩은 천천히 다가가서 왕과 신하들이 보고 있는 가운데 복숭아 한 개를 집어 들고는 아무도 보이지 않는 듯이 천연덕스럽게 앉아서 먹었다. 왕이 호통을 치고, 신하들에게 죄를 다스리라고 말했다. 신하들은 '왕을 무시한 죄'로 참수형을 해야 한다고 아뢰었다. 꿩이 무릎을 꿇고 아뢰었다.

"군신들이 신을 그와 같은 죄로 다스려야 한다고 하는 것은 실로 법에 맞는 것으로 아무런 원이 없습니다만 폐하께서 신에게 몇 마디의 말을 할 수 있도록 관용을 베푸신 다음에 죽여도 달게 받겠습니다."

왕이 말했다.

"음.. 할 말이 있으면 해라!"

"폐하께 아룁니다. 신은 죽음이 겁이 나고, 삶에 대한 욕심이 있었는데, '장수 과일'이라고 불리는 과일을 보고는 너무나 욕심이 나고, 그것을 먹게 되면 오래 살아서 폐하에게 충성할 수 있을 것으로 생각했습니다. 그러나 복숭아가 목구멍으로 넘어가기도 전에 죽음이 목에 닥치리라고는 생각도 못 했습니다! 신이 곰곰이 생각해 보니 그 과일은 '단수' 과일이라고 해야 더 옳을 줄로 압니다. 그리고 폐하께서는 아첨꾼을 없애기 위해서 복숭아를 바친 놈의 죄를 다스려 주시옵소서."

왕은 꿩의 말이 옳다고 생각하고 웃으면서 죄를 사하여 주었다.

아래는 현대의 우스개를 소개한다. 베트남 사회과학출판사에 근무하는 응웬끄 씨는 503가지의 현대 베트남 우스개를 수집하여 출판하였다. 그중 몇 가지를 소개한다(Nguyễn Cừ, 1996).

관측병

급행열차 안에서 예쁜 아가씨 옆에 한 병사가 앉아 있었다. 그 병사는 말을 걸고 싶었지만 어떻게 시작할 줄 몰라 속이 탔다. 마침 열차가 터널로 들어서자 이 병사는 아가씨의 손을 잡았다. 아가씨가 그 병사를 쳐다보며 물었다.

"왜 제 손을 잡는 거예요?"

"기차가 너무 흔들려서 아가씨 맥박이 너무 빨리 뛰는지 보려고요!"

"군대에서 무슨 일 하는데요? 군의관입니까?"

"아니요! 나는 포병입니다."

아가씨가 그 말을 듣고는 손을 뿌리치며 화난 목소리로 말했다.

"군의관도 아니면서 사람의 맥박을 재나요?"

"맞습니다. 군의관이 아닙니다. 그러나 나는 거리를 재는 관측병입니다. 내가 방금 당신 손에부터 가슴까지 거리가 얼마인지를 쟀습니다."

외제

외제를 좋아하고, 남에게 지기 싫어하는 농촌에 사는 한 사람이 있었다. 아내는 그의 성격을 알았기 때문에 남편에게 당부했다.

"형님 집에 놀러 가면 당신이 보기에 귀하다고 생각하는 것은 무조건 외제라고 칭찬하세요."

아내의 말을 마음에 새기고, 어느 날 형님 집으로 놀러 갔다. 대문을 들어서자마자 칭찬을 했다.

"형님, 집을 외국 형태로 지었구먼. 고대 프랑스식이군. 게다가 텔레비전도 외제 삼성이고. 소파는 우리가 만들었지만, 가죽, 나무, 기술, 모양도 모두 외제구먼."

형은 기분이 좋아서 이것저것 보여주면서 동생에게 권했다.

"외제 담배야, 한 대 피우게. 자네 성격이 아주 좋구먼. 자네 하는 말마다 모두 맞는 말만 하고."

그때 형의 아내가 아이를 안고 응접실로 나왔다. 동생이 반갑게 일어서며 칭찬했다.

"아! 형수님 모두 외제를 입으셨네. 아이도. 진짜 외제야. 모두가 외제군요!"

기자가 한 노동자를 인터뷰했다.

"당신은 노동자이고 아내는 사장인데, 가정의 행복을 유지하는 비결이 뭔가요?"

노동자가 침착하게 대답했다.

"첫째는 밥 짓기, 세탁, 청소 등 모든 집안일을 완수하는 것입니다. 둘째는 부딪히는 것을 피하고자 말을 적게 하는 것이며, 아내가 일찍 출근했다가 늦게 퇴근하는 것을 일상적인 일로 받아들이는 것입니다. 셋째는 아내가 어떤 남자와 어디를 가거나 친근하게 웃으며 얘기하면 일 때문에 손님을 접대하는 것으로 간주하는 것입니다. 넷째 부부의 일은 모두 조용히 해결하는 것입니다. 다섯째는.."

기자가 말을 막았다.

"앞의 세 가지만으로도 충분한 경험이 되었습니다."

1.5. 까자오 ca dao

민요_{dân ca, 民歌}란 가사와 가락으로 구성된 민간의 노래이고, 까자오_{ca dao, 歌謠}는 민요의 가사 부분만을 지칭한 것으로, 구비문학의 한 종류이다. 즉 민요의 가락은 없어지고, 가사만 남은 것을 일컫는다. 형식은 6자 8자로 된 6·8구체와 7자 7자 6자 8자로 된 쌍칠6·8구체로 되어 있으며, 내용은 어려운 환경에 처한 사람들의 정서와 사랑을 표현하고 있는 것이 많고 베트남인들의 심성과 정서를 잘 나타내고 있다.

Mẹ như ánh nắng mùa đông,

Soi không tận mặt, tận lòng cho con.

어머니는 겨울 햇빛처럼 약하여,

그 빛이 자식의 마음과 얼굴에 닿지 않는구나.

Đôi ta làm bạn thong dong,

Như đôi đữa ngọc nằm trong mâm vàng.

Bởi chưng thầy mẹ nói ngang,

Để cho đữa ngọc mâm vàng xa nhau.

우리는 아름다운 인연을 맺었는데,

마치 금 쟁반에 놓인 옥 젓가락 같았고,

부모님은 반대하여,

금 쟁반 옥 젓가락을 서로 멀리하게 하는구나.

Thân em như củ ấu gai,

Ruột trong thì trắng, vỏ ngoài thì đen.

Ai ơi nếm thử mà xem,

Nếm ra mới biết rằng em ngọt bùi.

내 몸은 어우가이³⁾ 뿌리같이,

속은 희고, 겉은 검다.

사람들아! 맛을 보시오.

맛을 보면 비로소 내가 달콤하다는 것을 알 것이오.

Chồng chung khổ lắm ai ơi,

Ai bước chân vào đó, không ăn ngồi được mo!

첩이란 아주 힘든 것이오, 세상 사람들아!

그곳에 발 디딘 사람은 앉아서 밥을 먹을 수 없다네.

Trách cha trách mẹ nhà chàng,

Cầm cân chẳng biết là vàng hay thau.

Thực vàng chẳng phải thau đâu,

Đừng đem thử lửa cho đau lòng vàng.

---

3) 수생식물로 겉은 검고 속이 흰 뿌리로 식용할 수 있다.

남자의 부모님을 원망하노라,

저울로 달아 본들 금인지 황동인지 알겠느냐??

순금이지 절대 황동이 아닌 것을,

불로 시험해서 금의 마음을 아프게 하지 마소.

Ngồi buồn nhớ mẹ ta xưa,

Miệng nhai cơm búng, lưỡi lừa cá xương.

Thương con tần tảo sớm hôm,

Cơm đùm chéo áo, cháo đùm lá môn.

돌아가신 어머니를 회상한다.

밥은 씹어서 죽을 만들고, 혀로 가시를 발라 주셨지,

자식을 못 잊어 일하러 갔다가도 일찍 돌아오시고,

밥은 옷자락에 싸고 죽은 잎사귀에 싸서 가져왔었네.

1.6. 속담 tục ngữ

속담은 창작이라기보다는 인간의 경험을 기록한 것이라고 할 수 있다. 베트남 속담은 운을 가진 경우가 많고, 까자오가 감정을 많이 표현하고 있다면 속담은 인간의 지혜를 나타내고 있다. 그 구조는 대등 관계, 비교 관계, 대립 상반 관계, 정부 관계, 인과 관계 등으로 되어 있다.

1) 날씨, 자연현상과 관련된 속담

    동쪽에서 번개 치고 닭이 홰를 치면 비가 온다.

    3월의 비는 땅에 좋다.

    남풍이 불면 여름이 온다.

2) 농사의 경험과 관련된 속담

    땅 한 평은 금 한 량과 같다.

    오래 씹으면 배부르고 깊게 갈면 벼에 좋다.

물 한 바가지는 밥 한 그릇이다.

곡우에 벼꽃이 피면 모두가 배부르다.

입하에 벼꽃이 피면 모두의 근심이다.

3) 가금, 목축과 관련된 속담

물소는 집안의 재산이다.

부자는 돼지를 키우고 망하려면 비둘기를 기른다.

돼지는 놓아 기르고 닭은 가두어 기른다.

어린 뽕잎은 누에 입에 맞다.

4) 인간과 관련된 속담

사람만큼 향기로운 꽃은 없다.

한 인간은 열 재물보다 낫다.

품성은 아름다움을 이긴다.

한 창고의 금도 글 한 주머니만 못하다.

말은 금덩이와 같다.

5) 가족과 관련된 속담

부부가 합심하면 동해의 물도 퍼낼 수 있다.

새는 둥지가 있고 사람은 가족이 있다.

자식이 어리석으면 부모가 욕먹는다.

애가 세 살이 되면 온 집안이 말 연습한다.

넓은 논과 물소도 큰딸만 못하다.

6) 사회 관련 속담

이기면 왕이요 지면 적이 된다.

왕의 법도도 마을의 관습에 진다.

관官은 한시적이요 민民은 영원하다.

관리의 입은 어린애 항문과 같다.

돈 있으면 선녀도 살 수 있다.

1.7. 수수께끼 _{câu đố}

수수께끼는 은유적인 방법을 통해서 주변 세계를 인식하는 것으로, 인간이 관찰한 모든 것이 소재가 될 수 있고, 의인화, 사물화, 동물화, 식물화 등의 방법으로 형상화한다.

배로 먹고 등으로 싸며,
불을 두드리면 똥이 나온다. **대패**

붉은색 옷을 걸치고,
다리는 여섯이며,
땅 파는 일을 한다. **개미**

제 이름은 모자라지도 않고 남지도 않으며,
마음은 달콤한 금이니, 당신 맘에 들 것이오. **파파야**⁴⁾

까cà⁵⁾ 열매처럼 둥그나,
사람도 세울 수 있다. **지구**

귀로 듣고, 입으로 말하고, 아래는 왕이라. **聖 글자**

삼 년 가뭄에도 나는 친구를 버리지 않았는데,
하루 비에 친구는 나를 버린다. **그림자**

---

4) 파파야는 베트남어로 두두_{đu đủ}인데, 두_{đủ}는 '충분하다'라는 뜻이다.

5) 까cà 열매는 엄지손톱만 한 크기의 둥근 열매로 식초에 담가서 먹는다. 피클의 일종이다.

1.8. 베 _{về}

베_{về}는 어떤 일이나 행동을 진술하는 형식의 구비문학으로, 시사적인 내용을 진술함으로써 잊히는 것을 막는 역할을 하고, 시가 형식의 문장구조로 간략한 언어를 사용한다.

2 한문학

한문학 작품들은 대부분 애국 의식을 고양하고, 인도주의적 내용의 작품이 많았으며 대부분 중국에서 유입된 형식으로 터_{Thơ 詩}, 푸_{Phú 賦}, 힉_{Hịch 檄}, 까오_{Cáo 誥}, 찌에우_{Chiếu 詔}, 쩨_{Chế 制}, 비에우_{Biểu 表} 등으로 문학, 역사, 철학 등의 내용 구분이 불분명한 글이 대부분이었다. 힉은 고문체의 하나로 격문_{檄文}, 격서_{檄書}라고도 하며, 군병_{軍兵} 또는 동지들을 급하게 모이게 하거나 동의_{同意}를 얻으려고 할 때 돌리는 글은 비격_{飛檄}이라고 한다. 베트남 문학에서는 13세기의 쩐흥다오_{陳興道} 장군의 "격장사문_{檄將士文}"이 있으며, 프랑스 식민지 시대에는 쯔놈으로 쓴 격문이 많이 있었다고 한다. 까오란 왕명을 받들고 이를 신민에게 알린다는 뜻으로 쓰인 말로, 응웬짜이의 평오대고_{平吳大誥(1428년)}가 유명하다.

찌에우는 제왕의 선지_{宣旨}를 일반에게 알리기 위하여 쓴 글이나 그 문체로 리타이또_{李太祖}의 찌에우저이도_{Chiếu dời đô} 등이 있다.

쩨는 한문 문체의 하나로, 임금이 내리는 조령_{詔令}의 일종이다. 비에우는 한문학 문체로 장_章과 함께 임금에게 올리는, 사리를 밝히는 글이다. 내용에 따라 사표_{謝表}, 하표_{賀表}, 진정표_{陳情表} 등이 있다.

베트남 중대 문학 작품에서 나타나는 이러한 현상을 "반스찌엣벗편_{Văn sử triết}

bất phân, 文史哲不分"이라고 한다. 작품에 사용된 문자가 한자였고, 형식 역시 중국의 것을 그대로 받아들여 사용했었다. 이 중 가장 유명한 작품은 응웬짜이의 평오대고平吳大誥이다(Bùi Văn Nguyên, Nguyễn Sĩ Cẩn & Hoàng Ngọc Trì, 1989, p. 140). 이 작품과 응웬짜이의 한시가 우리말로 번역되었다(응웬짜이, 1992).

2.1. 한문 소설

리 왕조와 쩐 왕조시대(10세기~15세기)를 통해서 많은 문인이 배출되었는데, 초기 작가 중 상당수는 승려였으며 12세기 이후로 유학자들이 문단의 주류를 이루게 되었다. 리 왕조의 문학은 대체로 불교적 색채를 강하게 띠고 있지만, 비종교적 색채 즉, 사회생활이나 민족의 운명에 관한 작품도 있다(Nhiều tác giả, 1980, pp. 83~84).

쩐 왕조에 들어와서도 불교는 여전히 높은 위치를 차지하고 있었지만, 점점 유교에 그 위치를 양보하게 된다. 13세기에 들어와서는 유학자층이 날로 증가하게 되었다. 리 왕조시대보다 유학자가 대거 등장함으로써 창작 집단의 변화를 엿볼 수 있다. 특히, 쩐 왕조부터 기록문학은 한문 문학과 쯔놈 문학을 포함하게 된다(Nhiều tác giả, 1980, pp. 115~117).

이때의 역사서로 레반히우黎文休의 대월사기大越史記, 호똥똑胡宗鷟의 월사강목越史綱目, 남월세지南越世志, 무명씨의 대월사략大越史略이 있으나 현존하지 않는다. 그 외에도 13편의 부賦와 7편의 표表가 전해지고 있다.

베트남 한문소설은 쩐반잡의 책(Trần Văn Giáp, 1990)에 자세히 소개되어 있다. 그중 몇 작품을 살펴보면, 공여첩기公餘捷記는 43편의 작품을 수록하고 있는데, 베트남의 18세기 초에 관한 이야기로 대부분 전설이다.

황여일통지皇黎一統志는 안남일통지安南一統志라고도 불리며, 베트남 역사를 기록한 작품으로, 18세기 말과 19세기 초의 30여 년간의 정권탈취를 위한 각 통치

세력 간의 다툼을 묘사하고 있다.

남옹몽록南翁夢錄은 리 왕조와 쩐 왕조시대에 일어난 일들을 기록하고 있으며, 신화, 역사, 신에 관한 이야기가 수록되어 있다.

산거잡술山居雜述은 필사본으로 저자불명이며, 대략 150편의 이야기가 수록되어 있고, 역사에 관한 이야기기와 공여첩기公餘捷記에 나오는 신화가 있다. 우중수필雨中隨筆은 1권에 18편, 2권에 15편이 실려 있다.

월전유령집越甸幽靈集은 베트남의 각 사당과 관련된 신기한 이야기 28편을 모은 책이다. 왕과 신하, 신에 관한 이야기를 담고 있다. 운낭소사雲囊小史는 역사를 기록할 뿐만 아니라 기이한 이야기를 기록하였다. 원래는 5권으로 101편의 이야기를 기록했으나 현존하는 것은 4권 85편의 작품이다. 각 작품의 끝부분에 작가의 주석과 의견을 기록하였다. 성종유초聖宗遺草는 2권으로 된 필사본으로 19편의 신화를 모아 놓은 집전集傳이다.

월람춘추越藍春秋는 표지에는 월람소사越藍小史라고 되어 있고, 레호안黎驩이 지은 것으로 되어 있으나, 응웬 왕조 때의 부수언마이武春梅가 편집한 것으로 되어 있다. 쩐 왕조 말기에서 호뀌리의 왕위 찬탈과 레 왕조의 태조까지, 즉 1400년에서 1426년까지 기록하고 있다. 전기신보傳奇新譜는 목판본이며 1권에 6편의 작품이 실려 있다.

난지견문록蘭池見聞錄은 부찡이 은둔생활을 하던 때에 보고 들은 민담을 수집한 것으로 전기적 성격을 띠고 있으며, "거지 신선", "도둑", "곰과 호랑이의 싸움" 등의 작품이 실려 있다(Hoàng Hung, 1990, p. 73).

참고로 한놈원Viện Hán Nôm의 도서관에는 1987년 기준으로 4,808종 16,164권의 서적과 30,000점의 자료를 보관하고 있는데, 그중 한문 서적이 10,558권, 쯔놈 서적이 1,373권이며 나머지는 중국 책이다. 4,808종의 서적을 분류하면 문학 관련이 2,500 작품, 역사가 1,000 작품, 종교 관련이 600 작품, 교육, 문화 관련이 450 작품, 정치, 사회 분야가 350 작품, 의학, 위생 분야가 300 작품, 지리

분야가 300 작품, 법제 분야가 250 작품, 예술 분야가 80 작품, 경제 분야가 70 작품, 언어, 문자 분야가 60 작품, 군사 분야 40 작품 등이다(Trần Nghĩa, 1988, p. 4).

제12장

<h1 style="text-align:right">현대 소설</h1>

1 　현대 소설 1920 ~ 1945

　　베트남에서는 '근대 문학'이라는 개념을 사용하지 않는다. 그 이유는 근대 문학이라는 개념을 사용할 경우, 현대 문학이라는 개념과 구분하기 힘들다는 것이다. 즉, 베트남 문학이 중대 문학에서 근대 문학으로, 다시 현대 문학으로 발전됐다고 한다면, 어떤 것을 근대 문학이라고 정의하고, 어떤 것을 현대 문학이라고 정의하기가 어렵기 때문이다. 단지 연도를 기준으로 정하는 것도 특정한 의미를 찾을 수 없기 때문이다. 예를 들어 1945년 이전 또는 1954년 이전으로 정한다면 그 기준을 두고 전과 후가 어떤 차이를 보여야 하는데, 베트남 문학에서는 그러한 차이가 뚜렷하게 나타나지 않는다. 따라서 중대 문학에서 바로 현대 문학으로 넘어왔다고 보며 근대 문학이라는 개념을 사용하지 않는다.

　　베트남 현대 소설은 중대 소설(산문)과 구성과 방법이 달라야 하고, 언어 측면에서는 많은 고사성어의 사용을 지양하고, 새로운 미적 관점이 있어야 한다. 이러한 시각으로 본다면 1920년대에 베트남에 신소설이 출현했다고 할 수 있다(Phan Cự Đệ, 2001, p. 24).

20세기 초에서 1920년까지는 중대 문학에서 현대 문학으로의 이양기 또는 새로운 문학의 준비기로 볼 수 있는데, 두 가지 큰 흐름이 있었다. 그것은 공개적인 작품 활동과 비밀 활동인데, 비밀 활동은 민족해방 운동에 참여한 그룹으로, 그들의 작품은 인쇄, 출판되지 못했다. 공개 문학은 주로 남부에서 이루어지고 있었는데, 국어를 사용함으로써 국어 보급에 힘썼으며 새로운 단어를 창조했다. 이 시기 작품의 특징은 사유는 개혁이 되었으나 시법은 아직도 과거를 그대로 답습하고 있다.

1920년대에는 비로소 새로운 성과가 나타나기 시작했다. 특히 소설이 강하게 발전했다. 예를 들면, 베트남 최초의 낭만 소설이라는 또떰_{Tố Tâm}이 발표되었고, 옹떠이안남_{Ông Tây An Nam}이라는 희곡이 나왔다.

1930년에서 1945년 사이는 베트남 근대 문학의 절정기라고 할 수 있는데, 시법_{詩法}에서 완전히 중대의 잔재를 탈피했고, 발전의 속도가 빨랐다. 또한, 소설 분야에서는 자력문단_{Tự lực văn đoàn, 自力文壇}, 토요소설_{Tiểu thuyết thứ bảy} 등과 같이 파벌이 분명했으며 서로 간에 많은 논쟁을 벌이면서 발전을 거듭했다. 시 분야에서는 "빙딩그룹_{nhóm Bình Định}", "춘추아집_{春秋雅集, Xuân Thu Nga tập}"이라는 파가 있었다.

자력문단은 1932년에 공개적으로 활동을 시작하고 1933년에 정식으로 출범한 작가 모임으로, 주요 멤버는 녓링_{Nhất Linh}, 카이흥_{Khái Hưng}, 호앙다오_{Hoàng Đạo}이다. 기관지로 순간 "풍화_{風化, Phong hóa}"를 발간하다가 1936년부터는 "오늘날_{Ngày nay}"이라는 잡지로 대체했다. 개인주의와 개량적 자본주의를 주창했으며, "인도", "평민주의", "애국"이라는 구호를 자주 외쳤다.

이 시기의 예술적 경향은 낭만주의와 현실주의로 나눌 수 있는데, 낭만주의 경향에서도 비밀 활동을 하던 자들의 경향은 영웅성을 높이고, "나"의 해방을 이루려는 내용이 많았고, 공개 파들은 자연에 대한 감정, 사랑, 술과 담배, 외도 등 향락적인 것을 탐닉하는 경향이 있었다.

현실주의파들은 정확한 당시의 현실을 묘사하는 데 중점을 두었는데, 현실주의파들 중에서도 공개 파들은 일반 사회 대중의 문제를 다루었으며, 비밀 활동파는 실국, 착취 등의 국가적인 문제에 대해서 다루었다.

시에서는 딴다Tản Đà는 낭만주의 시초라고 할 수 있으며, 테르Thế Lữ는 몽상적 낭만주의, 수언지에우Xuân Diệu는 사랑을 갈망을, 쩨란비엔Chế Lan Viên은 망국의 설움이나 참상을 다루었고, 한막뜨Hàn Mặc Tử는 죽음, 피 등과 같이 섬뜩한 내용의 시를 썼다. 응웬빙Nguyễn Bính은 농촌의 소박한 풍경에 대해서 시를 썼다.

소설 분야에서, 녓링과 카이흥은 사랑을 낭만적으로 묘사했으며, 응웬뚜언Nguyễn Tuân은 과거의 아름다움에 대해서 묘사했다. 응웬꽁호안Nguyễn Công Hoan은 해학적 단편소설을 썼고, 부쫑풍Vũ Trọng Phụng은 '북부 풍자소설의 왕'으로 불렸고, 남까오Nam Cao는 현실비판 소설에서 뛰어난 능력을 발휘하였다.

식민지하에서 지식층들은 쌓인 불만을 해소하기 위해서 자연을 노래하거나 사랑, 꿈, 몽상, 향락에 빠지게 되었다. 그러한 가운데에서도 애국과 인도주의적 정신이 작품에 나타났다.

1.1. 자력문단 Tự lực văn đoàn 自力文壇

베트남 최초의 민간 작가 클럽으로 1932년 말에 결성되었으며 1934년 3월에 공식적으로 출범을 선언했고, 1942년까지 활동했다. 주창자는 녓링Nhất Linh이며, 카이흥Khái Hưng, 호앙다오Hoàng Đạo, 테르Thế Lữ, 타익람Thạch Lam, 뚜머Tú Mỡ가 참여하였다. 뒤에 수언지에우가 가입하였다.

동인지로 전반부에는 '풍화Phong Hóa', 후반부에는 '오늘날Ngày Nay'을 발간했다. 이들은 10개 항의 목표를 발표했는데, 주요 내용은 스스로 문학성 있는 작품을 출판하고, 평민주의를 표방하고, 베트남적인 내용의 글을 쉽고, 간략하게 쓰며, 개인의 자유를 중시하고, 유교가 시대에 맞지 않음을 전파하고, 베트남 문학에 과학적 방법을 적용한다는 것이었다. 즉, 창작 운동을 촉진하고, 대중 문학을 수립하며, 유럽의 창작 방법을 베트남 문학에 접목한다는 것이었다. 사회적 측면에서는 평민을 기반으로 애국 의식을 높이고, 사상적 측면에서는 시대에 맞지 않는 유교 잔재를 드러내며, 창작의 중심은 개인의 해방을 겨냥한다는 것이었다.

이들의 활동은 두 단계로 나눌 수 있는데 전반부(1932~1936)에는 낭만주의, 사실주의 경향 외에도 사회풍자와 비판의 글이 핵심이었다. 이 시기의 두드러진 작품은 1934년의 <단절_{Đoạn tuyệt}>과 1936년의 <냉담_{Lạnh lùng}>이었다. 1936년 6월에 풍자 탓에 정간당하고, 그 전에 이미 허가를 받아서 그들이 발간하던 <오늘날>이라는 잡지로 활동을 옮겼다. <오늘날>에서는 풍자가 거의 사라졌다.

후반부(1937~1942)에서는 <오늘날> 신문은 사회개혁을 주장하며 정치적 색채를 강하게 띠게 된다. 그리고 비후옌닥_{Vi Huyền Đắc}, 도안푸뜨_{Đoàn Phú Tứ}, 타잉띵_{Thanh Tịnh}, 수언지에우_{Xuân Diệu}, 후이껀_{Huy Cận} 등을 새로운 멤버로 영입한다. 일본이 인도차이나반도를 점령하면서 녓링과 일부 작자들이 정치 활동에 참여하게 되고, 1940년 말에 카이흥, 호앙다오, 응웬쟈찌가 프랑스 당국에 체포되어 선라성으로 유배되고, 녓링은 중국으로 도망치고, 타익람이 병으로 죽자, 공식적으로 선언한 것은 아니지만 자력문단은 거의 해체된 것이나 다름없었다.

2 북베트남의 소설 1950년대 이후

베트남이 독립을 선언한 1945년 이후로 1975년까지의 문학은 대불, 대미 항전이라는 역사적 변고로 인해서 비정상적인 규칙의 지배를 받지 않을 수 없

314

었다. 정치적 임무에 충실하기 위하여 문학을 사상적 무기로 스스로 인식하고 "신인간"을 교육하고 만드는 데 총력을 기울였다. 혁명의 관점에서 낙관적이고 적극적인 "공동체의 인간"을 찾아내는 것이 이 시기의 문학적 공헌이라고 할 수 있다. 전쟁은 베트남인들의 생존 문제였기 때문에 모든 것은 "적과 우리"라는 이분법적 사고가 지배했으며, 그것은 또한 최상의 원칙으로 받아들여졌다. 또한, 그들은 계급이라는 기준에 따라 인식하고 평가하였다. 개인은 공동체 속에 녹아들었다. "개인의 곤경과 비극의 해결은 혁명과 공동체를 향했다"(Lão Lai, 1996.8.11.).

이러한 관념은 작가에게 선택적인 글쓰기를 하게 만들었으며, 또한 장기간의 전쟁은 이러한 경향이 하나의 규범처럼 굳어지게 만든 면이 없지 않았을 것이다. 집단이 항상 개인보다 더 우선되었다. 이러한 것은 목적을 너무 강조한 나머지 과정을 소홀히 함으로써 생동감을 잃게 되었다. 창작은 인간을 쉽고 간단하게 인식하게 되었고 또한 인간을 보는 시각이 공식적이고 이상화하는 단점을 낳았다.

이처럼 베트남 현대 문학은 베트남의 역사적, 사회적 상황의 특수성 즉, 전쟁과 사회주의화 과정의 영향으로 개인적 사고보다는 공동체를 중시하는 사고가 주류를 이루면서 묘사에 있어서 동일성이 나타나는 단점도 노출되었다. 또한, 그 주류에 동참하지 않는 것은 쉽게 실패할 수 있었다. 달리 말하면 비판을 받기가 쉬웠다. 이 시기의 작품은 현실을 충실하게 반영하는 사회주의 리얼리즘의 규율을 충실히 따라야 했는데, 현실이란 예술을 반영하는 목적이 되었다. 소재도 한정되어 노동자, 농민, 군인에 대한 글이 주조를 이루게 된다. 작품은 또한 항상 낙관적인 내용을 담아내야 했고 정치체제를 옹호, 칭찬하는 단순하고 획일화된 폐단도 있었다.

"문학은 구국 전쟁의 분위기에 호응하여 들끓었고, 이 시기의 많은 작가가 직접 총을 들고 참전했으며 희생된 자도 있었다. 『1965~1975 단편선』에서 우리는 한 시대의 문학 생활의 분위기를 기록하고 독자 여론의 주의를 받은 단편들과 대표적인 단편을 소개하고자 노력하였다(Nhiều tác giả, 1996, p. 1)"라고 밝히고 있어, 60년대 후반에서 70년대 전반기 베트남 소설을 이해하는 데 도움이 될 것이다.

그 이전 시기의 작가들에게도 역시 혁명 영웅주의는 그들의 사고나 생활방식 속에서 통상적인 기준이었다. 이러한 노선을 따른 작가는 또히우Tô Hữu, 수언지에우Xuân Diệu, 후이껀Huy Cận, 쩨란비엔Chế Lan Viên, 떼하잉Tế Hanh, 아잉터Anh Thơ, 농꾹쩐Nong Quốc Chấn, 반따이도안Bàn Tài Đoàn, 응오떳또Ngô Tất Tố, 남까오Nam Cao, 응웬꽁호안Nguyễn Công Hoan, 응웬후이뜨엉Nguyễn Huy Tưởng, 응웬홍Nguyễn Hồng, 응웬뚜언Nguyễn Tuân, 응웬딩티Nguyễn Đình Thi, 또호아이Tô Hoài 등이다(Nguyễn Khải, 1984, p. 99).

1975년 이전의 작가들은 자기 작품으로 전투에 참여했으며 1975년 이후 1980년대 중반까지도 대미 항전을 소재로 한 소설이 주류를 이루었고 특히, 르포 문학이나 회고록이 많이 나왔는데 응웬카이Nguyễn Khải의 『서부 고원에서의 3월Tháng 3 ở Tây Nguyên』, 남하Nam Hà의 『사이공 동북전선Mặt trận đông bắc Sài Gòn』, 수언티에우Xuân Thiều의 『1975년의 박하이번수언Bắc Hải Văn Xuân 1975』, 호프엉Hồ Phương의 『전선의 서쪽Phía tây mặt trận』, 반띠엔중Văn Tiến Dũng 대장의 『봄의 대승Đại thắng mùa xuân』 등이다(Nguyễn Văn Long, 1985, p. 117).

인간의 가치를 확립하는 과정에서 의지의 역할은 대단히 중요하다고 할 수 있다. 특히 베트남과 같이 공동체를 위해서는 개인이 희생될 수도 있다는 것을 강조하는 사회에서는 더욱 그러할 것이다. 그러나 의지의 힘을 너무 강조한 나머지 인간 사회에서 흔히 일어날 수 있는 우연을 간과하였다. 이러한 잘못을 간파하고 제6차 전당대회에서 강조한 것은 "사실을 직시하고, 사실을 올바로 평가하며, 사실을 분명히 말하는 것"이었다. 따라서 문학 창작에 관해서 얘기할 때도 먼저 사실을 말해야 하고, 작가의 재능과 작품의 가치는 여러 방면에서 나타날 수 있지만 먼저 충분한 설득력과 새로운 독창성으로 삶의 사실을 언급하는 곳에 나타난다고 했다(Nguyễn Văn Hạnh, 1987, p. 7).

그러한 의지 주의 문제를 비판한 소설로 마반캉_{Ma Văn Kháng}의 『혼인 증명서 없는 결혼_{Đám cưới không có giấy giá thú}』이 있다. 의지가 아닌 운수가 결정적 요인임을 표현한 응웬카이의 『연말의 만남_{Gặp gỡ cuối năm}』이 있으며, 또한 우연은 실화 소설인 히우마이_{Hữu Mai}의 『고문_{顧問, Ông cố vấn}』에서도 주인공인 하이롱_{Hai Long}이 적에게 체포되어 아무런 희망이 없는 가운데서도 자신의 처지를 역전시킬 수 있었다.

자연법칙에 대한 인식의 변화는 작품에서 더 포용적이며, 유연하게 나타날 수 있는 것인데, 그것에 반하는 주관적 의지의 폐해에 대해서 레밍퀘_{Lê Minh Khuê}는 『작은 비극_{Bi kịch nhỏ}』에서 비판하고 있다. 주관적 권력을 가진 성 당서기가 폭풍우 속에도 청년 돌격대가 물고기를 기를 연못을 파도록 지시하여 인력을 낭비하고 결국은 물이 넘쳐 물고기도 다 잃게 되는 비극을 초래한다. 이러한 식의 작품으로는 응웬밍쩌우_{Nguyễn Minh Châu}의 『잣 시장_{Phiên chợ Giát}』, 응웬카이의 『항전기의 친구들_{Nhóm bạn thời kháng chiến}』, 레밍퀘의 『아주 늦은 오후_{Một buổi chiều thật muộn}』, 응웬후이티엡_{Nguyễn Huy Thiệp}의 『가장 큰 짐승_{Con thú lớn nhất}』, 팜티호아이_{Phạm Thị Hoài}의 『눈 감아주다_{Chín bỏ làm mười}』등이 있다.

개인의 전쟁에 대한 새로운 시각에 대해서 심도 있게 그린 작품으로는 바오닝_{Bảo Ninh}의 『전쟁의 슬픔_{Nỗi buồn chiến tranh}』이 있다. 주인공 끼엔_{Kiên}은 "정의가 승리했다. 인심도 승리했다. 그러나 악과 비인간적 폭력도 승리"했기 때문에 전쟁은 슬픈 것이라고 가슴 아파했고, 전쟁은 승자도 패자도 모두 피해자일 수 있다는 것을 독자들에게 보여주는 반전의 메시지를 담고 있다.

그러나 이 작품은 독자들이 지금까지 그들이 가지고 있던 영웅성, 낙관성과는 다른 인상을 심어주게 되었다. 이것으로 인해서 그는 엄청난 비판을 받게 되었다. 그러나 많은 비판에도 불구하고 그는 여전히 건재하다. 이러한 것들이 도이머이 이전과 달라진 점이라고 할 수 있다. 이 작품은 우리말 번역본이 2권 출판되었다(바오닝 1999; 바오닝 2012).

공산주의자들에게 있어서 "종교는 아편"이다. 응웬카이는 1957년에 『충돌 Xung đột 1부』, 1959년에 『충돌 2부』에서 천주교의 "반동적 행태"에 대해서 고발하였으나, 1983년에 출판한 『인간의 시간 Thời gian của người』에서는 인간의 자연적인 신앙심과 종교인의 아름다운 인격에 대해서 언급하였다. 이에 대해서 그는 "전에 나는 종교의 소극적인 면을 직접 대면하고 『충돌』을 썼다. 통일 후에 여러 종교인을 접하면서 종교의 적극적인 면을 보게 되었다. 그래서 『인간의 시간』을 썼다"라고 술회하고, 인간이 동물과 다른 것은 현재를 위해서 살기도 하지만 그 자신보다 더 신성하고 고귀한 믿음을 위해서 살기도 한다. 혹은 사회적 이상에 대한 믿음일 수도 있고 혹은 종교적 이상에 대한 믿음일 수도 있다고, 자신의 종교관 변화를 인정하였다.

남녀관계 혹은 성性의 문제는 문학 작품에서 흔히 다루어지는 소재이다. 베트남도 예외가 아닐 것이다. 아내와 남편이 있는 두 남녀의 외도를 그려서 판금 처분받은 다오히에우 Đào Hiếu의 『난리 Nổi loạn』가 있었고, 1995년에 출판된 팜티호아이의 단편집은 베트남 문학에서 그처럼 저속하고 병적이며 극단적 프로이트주의적인 작품이 없었다고 할 정도로 비판받았다. 이 단편집은 모두 10편의 작품으로 되어 있는데 그중에서도 『만느엉 Man nương』은 매일 오후 2시에서 4시 사이에 5평 남짓한 방안에서 남자 주인공 "나"와 만느엉이라는 여성 사이에 벌어지는 "운우지정雲雨之情"을 묘사하고 있다. 여성이 들어오면서 작품이 시작되어 집을 나가면서 끝나고 있는데, 신체의 각 부분을 세밀히 묘사하고 있다. 『겸애兼愛, Kiêm ái』는 두 모녀의 얘기로 딸이 매춘하는 어머니를 보고 느낌을 술회하는 형식인데, 결국 18세 된 남자를 어머니와 딸이 함께 취하는 내용이다. 『중고품second hand』는 중고품을 배달하는 청년과 중고품 가게 여주인 사이에 벌어지는 부정한 관계를 그리고 있다. 『바다 세Thuế biển』는 주인공인 "내"가 붕따우로 함께 놀러 가는 길동무가 사랑받아주지 않는 것을 불평하는 내용이다. 이 작품들은 아주 심한 비판받았고, 심지어 '장애인 자식'이라고 비판했다(Thái

Hồng, 1996.8.3.).

대체로 도이머이 이전, 특히 1975년 이전에는 문학 활동에 많은 제약이 있었음을 알 수 있다. 그러나 이제 베트남 문단은 역사와 시대의 요구에 부응하여 다양한 소재와 더 자연스러운 구성으로 독자에게 다가가고 있다. 그렇다고 해서 과거를 모두 부정하는 것이 아니라 당시의 특수한 역사적 상황전쟁을 고려해야 한다고 하는 주장도 만만치 않다. 또한, 현 상황에 맞지 않는 것은 바로잡아야 할 시기에 도달했으며 '시대와 민족의 새로운 요구'에 부응해야 한다는 주장도 대두되고 있다.

도이머이 이후로 베트남 문학의 특징은 작품의 '풍부함, 다양성, 복잡성' 외에도 '예술적 사유'의 변화이다. 그것은 크게 3가지로, 각 인간 속에서 그리고 사회생활 속에서 선악, 명암, 적극성과 소극적인 면이 더 명확히 드러남으로써 현실에 대한 관념이 더욱 충분해졌고, 인간 내면에서 일어나는 복잡한 변화와 인간과 사회와의 관계 속에서 인간에 대한 예술적 관념이 바뀌었고, 예술적 구조에서 '개방의 원칙'이 중시되고 있다는 것이다(Vũ Tuấn Anh, 1997, p. 195).

3 년반자이펌 人文佳品 사건

1954년 5월 초 베트남 서북 산악지대인 디엔비엔푸에서 프랑스군을 궤멸시킨 호찌민 정부는 그해 10월 하노이를 수복하고 본격적으로 북부 베트남 지역에서의 '사회주의화'를 추진했다. 그 과정에서 지식인, 문인들의 민주화, 자유화를 요구하는 운동이 일어났고, 이를 제압한 사건을 "년반자이펌 사건"이라고 부른다.

이 자유화 요구 운동은 1955년 초에 시작되어 1958년 6월에 막을 내리게 되는데, 당시 북베트남의 지식인과 문인 등 50여 명이 넘는 인사들이 관련되었다. 이들은 《년반人文》이라는 잡지와 《자이펌佳品》이라는 잡지를 통해서 당시의 북베트남의 상황을 비판하고, 민주화를 요구하는 글을 발표하였다. 여기에 관련된 자들은 일부는 교도소에, 일부는 작가로서의 활동을 금지당하고, 비교적 관련 정도가 낮은 자들은 '개조학습'을 받게 되었다.

시인 쩐전은 1956년 1월에 출간된 《자이펌》 봄 호에 "반드시 승리한다!"라는 제목의 시를 발표하여, 남북분단 초기의 북베트남의 상황을 묘사하는 장문의 시(310행)를 발표하였다. 그 시의 일부를 소개한다.

아, 생사의 거리에서
둘은
비좁은 한 칸에서
아주 사랑하는데 왜 삶이 즐겁지 않은지!
오늘의 조국
평화 속에 산다고는 하지만
이제 첫 장이라네……
……나는 걷지만
거리도 볼 수 없고
집도 볼 수 없으며
오직 붉은 깃발에
떨어지는 비만 본다……

이 시로 쩐전은 사회주의를 왜곡하고, 파괴하려 했다는 비판을 받았고, 수십 년 동안 작품 활동을 금지당했다.

이들 중 가장 심한 처벌을 받은 사람은 여류 시인 투이안(1916~1989)과 기자 출신의 응웬히우당(1913~2007)으로, 각 15년 징역형을 선고받았고, 1973

년에 출소한 뒤로도 장기간 연금되었다. 이들은 간첩 활동죄로 처벌받았다.

그 외에도 학자이며 문인이었고, 년반의 창간자인 판코이(1887~1959), 현재의 베트남 국가인 "진군가"를 작곡한 반까오(1923~1995), 역사학자이며 <월~한 사전>의 편찬자 다오주이아잉(1904~1988), 베트남 최고의 현대 화가로 알려진 부이수언파이(1920~1988), 동양철학 교수 까오수언후이(1900~1983)와 시인 히우로안(1916~2010), 쩐전(1926~1997), 풍꽌(1932~1995) 등 당시는 물론 지금까지도 베트남 사람들에게 널리 알려진 인물 수십 명이 참여하였다.

《년반》은 5호, 《자이펌》은 4호를 출간하고 폐간되었다. 이 운동을 가장 앞장서서 비판한 사람은 당시 베트남 노동당 중앙위원이며 문화 담당 최고위층이었던 시인 또히우였다. 그는 이들이 반동이며, 간첩이고, 반공, 반사회주의자들이고, 반혁명 분자들이고 몰아붙였다.

이 사건을 계기로 북베트남 정부는 문학에서의 이론적 대응력을 기르기 위해 <베트남 문학원>을 창립하게 되었고, 작가들을 한곳으로 모으기 위해 <문예회>를 만들고, 그들의 기관지로 《반 Văn 文》이라는 잡지를 출간하였다. 그러나 이 잡지도 1958년 초에 37호를 끝으로 폐간시켰다. 당에 대항한다는 이유였다. 그리고 500여 명의 문인과 예술인들이 자아비판을 해야 했고, 300명이 넘는 작가와 예술인들은 당의 노선에 순응하겠다는 서약서에 서명하도록 했다.

그리고 오랜 세월이 지난 후, 도이머이 이후로 그들에 대한 명예가 회복되기 시작했다. 베트남에서 가장 명예로운 상이 <호찌민 상>인데, 이 상을 년반자이펌에 연루되었던 자들에게 수여하기 시작했다. 1996년에 까오수언후이 교수와 작곡가 반까오 그리고 2000년에는 다오주이아잉 교수, 철학자 쩐득타오 교수에게 이 상을 수여했고, 2007년에는 시인 레닷, 쩐전, 풍꽌, 호아 껌이 이 상을 받았다. 홍앙껨과 레닷을 제외한 나머지 두 명의 시인은 이미 이 세상 사람이 아니었다. 호앙껌은 수상 소감에서 "1958년 이후로 거의 50년 만에 년반자이펌이 비로소 해원 되었다. 도이머이 이후로, 모든 것이 회복되기 시작했지만, 그것은 공개적인 것이 아니었다."라고 말했다. 이 상의 문학 분야 심사위원인 도쭈는 수상자를 발표하면서 "이것은 여러분에 대한 우리들의 사과이다. 이 상의 수여는 아름다운 행동이다. 비록 늦은 것이기는 하지만 더 늦는 것보다는 낫지 않은가!"라고 말했다.

한때 "년반자이펌" 관련자들을 반혁명 분자로 몰아붙였고, 교도소도 보내고, 예술 활동을 금지했던 베트남 당국은 반세기 만에 그들에게 '가장 영광스러운 상'을 수여했다. 지금까지 당국에서는 이 사건에 대해서 잘못했다거나 사과한다는 말을 한 적이 없었다. 이런 것이 베트남식 화해인 것 같다. 누구나 잘못된 일인 것을 알지만 그 누구도 잘못을 시인하지 않는다. 그리고 조용히 '호찌민 상'을 통해서 화해를 청했다.

국외자인 필자가 보기에 이런 방식의 화해는 아쉬움이 남는다. 그리고 이제는 이 사건을 재조명해야 할 것 같은데, 아직은 특별한 움직임이 없다. 시간이 더 흘러야 할 것 같다. 2023년 12월 하이퐁에서 시인이며 조각가로 활동하는 팜수언쯔엉이 180여 명의 문인과 예술인의 동판 인물 부조 작품을 전시했는데, 하노이시 문화체육 관광청에서 30여 명의 작품의 전시를 금지하는 바람에 많은 지식인으로부터 비판을 받았다. 전시가 금지된 30여 명 중, 여기에서 소개한 년반자이펌 사건 연루자들이 포함되어 있다. 국가로부터 상을 받았는데도 불구하고 아직도 이런 일이 일어나곤 한다. 공안부 안보국에서 문화 담당 과장을 지낸 사람(시인)의 부조도 전시가 금지되었다. 이에 그는 공식적으로 항의 서한을 전달했지만 1주일간의 전시 기간이 끝날 때까지 회신받지 못했다고 한다.

4 우리말로 번역된 베트남 문학작품

순서 TT	도서명 Tên sách	저자 Tác giả	역자 Dịch giả	출판사 NXB	출판년도 NămXB.
01	반청춘 Nửa chừng xuân	Khái Hưng	윤석두	극동문화사	1969
02	쩌우 까우 이야기 Truyện cổ tích	Kuyét danh	김기태	창작과비평사	1984
03	사이공의 흰옷 Áo trắng	Nguyễn Văn Bổng	편집부	도서출판 친구	1986
04	귀뚜라미 표류기 Dế mèn phiêu lưu kí	Tô Hoài	전혜경	웅진출판사	1986
05	불멸의 불꽃으로 살아 Sống như anh	Trần Đình Vân	김민철	도서출판 친구	1988
06	베트남 최고 시인 완채 Ức Trái thi tập	Nguyễn Trãi	지준모	지식산업사	1992
07	제목을 붙이지 못한 소설 Vô đề	Dương Thu Hương	한상희	동방출판사	1993
08	전쟁의 슬픔 Nỗi buồn chiến tranh	Bảo Ninh	박찬규	예담	1999
09	옥중에 자유인 머물다 Nhật kí trong tù	Hồ Chí Minh	김상일	사람생각	2000
10	전기만록 Truyền kì mạn lục	~	박희병	돌베개	2000
11	영남척괴열전 Lĩnh nam chích quái liệt truyện	Vũ Quỳnh	박희병	돌베개	2000
12	베트남 선사들의 이야기 Thiền uyển tập anh	Khuyết danh	정천구	민족사	2001
13	그대 아직 살아 있다면 Nếu anh vẫn còn sống	Văn Lê	하재홍	실천문학사	2002
14	옥중일기 Nhật kí trong tù	Hồ Chí Minh	안경환	조명문화사	2003
15	정부음곡 Chinh phụ ngâm khúc	Đoàn Thị Điểm	배양수	부산외대출판부	2003
16	가을 편지 Tập thơ Hữu Thịnh	Hữu Thịnh	김정환	문학동네	2003
17	쭈옌끼에우 Truyện Kiều	Nguyễn Du	안경환	문화저널	2004
18	취교전 Truyện Kiều	Nguyễn Du	최귀묵	도서출판 소명	2004
19	아시아의 단편소설 I Truyện Ngắn Châu Á tập I	Nguyễn Huy Thiệp, Nguyễn Khải, TrầnVănTuấn,,Kim Nhật	배양수	부산외대출판부	2005
20	하얀 아오자이 Áo trắng	Nguyễn Văn Bổng	배양수	동녘	2006
21	끝없는 벌판 Cánh đồng bất tận	Nguyễn Ngọc Tư	하재홍	아시아	2007

순서 TT	도서명 / Tên sách	저자 / Tác giả	역자 / Dịch giả	출판사 / NXB	출판년도 / Năm XB.
22	끝없는 벌판 / Cảnh Đồng Bất Tận	Nguyễn Ngọc Tư	하재홍	아시아	2007
23	얼마나 분명한 작은 존재들인가 / Hiển nhiên biết bao mọi sự tồn tại nhỏ bé Nguyễn Quang Thiều, Vi Thùy Linh	Nhiều tác giả	배양수	시평사	2007
24	지난밤 나는 평화를 꿈꾸었네 / Nhật kí Đặng Thúy Trâm	Đặng Thúy Trâm	안경환	이룸	2008
25	월남우언 선집 / Tuyển Tập Ngụ Ngôn Việt Nam	Tô Hoài	전혜경	박이정	2008
26	섬 위의 여자 / Người đàn bà trên đảo	Hồ Anh Thái	최하나	인천문화재단	2010
27	베트남 단편선 / Tuyển tập truyện ngắn Việt Nam	Hồ Anh Thái, Lê Minh Khuê, Đoàn Lê, Ma Văn Khang, Nguyễn Ngọc Thuận	조애리 강문순 김진욱 등	글누림	2011
28	전쟁의 슬픔 / Nỗi buồn chiến tranh	Bảo Ninh	하재홍	아시아	2012
29	귀뚜라미 표류기 / Dế mèn phiêu lưu kí	Tô Hoài	류티싱	여유당	2013
30	어린 시절로 가는 티켓 / Cho tôi xin một vé đi tuổi thơ	Nguyễn Nhật Ánh	정해영	㈜다산북스	2013
31	용의 후예 베트남의 신화와 전설 / Thần thoại & Truyền Thuyết Việt Nam	nhiều tác giả	임진호 편집	지성인	2014
32	시인 강을 건너다 / Thời Của Thánh Thần	Hoàng Minh Tường	배양수	도서출판b	2015
33	눈을 감고 창을 열면 / Vừa Nhắm Mắt Vừa Mở Cửa Sổ	Nguyễn Ngọc Thuận	김주영	실천문학사	2015
34	아시아 단편집 15 / Truyện ngắn của Châu Á Tập 15	Bảo Ninh, Nam Cao, Lê Minh Khuê, Chí Phèo	하재홍, 김주영, 최하나	도서출판 아시아	2016
35	미에우 나루터 / Bến Đò Xóm Miễu	Nguyễn Ngọc Tư	하재홍	도서출판 아시아	2017
36	대양이 쌍둥이 / Sinh Đôi trong Đại Dương	Mai Văn Phấn	배양수	시와표현	2018
37	마음 나무 1 / Cây tâm hồn / Tập thơ giao lưu HNV TP. HCM và Hội Nghệ thuật Daegu	Nhiều tác giả		NXB. Văn hóa Văn nghệ TP. HCM	2019
38	재처리 시대 / Thời Tái Chế	Mai Văn Phấn	안경환	도훈	2020
39	그대 아직 살아 있다면(재판) / Nếu anh vẫn còn sống	Văn Lê	하재홍	실천문학사	2020
40	그럴 수도 아닐 수도 / Tập Truyện Ngắn Việt Nam	Nhiều tác giả	하재홍 김주영	도서출판 아시아	2020
41	나비의 혼이 선녀를 꿈꾸다 / Hồn bướm mơ tiên	Khái Hưng	전혜경	문예림	2021
42	마음 나무 2	Nhiều tác giả		대구예술연합회	2021
43	사는 게 뭔지 오래돼서 잊었다 / Tập Thơ của 20 nhà thơ Việt Nam	Nhiều tác giả	하재홍	도서출판 아시아	2021

순서 TT	도서명 Tên sách	저자 Tác giả	역자 Dịch giả	출판사 NXB	출판년도 Năm XB.
44	영주 Chúa đất	Đỗ Bích Thúy	안경환	예스24 문화재단	2022
45	내 이름은 베또 Tên tôi là Bê Tô	Nguyễn Nhật Ánh	정예강	도서출판 59분	2022
46	시인 Thi Sĩ	Nhiều tác giả	배양수	다해	2022
47	왕은 없다 Không có vua	Nguyễn Huy Thiệp	김주영	문학과지성사	2023
48	머나먼 별들 Những ngôi sao xa xôi	Lê Minh Khuê	최하나	글누림	2023

제 13 장

영화

베트남에 영화가 들어온 것은 프랑스 식민지 시대이다. 초기에는 베트남에 근무하던 프랑스 관료들과 군인들에게 제한적으로 상영되었다. 상업 목적으로 설립된 최초의 극장은 1920년 8월에 하노이에서 문을 연 "빠떼극장"이 있었고, 1921년 6월에는 "통킹 시네마"가 문을 열었다. 이 두 극장은 한 프랑스 사람에 의해 설립된 것이었다. 1923년 9월에는 최초의 영화사인 "인도차이나 시네마&필름"이 설립되었고, 1930년에는 "인도차이나 시네마공사"가 설립되었다. 이 두 영화사 역시 프랑스인이 설립한 것으로 베트남 영화 배급권을 독점하였다. 1927년까지 전국에 33개의 극장이 있었다고 한다. 1924년 10월에는 프랑스 자본과 감독에 의해서 제작되고 베트남 배우가 출연한 몇 편의 '안남 영화'가 상영되었고, 1937년에는 담꽝티엔Đàm Quang Thiện이라는 당시 작가이며 의과대학생이 하노이에 극장을 소유하고 있던 중국인의 지원으로 베트남 배우를 데리고 홍콩에 가서 영화 촬영을 마쳤으나 쫓겨 오는 일이 있었다(Cục Điện ảnh, 1983, pp. 18~21).

1945년 9월 2일 북베트남에 사회주의 정권이 들어섰으나 당시의 경제적 여건으로는 제대로 된 촬영 장비를 갖출 수가 없었다. 기록을 보면, 35mm 촬영기가 단 한 대 있었는데, 그 촬영기는 필름 한 통에 7m밖에는 넣을 수 없는 것이었다고 한다. 거의 사진기 수준이었기 때문에, 하노이의 바딩 광장에서 호찌민 주석이 독립선언문을 낭독하는 장면을 찍을 수 없었고, 1974년에 베트남이 호찌민 일대기를 준비하면서 프랑스에 갔을 때, 한 무명 외국인이 그 독립선언문 낭독 장면을 담은 필름을 기증했다고 한다. 1945년에서 1954년 기간은 베트남이 프랑스와 전쟁 중이었고, 당시 정부는 서북 산악지대에 은거하고 있었기 때문에 전쟁 중의 역사적 장면을 담고자 해도 장비가 너무 열악하였다. 그 후 소련이 35mm와 16mm 촬영기 각 한 대를 기증하여, 군대 촬영팀이 만들어졌다(Cục Điện ảnh, 1983, p. 32).

이후 극영화가 처음으로 1957년에 시도되었다. 이때 베트남에는 영화 관련 인력이 없다시피 했고, 자습을 통해서 익혀나가는 상황이었다. 그러한 상황 속에서도 "영화" 잡지가 월 두 번씩 간행되었다. 1958년 가을에 베트남 최초의 극영화 "우리들의 강Chung một dòng sông"이 홍응이Hồng Nghi와 히에우전Hiếu Dân 감독에 의해 촬영에 들어가서 1959년 7월 20일 개봉되었고, 대단한 반응을 불러일으켰다(Cục Điện ảnh, 1983, pp. 146~183).

1 영화시장

베트남 영화산업의 본격적인 시작은 1953년 3월 15일 ① 정부의 정책과 주장을 선전하고 ② 베트남 군대와 인민의 용감한 투쟁의 성과와 모범을 높이며 ③ 우방 인민들의 삶과 투쟁, 건설의 성과를 소개하고 ④ 인민을 위한 문화 및 정치를 교육할 목적으로 베트남의 공식 '영화기관'의 설립에 관한 규정이 공포[1]됨으로 베트남 혁명영화가 공식적으로 탄생하게 된다(FAFIM Việt Nam, 1998, p. 11).

이후 베트남은 프랑스 및 미국과의 전쟁을 수행하면서 어려운 상황 속에서도 꾸준히 영화를 제작, 배급해왔다. 이러한 영화들은 대부분 정치선전 및 교육을 목적으로 하는 영화였다. 당시 베트남은 전쟁을 수행 중이었고, 전쟁이라는 베트남의 특수한 상황을 이해할 필요가 있다. 즉 민족의 생존권이 위협받는 전쟁의 상황에서 영화의 오락적 기능은 제한될 수밖에 없으며, 영화의 역할은 전쟁의 승리에 초점이 맞히어져야 했다. 따라서 모든 영화, 영화산업은 국가가 지원하고 관리하는 국영 체제로 운영되었다. 즉, 영화산업에 종사하는 자가 모두 국가의 공무원이었다.

자료에 따르면, 베트남 영화사에서 가장 황금기는 1976년에서 1985년간이며, 1977년에는 연인원 2억1,500만 명이 관람하여 1인당 평균 연 4.1편의 영화를 관람하였으며, 1979년에는 2억6,000만 명, 1982년에는 2억9,100만 명, 1984년에는 3억4,000만 명으로 연평균 1인당 5.5편의 영화를 감상한 것으로 나타났다(FAFIM Việt Nam, 1998, p. 54).

그러나 1986년 이후로 시장경제 체제가 도입되면서, 영화계는 전반적으로 큰 어려움에 직면하였고 특히, 1990년 냐짱_{Nha Trang}에서 개최된 영화인대회에서 "비디오 제작과 비디오 상영은 베트남 영화의 전략이다."라고 공식적으로 선포한 이후 많은 극장이 경쟁적으로 쉽게 수입을 올릴 수 있는 비디오 상영 실로 개조하였고, 영화 상영보다 더 수입을 올리기 쉬운 댄싱홀, 식당, 가라오케로 전환하였다(Đặng Nhật Minh, 200, p. 108).

이후 베트남에서는 비디오로 제작한 영화가 엄청나게 쏟아져 나왔고, 적은

---

1) 당시 베트남 민주공화국(북베트남)의 주석이었던 호찌민의 책령 제147호로 '베트남 영화 및 사진 국가기업'이 설립되었고, 이는 '베트남 영화 수출입 및 배급공사FAFIM'의 전신이다.

비용의 투자 1주일 혹은 1달 만에 영화를 만들었다고 함으로 고소득을 얻으려는 투기성 비디오 영화제작으로 인해서 필름 영화는 큰 어려움에 직면하게 된다. 이러한 현상을 베트남에서는 '상업화_{thương mại hóa}', '아마추어화_{nghiệp dư hóa}'라고 부른다(Ngô Phương Lan, 1998, p. 25).

이러한 상황에서 베트남 정부는 영화계의 구조조정을 시도하였고, 그 핵심 내용은 독립채산제였다(Chủ tịch Hội đồng Bộ trưởng, 1991.12.26.). 이어 영화 보냐에 대한 정부의 개방 의지가 더 구체적으로 표현(Chính phủ Việt Nam, 1995.07.17.)되었고, 이를 더욱 구체화한 문화정보부의 규정(Bộ Văn hóa Thông tin, 1996.10.01.)에는 제3조에서 개인의 수출을 허용하고, 제4조에서는 개인의 배급을 허용하며, 제5조에서는 개인의 극장 운영을 허용하는 내용을 담고 있다. 2000년에는 정부 시행령 제48호를 다시 수정(Chính phủ Việt Nam, 2000.08.03.)하였고, 이를 구체화한 시행규칙 제2조에서는 "극장 소유주는 해당 극장에서 상영할 영화를 수입할 수 있도록 허용"함으로써 FAFIM이 갖고 있던 독점수입권을 폐지하였다(Bộ Văn hóa Thông tin, 2000.10.30.). 그래서 FAFIM 부사장 부꽝빙_{Vũ Quang Bình} 씨는 FAFIM이 영화 수입의 독점권을 잃고, 불법 복제 비디오의 출현으로 상당한 어려움을 겪고 있다고 말했다. 2005년 당시에도 FAFIM은 비디오에 대한 독점수입권을 갖고 있었다.

2 베트남 혁명영화 1945~1975

앞에서 살펴본 바와 같이 초기 베트남 영화는 기술, 인력, 장비 등 모든 면에서 아주 열악한 상태였다. 그러한 가운데서도 베트남 영화는 빠르게 성장을 거듭했다. 1959년에서 1964년까지 베트남 극영화가 형성된 단계라고 할 수 있고, 이 기간에 많은 영화 관련 인력이 양성되었으며, '베트남 필름공사'가 만들어졌다. 이때의 영화 중 <오렌지 밭_{Vườn cam}>1960, <공사장의 아가씨_{Cô gái công trường}>1960, <기념품_{Vật kỷ niệm}>1960, <전후방 경계지역의 불_{Lửa trung tuyến}>1961, <아푸 부부_{Vợ chồng A Phủ}>1961, <동박새_{Con chim vành khuyên}>1962, <두 병사_{Hai người lính}>1962, <어느 초가을 날_{Một ngày đầu thu}>1962, <흰 연기_{Khói trắng}>1963, <뜨허우 누나_{Chị Tư Hậu}>1963, <낌동_{Kim Đồng}>1963, <한 걸음 더_{Đi bước nữa}>1964, <불바다_{Biển lửa}>1964년 촬영, 66년 개봉 등이 유명한 작품이다(Cục Điện ảnh, 1983, pp. 146~183).

1959년에서 1964년까지 총 18편의 영화가 제작되었는데, 이들 영화를 세 부류로 나누면, 미국에 대항하는 영화가 한 편, 프랑스 제국주의를 비판하는 영화가 11편, 사회주의라는 새로운 사회의 이상에 관한 것이 5편이다. 이 시기의 작품들은 '사회주의 혁명의 무기'로서의 역할을 충실하게 수행했다고 할 수 있다(Cục Điện ảnh, 1983, pp. 184~185).

1954년에서 1965년간의 영화를 얘기할 때 빼놓을 수 없는 것이 다큐멘터리 영화이다. 1956년 9월부터 이듬해 10월까지 중국, 체코, 동독의 영화 전문가들이 베트남 최초의 촬영학교를 개설하여 인력을 양성하였다. 베트남은 이후로도 미국과의 전쟁을 치르면서 전쟁의 기록물인 다큐멘터리 영화 제작에 많은 공을 들였고, 지금도 중앙 다큐멘터리 및 과학영화사가 활발히 활동하고 있다.

1965년에서 1975년 통일이 될 때까지는 주로 미국과의 전쟁을 수행하는 데 필요한 국민의 전투 의식 제고와 사회주의에 대한 신념을 확고히 갖도록 하고, 역사와 민족에 대한 책임 의식을 가질 수 있는 영화들이 만들어졌다. 최초의 미국을 겨냥한 영화는 앞에서 소개한 <우리들의 강>이라고 할 수 있다. 이 영화는 직접 미국을 겨냥한 것은 아니지만 영화를 통해서 베트남 분단이 미국의 음모라는 것을 암시하고 있기 때문이다(Cục Điện ảnh, 2003, p. 237).

이 시기에는 <17도선에서_{Trên vĩ tuyến 17}>1965, <바람이 일다_{Nổi gió}>1966, 실존

인물을 그린 <응웬반쪼이Nguyễn Văn Trỗi>1966 등이 있고, 전쟁을 치르면서 영화를 제작해야 했기 때문에 장편보다는 단편 영화가 많이 만들어졌다. 특히 사상교육과 정신무장을 독려하는 일이 급선무였기 때문에 적시에 빨리 만들어져야 했다. 이러한 단편은 주로 1967년과 1968년간에 만들어졌고, 1969년과 1970년에는 단편과 장편이 같이 만들어졌다. 1970년에는 <석탄Mùa than>, <역Ga>이라는 장편영화가 제작되었다(Cục Điện ảnh, 2003, pp. 242~244).

전쟁 및 병사를 주제로 한 영화로는 <어머니 고향 가는 길Đường về quê mẹ>1971, <하늘Vùng trời>1971, <반쪽의 태양만 있을 때Khi có một mặt trời>1972, <병사의 발길 Dấu chân người lính>1972, <전사Chiến sĩ>1973, <하노이 아이Em bé Hà Nội>1974 등이 있고, 사회주의 신 인간을 그린 영화로는 <고원의 새벽Bình minh trên rèo cao>1966, <고지의 여선생Cô giáo vùng cao>1969, <륵 부부의 얘기Chuyện vợ chồng anh Lực>1971, <천리화Hoa Thiên lý>1973, <고향집Quê nhà>1973 등이 있다. 이 시기에는 49편의 영화가 제작되었다.

3 전쟁 후의 영화 1975~1988

1975년 4월 30일 베트남이 통일을 이룬 후로 베트남 영화 역시 남북 간의 통일을 이루었다. 통일 이후로 베트남의 영화산업은 남북이 합쳐지면서 그 규모가 커졌고, 각 사회조직이 영화사를 설립하는 것을 허용하면서 베트남 청년연합회 소속의 '청년영화사', '문인협회 영화사', '영화협회 영화사', 적십자사의 '휴먼영화사', 각 텔레비전 방송국 소속의 영화사, 호찌민시 영화협의 소속의 '벤응에Bến Nghé 영화사', '사이공Sài Gòn 영화사', '꼰다오Côn đảo 영화사' 등이 생겨났다. 한편 1961년에 설립된 영화학교는 1975년에 연극영화대학으로 승격되었다.

이 시기는 영화산업이 가장 활발했던 시기로 1975~1988년 사이에 220편의 영화가 제작되었다. 내용 역시 전처럼 전쟁, 사회주의 건설 및 생산 등과 같은 주제를 탈피하여 더 다양해졌다. 물론 상당수의 영화가 전쟁을 다루고 있지만, 그 시각은 전과 다른 것이었다. 이 시기에 가장 성공한 영화는 <황량한 들판Cánh đồng hoang, 1977년>이며, 이 작품은 1981년 제12차 모스크바 영화제에서 금상을 받았다. 또 다른 작품으로는 <엄마 없는 집Mẹ vắng nhà 1980년>이다. 그리고 당녓밍Đặng Nhật Minh 감독의 <읍내Thị xã 1983년>는 1984년 베트남 영화제에서 금상을 받았고, <10월이 올 때까지Bao giờ đến tháng 10 1984년>는 한국을 비롯한 여러 국제영화제에 초청되었다.

베트남이 개방을 천명한 이후로 가장 큰 반향을 일으킨 영화가 1987년에 나온 당녓밍 감독의 <강 위의 여자Cô gái trên sông>이다. 이 영화는 많은 관객으로부터 호응받았으나 베트남공산당 서기장이 두 번이나 공개적으로 비판하는 일이 있고 난 뒤에 상영이 종료되었다. 그러나 다행히 이미 많은 사람이 본 뒤였다. 결론적으로 이 시기의 영화는 몇몇 영화를 제외하고는 아직도 선전성이 강한 영화들이 많았다고 할 수 있다(Cục Điện ảnh, 2003, pp. 242~244).

4 도이머이 이후의 영화 1988~1995

베트남이 도이머이 정책을 선언한 이후로 관료주의, 부정부패, 기타 사회문제를 비판하는 문학 작품들이 쏟아져 나오면서, 영화계에도 그러한 바람이 불기 시작하였고 그 결과로 <강 위의 여자Cô gái trên sông>와 <퇴역장군Tướng về hưu>, <조용한 도시Thị trấn yên tĩnh>, <사내 범Thằng Bờm>, <유랑 서커스단Gánh xiếc rong>, <행운

을 비는 자_{Người cầu may}>와 같은 영화가 제작되었고 이 영화들은 대부분 일상의 사실을 직시하고 선전성을 띠지 않으며, 인물의 심리묘사에 중점을 둔 작품들이다.

<퇴역장군>은 응웬후이티엡_{Nguyễn Huy Thiệp}의 단편소설로 이미 베트남 사회에 큰 반향을 불러일으킨 작품이었다. 응웬후이티엡은 베트남 문학 분야의 도이머이에서 선봉에 섰던 인물이었다. 시장경제 시대에 적응하지 못하고 죽음을 맞는, 한때는 전쟁의 영웅이었던 퇴역장군을 그린 작품이었다.

<유랑 서커스단>은 여성 감독 비엣링_{Việt Linh}의 작품인데, 앤서니 퀸이 주연한 영화 라스트라다_{La Strada, 길}와 유사한 형태이다. 이 영화에서 감독은 믿음과 사기에 대해 고발을 하고 있다. 이 영화는 서로 다른 의견들로 나누어져 논쟁을 벌였다. 베트남의 당시 상황을 암시하고 있다고 해서 전적으로 옹호하는 자와 극렬하게 반대한 자로 나누어졌던 영화다.

이러한 개방의 분위기는 3년 정도가 지나자 멈추게 된다. 주간 문예지의 편집장인 응웬응옥_{Nguyễn Ngọc}은 사퇴해야 했고, 영화 분야에서도 그 누구도 공식적으로 비판하지 않았지만, 도이머이의 추세는 멈추게 된다.

가장 큰 변화는 영화 분야에서도 국가지원이 끊기고 독립채산제로 전환되었다는 것이다. 전에는 국가가 영화 제작비를 대고 다시 그 제작된 영화를 사서 국민에게 보여주었는데, 이제 국가는 영화사에 경비를 지원해 줄 뿐이었다. 그러나 여전히 제작사의 상당한 비용은 국가의 몫이었다.

1990년에서 1992년 사이에 30여 개의 영화사가 설립되었지만, 이들은 대부분 비디오 영화를 제작하는 것이 고작이거나 주로 민간의 자본을 동원하거나, 개인이 영화사의 이름을 빌려 비디오 영화를 제작하는 수준이었다. 이러한 비디오 영화를 '라면영화_{phim mì ăn liền}'라고 불렀다.

1989년에서 1995년 사이에 극영화 139편과 비디오 영화 211편이 제작되었다. 비디오 영화가 필름 영화를 앞서는 시대가 되었다. 이런 결과로 1996년에는

3편의 필름 영화만 제작되었다. 그런 가운데서 1994년 당녓밍 감독의 <귀환$_{Trở}$ $_{về}$>은 시드니에서 개최된 아시아~태평양 영화제에서 특별상을 받았다. 브엉득 $_{Vương Đức}$ 감독의 <갈대$_{Cỏ lau}$>는 1994년 평양에서 개최된 비동맹 영화제에서 금 횃불상을 수상하였다. 레호앙$_{Lê Hoàng}$ 감독의 <칼날$_{Lưỡi dao 1995}$>도 주목받았으며, 당녓밍이 감독한 <향수$_{Thương nhớ đồng quê}$>는 일본 NHK와 베트남 문인협회 영화 사의 합작으로 제작되었다.

요약하면 이 시기는 베트남 영화가 시장경제의 상황에 대면하게 되었고, 영화에서의 국가독점이 사라졌으며, 개인 영화사를 허용치는 않았지만, 실질 적으로는 개인 영화사가 출현하였고, 결국 많은 개인이 손해를 보고 영화에 서 손을 뗐으며, 미국, 한국, 대만, 홍콩 영화가 밀려오기 시작하는 가운데 베트 남 영화는 투자비의 10%밖에 건지지 못하는 어려움에 직면한 시기였다. 그런 데도 짧은 시기였지만 도이머이의 분위기 속에서 새로운 영화가 만들어졌다고 할 수 있다.

1990년대에 들어오면서 베트남 영화는 낙관과 비관 속에서 생존을 위해 노력하고 있다. 국가지원이 줄면서 관객의 요구에 부응해야 생존할 수 있는 상 황으로 바뀐 것이다. 영화의 편수는 국가지원 시기에는 년 3~4편이었다면 개 방 이후로 년 4~50편이 제작되었다. 그러나 대체로 칭찬보다는 비판을 많이 받 은 것도 사실이다. 즉, 양은 엄청나게 증가했지만, 질은 떨어졌다고 할 수 있다 (Phạm Vũ Dũng, 1999, pp. 30~31).

1990년대 초반 베트남 영화를 시장경제의 흐름에 맡겨놓았다면 1995년 중반의 정부 시행령 제46호로 다시 국가가 지원할 근거를 마련하였다. 국영 영화사의 시나리오가 문화정보부로부터 승인받으면 극영화의 경우 제작 경비의 70%, 다큐멘터리, 애니메이션의 경우 100%를 지원받게 되었다. 또한, 국가가 주문하는 영화의 경우는 그 경비의 과다를 불문하고 100% 지원받을 수 있었다. 또한, 정부는 1995~2000년간에 영화 인프라에 1천5백만 달러를 투자하여 설비를 교체하고, 10개의 극장을 신축, 보수하였다. 이때야 비로소 비디오 영화의 제작과 상영 전략이 잘못되었으며 그것을 극복하는 일이 쉽지 않음을 깨닫게 되었다. 한편으로는 영화를 구하기 위하여 정부가 투자를 재개하면서도 외화에 대한 수입의 제한을 두지 않음으로써 외국 영화가 밀려들어 왔다. 지방의 영화사들은 내부의 이익만을 추구하다 보니 경쟁적으로 비디오를 상영하게 되고, 극장을 비디오 상영관으로 개조하였다. 그러나 중국으로부터 밀려오는 불법 복제 VCD와 DVD를 막을 수는 없었다. 비디오는 대량으로 복사해서 판매해도 이익이 남았지만, VCD와 DVD는 복제할 때도 밀수된 것과 가격 경쟁을 할 수 없었다.[2]

이에 지방의 극장들은 다시 35mm 필름 영화 상영으로 돌아오고 싶었지만 새롭게 투자할 여력이 없었고, 이러한 가운데 외국기업들이 국영 배급사와 손잡고 멀티플렉스를 만들었으며, 주로 한국과 미국 영화를 상영했다.

이 시기의 영화로는 전쟁 후에 동료의 유골을 찾는 일을 그린 <누가 만 리를 내려왔는가?Ai xuôi vạn lý>, 프랑스와의 전쟁에서 돌아온 주인공이 남편을 잃은

---

[2] 2005년 7월 베트남 호찌민시에서는 중국에서 복제된 DVD가 1달러 내외에 판매되고 있었으며, 우리 한국 영화도 거의 다 찾을 수 있었다.

친구의 아내를 사랑하지만, 주변의 눈이 무서워서 그 한계를 극복하지 못하고 자신이 사랑하는 여인의 딸과 잠자리하고 나서, 부끄러워 목숨을 버리는 내용의 <크옴쫑 나루Bến Không Chồng>, 1954년 베트남이 남북으로 분단될 때 남부에 처를 두고 월북하여 북에서 재혼한 남편이 통일 이후에 아내를 찾았다. 남쪽의 부인은 아직도 정절을 지키며 남편을 기다리고 있었다. 그리고 그 두 여인이 상면하지만, 남쪽에서 기다린 아내에게 남편을 양보하는 첫째 부인의 모습을 그린 <모래 삶Đời cát>이 있다. 이 영화는 2001년 하노이에서 개최된 아시아~태평양 영화제에서 우수상을 받았다. 역사 영화인 <1946년 겨울Mùa đông năm 1946, 1997년>, 방공포 청년대 소속 10명의 아가씨의 마지막 모습을 그린 <동록 삼거리Ngã ba Đồng lộc, 1997년>, 시장경제 시대에 돈을 벌기 위해 안간힘을 다하는 농민을 그린 <벌목꾼Những người thợ xẻ>, 고산지대로 발령받은 여선생의 사랑을 그린 <황량한 골짜기 Thung lũng hoang vắng>, 베트남 사회의 변천 과정을 13세의 기억에 머무는 남자를 통해서 그린 <구아바 수확기Mùa ổi, 2000년> 등이 있다.

이 시기에 정부가 주문한 많은 영화가 제작되었는데, <하노이~12일의 낮과 밤Hà Nội 12 ngày đêm>, <봄의 대승Đại thắng mùa xuân>, <홍콩의 응웬아이꾸옥Nguyễn Ái Quốc ở Hông Kông>[3] 등은 정부가 백만 달러 내외를 투자한 영화들이다.

베트남 정부는 2002년 12월 30일 자 수상의 결정으로 개인 영화사 설립을 허용했고[4], 베트남 영화사에서 획기적인 일이 2003년 초에 일어났다. 레호

---

3) 이 영화는 996,068달러를 정부로부터 지원받았다. 2002.8.26일 자 수상의 결정 제7031/QD~TTg

4) Bộ Văn hóa Thông tin. 2000. Thông tư số 28 về Nghị định Cp 26 ~ sửa đổi bổ sung Nghị định CP 48 về tổ chức và hoạt động điện ảnh. No.38/2002/QD~BVNTT. 제2조에 사무실을 소유하고, 유해 문화물을 전파한 전과가 없는 베트남 공민으로, 소유주 또는 사장은 영화 분야 고등학교 졸업 혹은 대학 졸업 이상 또는 영화 분야 5년 이상 종사자이어야 하나 소유주나 사장이 그런 자격을 갖추지 못했을 때는 고용된 영화감독이 영화 분야의 대졸 이상이면 설립자격이 있다고 규정되어 있다.

앙 감독의 <콜걸Gái nhảy>이 개봉 3개월 만에 투자비의 10배에 해당하는 110억 동 약 70만 달러의 매출을 기록함으로써 베트남 최고의 흥행 기록이 되었다. 이 영화는 같은 시기에 개봉된 미국 영화를 비롯한 외화를 누르고 당당히 1위를 지켰기 때문에 베트남 영화사의 신기록이 되었다. 이 영화의 내용은 마약에 중독되고 에이즈에 걸린 술집 아가씨들의 애환을 그린 영화이다. 베트남에서는 흔히 있을 수 있는 평범한 얘깃거리를 감독이 예술적으로 승화시켰다는 평을 받고 있다(Cục Điện ảnh, 2005, p. 169).

이어서 <콜걸>의 후속편으로 알려진 <거리의 신데렐라Lọ lem hè phố>가 나왔는데, 유명한 남자 가수를 주인공으로 등장시켰고 희극적인 요소와 좋은 배경음악으로 큰 성공을 거두었다.

2004년 6월에 개봉된 <다리가 긴 아가씨Cô gái chân dài>도 큰 성공을 거두었다. 이 영화는 초기 10일 동안 30억 동의 매출을 기록하였다. 6명의 유명 모델을 등장시켰기 때문에 개봉 전부터 관객들의 관심을 끌었던 영화였다(Báo Hà Nội Mới, 2005.12.23.).

이러한 베트남 영화의 성공은 베트남 영화계를 고무시켰다. 그러나 한편에서는 상업성을 추구하는 질 낮은 영화라는 비판도 있었다. 그러나 대체로 베트남 영화도 외화를 누를 수 있다는 자신감을 느끼게 되었다는 점에서 긍정적인 평가를 하고 있다.

그러나 이러한 흥행의 성공은 베트남 영화계가 예술영화냐 상업영화냐 하는 논쟁을 유발했다. 이에 관해서 영화 평론가인 빅쩌우Bích Châu씨는 "관객이 있느냐 없느냐에서 이제는 매출액의 많고 적음에 따라 두 부류로 갈라지고 있다. 한쪽은 매출액이 많다고 자만하고 다른 한쪽은 예술성의 잣대로 자만하고 있다."라면서 상업성과 예술성의 조화를 이루어야 할 것이라고 충고한다(Bích Châu, 2004.10.10.).

또한, 베트남 영화계에는 개선해야 할 부분이 많이 남아있다. 이에 관해 시나리오 작가인 리우응엡꿩Lưu Nghiệp Quỳnh은 『오늘의 영화』 잡지와의 인터뷰에서 3가지를 지적하고 있다. 첫째는 베트남 영화 기술의 낙후 둘째는 영화 관련 종사자들이 더 많은 영화를 보아야 하고, 볼 수 있도록 여건을 조성해야 하며 셋째는 베트남인 스스로 공식을 파괴해야 한다고 주장하였다. 이 공식 파괴는 시나리오를 쓸 때부터, 그리고 시나리오 검열 단계는 물론 심지어 관객도 기존의 공식을 탈피해야 한다고 주장하면서 베트남인들은 너무 많은 사람이 같은 생각을 하고 있다면서 자본만이 영화 성공의 유일한 요소가 아니라고 역설하였다(Đào Nguyên, 2005, p. 33). 필자는 특히 세 번째 문제인 공식 파괴가 베트남 영화계에서 해결해야 할 우선적인 문제라고 생각한다.

이 시기를 종합한다면 정부 지원으로 베트남 영화가 회복세를 보이는 가운데 외국 영화가 많이 수입되는 상황이 나타났으며, 정치 목적의 영화가 국가의 지원으로 제작되었고, 이런 가운데 외국 영화와 경쟁하는 상업영화도 출현하였다. 정부의 통제가 많이 완화된 가운데 예술성 있는 일부 영화가 제작되었으나 계속 이어가기에는 아직도 힘에 부치는 것으로 보이며, 개인의 영화사 설립을 허용하는 등의 조치가 있었지만, 여전히 문화정보부 검열위원회의 엄격한 검열제도를 유지하고 있다.

2004년 베트남 외화 수입현황을 보면, 10개국으로부터 총 65편이 수입되었고, 그중 미국 영화가 63%, 우리 한국 영화가 17%, 나머지 8개국의 영화가 20%를 차지하는 것으로 나타나서 한국 영화의 진출이 두드러진다. 2005년은 한국 영화가 15편으로 2004년 11편에 비해 4편이 증가하였다. 2004년에 개봉된 베트남 영화가 15편인데, 단순히 편수로만 비교한다면 베트남 영화의 외화에 대한 비율은 1:4.3이다. 수입회사별로 보면 1편만이 개인 수입회사를 통해서 수입되었고 나머지는 국영 또는 국영과 외국자본과의 합작회사를 통해서 수입되어, 국영 수입사의 절대 강세가 유지되고 있음을 알 수 있다.

영화 제작사를 살펴보면, 베트남이 개방을 선언한 이후 1990~1992년의 2

년간 문화정보부는 거의 30여 개의 영화 제작사를 허가하였다. 그러나 대부분의 이러한 영화사들은 명목상으로만 존재했고, 자본이나 인프라는 거의 갖추지 못했다. 영화제작에 사용된 자본은 거의 개인의 자본이었다. 당시에는 개인의 영화제작 투자가 허용되지 않았기 때문이다. 따라서 허가를 받은 제작사와 개인이 협력하여 영화를 만들었다(Ngô Phương Lan, 1998, pp. 24~25). 즉, 사실상 개인이 투자하고 제작하였지만, 법 규정을 준수하기 위하여 국영 영화사의 이름만 빌리는 형태가 유행했다.

2004년에 베트남에는 48개의 영화사가 있었는데, 영화개봉 편수(극영화)는 15편이다. 따라서 년 중 극영화를 한편도 개봉하지 못하는 영화사가 대부분임을 알 수 있다.

베트남 영화 관객 측면을 보면, 베트남 사람들은 문학이든 영화든 그 작품에 대한 판단 기준은 사회주의 리얼리즘이었다. 그러면 사회주의 리얼리즘이란 무엇인가? 복잡한 이론을 제시할 필요 없이 당녓밍 감독의 회고록에서 인용하면, 그가 영화사의 예술 담당 부사장에게 사회주의 리얼리즘의 시나리오가 어떤 것이냐고 물었을 때 "해피엔딩이어야 하며, 좋은 사람, 좋은 일, 좋은 사회를 높이는 것이며 나쁜 것이 있다면 개별적이고 결국 결론은 낙관적이어야 한다."라고 대답했다(Đặng Nhật Minh, 2005, p. 75).

이와 같은 영화에 대한 판단 기준이 오랜 기간 유지되었고, 영화는 아직도 '중요한 종합 예술의 하나'인 동시에 '당과 국가의 정치 및 사상 교육의 도구이기 때문에 국가의 관리가 필요'한 분야로 생각하기 때문에 표현에 대한 일정한 제한이 있을 수밖에 없었다.

그런데도 도이머이 이후로는 다양한 주제의 영화들이 제작되고 있으며, 개인의 영화제작 참여와 경쟁을 통하여 베트남 영화는 관객의 요구에 부응하는 쪽으로 가리라는 것은 분명해 보이며, 너무 상업을 추구한다는 비판이 존재하지만, 흥행에 성공을 거둔 영화가 나옴으로써 베트남 영화에 대한 베트남 관객의 기대가 커지고 있는 것은 분명하다.

베트남에서의 2004년 한국 영화 수입 현황을 보면, 호찌민시 영화공사가 <조폭 마누라>, <술집에서의 사랑>, <매력적인 그녀>, <어린 신부>, <피아노 치는 대통령> 등 5편을, 하노이 영화공사가 <클래식>, <그녀를 믿지 마세요>, <운명>, <재능 있는 남자>, <고집불통> 등 5편을, 다이아몬드 시네마 합작회사가 <마들렌> 1편을 수입하였다. 이런 영화들이 얼마나 성공을 거두었는지는 정확한 통계나 자료가 없어서 파악할 수 없었다. 특이한 것은 한국의 투자회사인 다이아몬드 시네마가 우리 영화를 1편밖에 수입하지 않았지만, 베트남의 두 개 회사가 10편을 수입한 것이다. 현재 한국 영화는 앞에서 살펴본 것처럼 할리우드 영화 다음의 위치를 지키고 있다. 베트남에 유통되고 있는 불법 DVD를 고려하면 많은 베트남 사람이 한국 영화를 즐겨보고 있다고 할 수 있다. 한국 영화를 좋아해서 한국 영화 웹사이트를 운영하는 네티즌도 있으며 아이디를 한국 영화배우 이름으로 사용하는 예도 있다.

6 영화배우 짜쟝 Trà Giang

본명은 응웬티짜쟝Nguyễn Thị Trà Giang으로 1942년 2월 11일 베트남 중부의 꽝응아이Quang Ngãi성에서 태어났다. 영화학교 배우과정 1기생(1959~1964)으로 1973년 제8회 모스크바 영화제에서 <17도 선의 낮과 밤Vĩ tuyến 17, ngày và đêm>에서 지우Diu라는 여인의 역할로 최우수 여우 주연상을 받았다. 1977년 제4회 베트남 영화제 최우수 여우 주연상, 1988년 제8회 베트남 영화제 최우수 여우 주연상을 받았고 인민배우의 칭호를 받았다. 출연작으로 <초가을Một ngày đầu thu 1962년>, <뜨허우 누나Chị Tư Hậu 1963년>, <수상 마을Làng nổi 1965년>, <산불Lửa rừng 1966년>, <하노

이 아이_{Em bé Hà Nội 1974년}>, <첫사랑_{Mối tình đầu 1977년}>, <어머니의 전설_{Huyền thoại về người mẹ 1987년}> 등 다수가 있다. 베트남 영화학교 1기생 중에서 가장 성공한 배우이며, 첫 작품부터 연기력이 있다는 평가를 받았다. 현재는 은퇴하여 호찌민시에서 그림을 그리며 살고 있다.

7 영화감독 당녓밍 Đặng Nhật Minh

　1938년 5월 11일 베트남 중부의 고도 후에에서 의사인 아버지와 형조판서의 딸인 어머니 사이에서 태어났다. 아버지는 일본으로 유학을 떠났고 어린 시절 어머니와 주로 지냈다. 유학을 떠났던 아버지는 북베트남 호찌민의 호소에 따라 유학을 그만두고 비밀리에 귀국하여 혁명에 가담하여 의사로서 활동하다 희생되었다.

　그런 아버지의 덕으로 베트남 최초의 러시아 통역단으로 선발되어 통역 훈련을 받고 귀국하여 문화정보부에 소속되어 통역으로 일하던 중 영화학교의 강좌를 통역하다가 영화에 매료되어 자습으로 영화를 공부해서 영화계에 입문하였다. 베트남 예술영화를 대표하는 감독이라고 불릴 만큼 그의 작품은 대부분 높은 평가를 받았다.

　최초의 작품은 <5월 - 모범적인 사람들_{Tháng năm ~ những gương mặt}>로 다큐멘터리 영화였다. 이어 <손안의 읍내_{Thị xã trong tầm tay 1983년}>, <10월이 올 때까지_{Bao giờ cho đến tháng mười 1985년}>, <강 위의 여자_{Cô gái trên sông 1987년}>, <향수_{Thương nhớ đồng quê 1995년}>, <구아바 수확기_{Mùa ổi 2000년}>, <태우지 마라!_{Đừng đốt 2009년}> 등이 있다. 이 중에서 최초의 작품인 다큐멘터리를 빼고는 모두 국내외 영화제에서 상을 받았다. 인민 예술인의 칭호를 받았으며, 1989~2000년까지 베트남 영화협회 총서기를 역임하였

다. 제1회 부산영화제와 2005년 광주 영화제에 그의 작품이 출품되었고, 부산
국제영화제에는 5편의 작품이 출품되었다.

2013년 8월 말에 당녓밍 감독은 광주국제영화제에서 제3회 김대중노벨평
화영화상을 수상하였다. 김대중노벨평화영화상은 각별한 관심과 함께 문화
예술 분야를 집중적으로 육성했던 김 전 대통령의 공헌에 따라 인류의 평화
공존과 인권신장에 이바지한 작품이나 감독에게 수여되는 상이다. 김성재 심
사위원장은 "베트남의 열악한 영화제작 환경 속에서도 베트남전을 주제로 전
쟁의 잔혹성과 참상을 고발하고 평화의 중요성에 대해 경각심을 갖게 하는 영
화들을 끊임없이 만들어 온 감독의 업적을 높이 평가한다."라고 말했다(구용
희, 2013.08.18.).

〈부산국제영화제에 출품된 베트남 영화〉

출품연도	차수	영화 제목		감독
		원제	한글 제목	
1996	1	Thương nhớ đồng quê	향수	Đặng Nhật Minh
1997	2	Ai xuôi vạn lý	먼 여행	Lê Hoàng
1999	4	Ba mùa	쓰리 시즌	Tony Bui(USA)
		Chúng cư	충쿠	Việt Linh
		Bao giờ cho đến tháng 10	10월이 오면	Đặng Nhật Minh
2000	5	Mùa ổi	구아바의 계절	Đặng Nhật Minh
		Mùa hè chiều thẳng đứng	여름의 수직선에서	Trần Anh Hùng
2004	9	Mùa lên trâu	버팔로 보이	Nguyễn Võ Nghiêm Minh
2005	10	Cô gái trên sông	강 위의 여자	Đặng Nhật Minh
		Vượt sóng	절망으로부터의 귀환	Trần Hàm(USA)
		Hạt mưa rơi bao lâu	침묵의 신부	Đoàn Minh Phượng Đoàn Thanh Nghĩa
2006	11	Sân thượng	테라스	Nguyễn Hà Phong
		Chuyện của Pao	빠오 이야기	Ngô Quang Hải
		Áo lụa Hà Đông	하얀 아오자이	Lưu Huỳnh
2008	13	Trăng nơi đáy giếng	우물 바닥에 비친 달빛	Nguyễn Vinh Sơn
2009	14	Huyền thoại bất tử	전설은 살아 있다	Lưu Huỳnh
		Trôi dạt	표류	Bùi Thạc Chuyên
		Đừng đốt	전장 속의 일기	Đặng Nhật Minh

출품연도	차수	영화 제목		감독
		원제	한글 제목	
2010	15	Cánh đồng bất tận	떠도는 삶	Nguyễn Phan Quang Bình
		Bi, đừng sợ	비, 두려워마	Phan Đăng Di
2011	16	Hot boy nổi loạn	사이공의 실락원	Vũ Ngọc Đăng
		Đó.. hay đây?	바다에서 돌아온 남자	Síu Phạm
2013	18	Lửa Phật	원스 어폰 어 타임인 베트남	Dustin Tri NGUYEN (USA)
2014	19	Dịu dàng	온순한 여인	Lê Văn Kiệt
		Đập cánh giữa không trung	허공 속에 나부끼다	Nguyễn Hoàng Điệp
		Người truyền giống	번식기	Bùi Kim Quy
		Nước 2030	2030	Nguyễn Võ Nghiêm Minh
2015	20	Tạm biệt bức tường Berlin	베를린 장벽이여 안녕	Nguyễn Phan Quang Bình
		Cha, con và..	큰 아버지 작은 아버지 그리고 또 다른 이야기들	Phan Đăng Di
2016	21	Once Upon a Time in Vietnam	거울의 도시	Trương Minh Quy
		Tấm Cám: Chuyện chưa kể	떰과 깜 이야기	Ngô Thanh Vân
2017	22	Nhà thiết kế	디자이너	Trần Bửu Lộc
2018	23	Vợ ba	세 번째 부인	Ash Mayfair
		Mother, Daughter, Dreams	엄마와 딸과 악몽(단편)	Dương Diệu Linh
2019	24	Ròm	롬	Trần Thanh Huy
		Bí mật của gió	바람의 비밀	Nguyễn Phan Quang Bình
		Anh trai yêu quái	악마 같은 우리 형	Vũ Ngọc Phượng
		Thưa mẹ con đi	엄마, 안녕	Trịnh Đình Lê Minh
		Bắc kim thang	즐거운 우리집	Trần Hữu Tấn
2020	25	BÍ MẬT ĐẰNG SAU	은밀한	Kathy Uyên
		Bình	외계인 빈(단편)	Ostin FAM
2021	26	Người truyền giống	기억의 땅	Bùi Kim Quý
2022	27	Memento Mori Earth	메멘토 모리: 어스	Marcus Mạnh Cường Vũ
2023	28	Inside the Yellow Cocoon Shell	노란 누에고치 껍데기 속	Phạm Thiên Ân

출처: https://www.biff.kr/kor/html/archive/ 근거로 재작성. (접속일: 2023.12.04.)

344

참고문헌

〈국내 서적〉

마이클 매클리어. (2002). *베트남 10,000일의 전쟁*. (유경찬 옮김). 을유문화사.

바오닝. (1999). *전쟁의 슬픔*. (박찬규 옮김). 예담,

바오닝. (2012). *전쟁의 슬픔*. (하재홍 옮김). 아시아.

김흥구, 최재현, & 배양수. (2001). 동남아의 인간과 문화, 베트남의 인간과 문화. 부산외대 출판부.

배양수. (2012). 줌인 동남아시아①, 독창적인 *짜잉선마이: 베트남 옻칠회화* (pp.159-165). (박장식 엮음). 솔과학.

부썬투이. (2002). *베트남 베트남 사람들*. (배양수 역). 대원사.

송정남. (2013). *베트남 사회와 문화 들여다보기*. 한국외대 출판부.

외교부. (2013). *베트남 개황*. 외교부 남아시아태평양국 동남아과. pdf판.

응웬후이티엡. (2005). 『*아시아의 단편소설 I*』. *퇴역장군*. (배양수 역). 부산외대출판부.

이대용. (2010). *6·25와 베트남전 두 死線을 넘다*. 기파랑.

응웬짜이. (1992). *베트남 최고 시인 阮廌*. (지준모 번역). 지식산업사.

최귀묵. (2010). *베트남 문학의 이해*. 창작과비평사.

崔常壽. (1966). *韓國과 越南과의 關係*. 韓越協會.

〈국내 논문 및 기타〉

김경돈. (2014). 한~베 FTA 협상 타결에 따른 한국기업 투자환경 변화, *해외투자속보*. globalwindow

농림축산식품부·한국농수산식품유통공사. (2023). 2022 농림축산식품 수출입동향 및 통계.

배양수. (2012.2.20.). *년반자이퍔(人文佳品) 사건과 50년만의 사과*. 서남포럼 심층분석 아시아 뉴스레터.

윤대영. (2009). 김영건 金永鍵의 베트남 연구, 동인動因과 그 성격: 1930~40년대. 그의 "전변무상轉變無常"한 인생 역정과 관련하여. *동남아시아연구*. 19권 3호.

정연식 & 배양수. (2012). *베트남의 교육 및 학사제도 조사연구*. (정책연구 ~2011~101~국제교류). 한국연구재단.

출입국외국인정책본부. (2011). *국적별 결혼이민자(국민의 배우자) 체류 현황*.

구용희. (2013.08.18.). 김대중노벨평화영화상 베트남 당낫민 감독 선정. https://www.newsis.com/view/?id=NISX20130818_0012295560. 접속일: 2023.12.22.

부산국제영화제조직위원회. (2023.12.04.). https://www.biff.kr/kor/html/archive/ (접속일: 2023.12.04.)

〈베트남어 서적〉

Ban tuyên huấn Trung ương. (1987). Đề cương giới thiệu Văn kiện Đại hội đại lần thứ VI Đảng Cộng Sản Việt Nam. Hà Nội: NXB. Sách giáo khoa Mác~Lê~Nin. p.6.

Băng Sơn. (2000a). "Chiếc mâm". Văn hóa ẩm thực và món ăn Việt Nam Xuân Huy sưu tầm và giới thiệu. TP. HCM: NXB. Trẻ.

Băng Sơn. (2000b). "Bữa ăn ngày thường". Văn hóa ẩm thực và món ăn Việt Nam Xuân Huy sưu tầm và giới thiệu. TP. HCM: NXB. Trẻ.

Bộ Giáo dục và Đào tạo. (2000). Những điều cần biết về tuyển sinh đại học. cao đẳng. trung học chuyên nghiệp chính quy. Hà Nội: NXB. Giáo dục.

Bùi Đức Tịnh. (1992). Văn Phạm Việt Nam. NXB. TP. HCM.

Bùi Huy Đáp. (1985). Văn minh lúa nước và nghề trồng lúa Việt Nam. Hà Nội: NXB. Nông nghiệp.

Bùi Thiết. (1999). 54 Dân tộc Việt Nam và các tên gọi khác. Hà Nội: NXB. Thanh Niên.

Bùi Văn Nguyên & Đỗ Bình Trị chọn lọc, chú giải, giới thiệu. (1974). Tư liệu tham khảo Văn học Việt Nam Tập I. Hà Nội: NXB. Giáo dục.

Bùi Văn Nguyên, Nguyễn Sĩ Cẩn & Hoàng Ngọc Trì. (1989). Văn học Việt Nam Từ thế kỉ X đến giữa thế kỉ XVIII. Hà Nội: NXB. Giáo dục.

Cao Tự Thanh. (2007). Lịch sử Gia Định – Sài Gòn trước 1802. TP. HCM: NXB. Văn hóa Sài Gòn.

Chu Quang Trứ. (2000). Tìm hiểu các nghề thủ công. điêu khắc cổ truyền. NXB. Mỹ thuật. Hà Nội.

Chu Xuân Diên. (1984). "Thần thoại". Từ Điển Văn Học tập II. Hà Nội: NXB. Khoa học Xã hội.

Cục Điện ảnh. (1983). Lịch sử điện ảnh cách mạng Việt Nam. Hà Nội: Cục Điện ảnh.

Cục Điện ảnh. (2005). Phim Truyện Việt Nam 1995~2003. Hà Nội: Cục Điện ảnh.

Đặng Nghiêm Văn. (1998). "Một số vấn đề lý luận và thực trạng tôn giáo Việt Nam". Về tin ngưỡng tôn giáo Việt Nam hiện nay. Hà Nội: NXB. KHXH.

Đặng Nhật Minh. (2005). Hồi ký Điện ảnh. Hà Nội: NXB. Văn nghệ.

Đặng Phong. (2008). Tư duy kinh tế Việt Nam: Chặng đường gian nan và ngoạn mục 1975~1989. Hà Nội: NXB. Tri thức.

Đặng Phong. (2013). "Phá rào" trong kinh tế vào đêm trước đổi mới. Hà Nội: NXB. Tri thức.

Đào Duy Anh. (2000). "Phong tục ăn uống của người Việt". Văn hóa ẩm thực và món ăn Việt Nam Xuân Huy sưu tầm và giới thiệu. TP. HCM: NXB. Trẻ.

Đào Hùng. (2012). "Thăng trầm của phở Hà Nội". Câu chuyện ẩm thực dưới góc nhìn lịch sử. Hà Nội: NXB. Phụ nữ.

Đào Nguyên. (2005). Chúng ta tự phá bỏ công thức. Tạp chí Điện ảnh ngày nay số 123.

Đào Thanh Hải sưu tầm & tuyển chọn. (2006). Giới thiệu về các tổ chức chính trị ~ xã hội Việt Nam. Hà Nội: NXB. Lao động Xã hội.

Đình Quang. (1998). "Sự hình thành của nền kịch nói Việt Nam. quá trình phát triển của nó cho tới cách mạng tháng Tám". Ảnh hưởng của sân khấu

Pháp với sân khấu Việt Nam. Hà Nội: Viện Sân khấu.

Đỗ Bình Trị. (1991). Văn học dân gian Việt Nam Tập I. Hà Nội: NXB. Giáo Dục.

Đoàn Thị Tình. (1988). Tìm hiểu Trang phục Việt Nam. Hà Nội: NXB. Văn hóa.

Dương Quảng Hàm. (1993). Việt Nam Văn học sử yếu. Đồng Tháp: NXB. Tổng hợp Đồng Tháp.

FAFIM Việt Nam. (1998). 45 năm FAFIM Việt Nam & Hoạt động phổ biến phim. Hà Nội: NXB. Văn hóa Thông tin.

Hà Huy Thành. (1990). "Giáo dục phổ thông. đào tạo cán bộ khoa học kĩ thuật và công nhân lành nghề". 45 năm kinh tế Việt Nam 1945~1990. Hà Nội: NXB. Khoa học Xã hội.

Hoàng Văn Thung. (1994). Ngữ pháp tiếng Việt. Trường ĐHSP HN 1.

Hữu Ngọc chủ biên. (1995). Từ điển văn hóa cổ truyện Việt Nam. Hà Nội: NXB. Văn hóa Thông tin.

Huy Đức. (2012a). Bên thắng cuộc tập I – Giải phóng. OSINBOOK. Boston.

Huy Đức. (2012b). Bên Thắng cuộc tập II – quyền bính. OSINBOOK. Boston.

Huỳnh Sanh Thông. (1985). "Literature and Vietnamese". The Vietnam Forum 9 Council on Southeast Aisa Studies. Yale Univ. Press.

Lê Bá Thảo. (1977). Thiên Nhiên Việt Nam. Hà Nội: NXB. Khoa học và kĩ thuật.

Lê Như Hoa chủ biên. (1998). Hôn lễ xưa và nay ở Việt Nam. Hà Nội: NXB. Văn hóa Thông tin.

Lê Trung Hoa. (1992). Họ và tên người Việt. Hà Nội: NXB. KHXH.

Lê Văn Quán. (1981). Nghiên cứu về chữ Nôm. NXB. Khoa học Xã hội. Hà Nội.

Lý Khắc Cung. (2000). "Cỗ và mâm cỗ Việt Nam". Văn hóa ẩm thực và món ăn Việt Nam Xuân Huy sưu tầm và giới thiệu. TP. HCM: NXB. Trẻ.

Naval Intelligence Division USA. (1943). Indo~China.

Ngô Phương Lan. (1998). Đồng hành với màn ảnh. Hà Nội: NXB. Văn hóa Thông tin.

Nguyễn Cừ. (1996). Truyện cười Việt Nam hiện đại. Hà Nội: NXB. Văn học.

Nguyễn Đức Sử. (1998). "Nho giáo ở Việt Nam". Về tin ngưỡng tôn giáo Việt Nam hiện nay. Hà Nội: NXB. KHXH.

Nguyễn Hiến Lê. (2011). Hồi ký Nguyễn Hiến Lê. Hà Nội: NXB. Văn học.

Nguyễn Hồng Dương. (1998). "Công giáo Việt Nam". Về tin ngưỡng tôn giáo Việt Nam hiện nay. Hà Nội: NXB. KHXH.

Nguyễn Huy Minh. (2013). Tìm lại con đường tơ lụa trên biển Đông. Hà Nội: NXB. Hội Nhà văn.

Nguyễn Q. Thắng. (1998). Khoa cử và giáo dục Việt Nam. Hà Nội: NXB. Văn hóa.

Nguyễn Thị Song An. (1991). Kinh tế nông sản nhiệt đới. Trường ĐH Kinh tế TP. HCM.

Nguyễn Tiến Cường. (1998). Sự phát triển giáo dục và chế độ thi cử ở Việt Nam. Hà Nội: NXB. Giáo dục.

Nguyễn Văn Huyên. (1996). Góp phần nghiên cứu văn hóa Việt Nam tập II. Hà Nội: NXB. Khoa học Xã hội.

Nguyễn Xuân Kính. Phan Đăng Nhật chủ biên. (2002). Tổng tập VHDG người Việt tập 16 quyển hạ. Hà Nội: NXB. Văn hóa thông tin.

Nhất Thanh. (1992). Đất lề quê thói. TP. HCM: NXB. TP. HCM.

Nhiều tác giả. (1980). Lịch sử Văn học Việt Nam. Tập I. Hà Nội: NXB. Khoa học Xã hội.

Nhiều tác giả. (1996). Tuyển tập truyện ngắn 1965~1975 tập I. Hà Nội: NXB. Hội Nhà Văn.

Nhiều tác giả. (1998). 300 câu hỏi Sài Gòn – TP. Hồ Chí Minh. TP. HCM: NXB. TP. HCM.

Nhiều tác giả. (1998a). Hỏi và đáp về Văn hóa Việt Nam. Hà Nội: NXB. Văn hóa Dân tộc.

Nhiều tác giả. (1999). Từ điển Luật học. Hà Nội: NXB. Từ điển Bách khoa.

Nhiều tác giả. (2000). Hỏi và đáp về văn hóa Việt Nam. Hà Nội: NXB. Văn hóa Dân tộc.

Phạm Côn Sơn. (1999). Gia lễ xưa và nay. TP. HCM: NXB. Thanh niên.

Phạm Minh Hạc. (1999). Giáo dục Việt Nam trước ngưỡng cửa thế kỉ XXI. Hà Nội: NXB. Chính trị quốc gia.

Phạm Minh Thảo. (2000). Lệ tục vòng đời. Hà Nội: NXB. Văn hóa Thông tin.

Phạm Vũ Dũng. (1999). Điện ảnh Việt Nam ấn tượng và suy ngẫm. Hà Nội: NXB. Văn hóa dân tộc.

Phan Cự Đệ. (2001). Tiểu thuyết hiện đại Việt Nam. NXB. Giáo dục. Hà Nội.

Phan Huy Chú. Long Điền dịch và chú giải. (1969). Lược khảo khoa cử Việt Nam. Sài Gòn: NXB. Ban Thanh Tân.

Phan Kế Bính. (2000). "Cách ẩm thực của người Việt". Văn hóa ẩm thực và món ăn Việt Nam Xuân Huy sưu tầm và giới thiệu. TP. HCM: NXB. Trẻ.

Phụng Nghi. (1993). 100 năm phát triển của tiếng Việt. TP. HCM: NXB. TP. HCM.

Pierre Huard. Maurice Durand. (1993). Đỗ Trọng Quang dịch. Hiểu biết về Việt Nam. Hà Nội: NXB. Khoa học Xã hội.

Thạch Phượng. Hồ Lê. Huỳnh Lứa. Nguyễn Quang Vinh. (1992). Văn hóa Dân gian người Việt ở Nam Bộ. Hà Nội: NXB. Khoa học Xã Hội.

Toan Ánh & Cửu Long Giang. (2003). Người Việt Đất Việt. Hà Nội: NXB. Văn học.

Toan Ánh. (1992). Nếp cũ con người Việt Nam. TP. HCM: NXB. TP. HCM.

Trần Bạch Đằng. (2006). Trần Bạch Đằng cuộc đời và ký ức. NXB. Trẻ.

Trần Tam Giáp. (2011). "Nhớ về các cuộc trao đổi giữa hai nhà lãnh đạo Phạm Văn Đồng và Lê Đức Thọ về các vấn đề đối ngoại", Lê Đức Thọ hồi ký. Hà Nội: NXB. Chính trị Quốc gia.

Trần Quang Đức. (2013). Ngàn năm áo mũ. Hà Nội: NXB. Thế giới.

Trần Văn Giáp. (1990). Tìm hiểu kho sách Hán Nôm Tập II. Hà Nội: NXB. Khoa học Xã hội.

Trần Văn Giàu & Trần Bạch Đằng chủ biên. (1998). Địa chí Văn hóa TP. HCM tập I~Lịch sử. NXB. TP. HCM.

Trần Văn Khê. (2000). "Bàn về nghệ thuật nấu bếp và ăn uống của người Việt". Văn hóa ẩm thực và món ăn Việt Nam Xuân Huy sưu tầm và giới thiệu. TP. HCM: NXB. Trẻ.

Triệu Phong. (2011). "Quan hệ của Việt Nam với các nước 'gây rối'. Bí mật Việt Nam qua hồ sơ Wikileaks. Người Việt. California.

Trương Chính. (2000). "Đặc điểm ăn uống của người Việt". Văn hóa ẩm thực và món ăn Việt Nam Xuân Huy sưu tầm và giới thiệu. TP. HCM: NXB. Trẻ.

Văn Thái. (1993). Địa lí kinh tế Việt Nam. Trường Đại học Kinh tế TP. .Hồ Chí Minh.

Viện ngôn ngữ học. (1995). Từ điển tiếng Việt. Đà Nẵng: NXB. Đà Nẵng~Trung tâm Từ điển học.

Viện Văn học. (1999). Tuyển tập Văn học dân gian Việt Nam. tập IV quyển 1. Hà Nội: NXB. Giáo dục.

Việt Chương. (1995). Từ điển thành ngữ ~ tục ngữ ~ ca dao Việt Nam quyển thượng. NXB. Đồng Nai.

Việt Chương. (1995b). Từ điển thành ngữ tục ngữ ca dao Việt Nam quyển hạ. NXB. Đồng Nai.

Vũ Thế Bình. (2012). Nón nước Việt Nam. Hà Nôi: Trung tâm Thông tin du lịch.

Vũ Thư Hiên. (1997). Đêm giữa ban ngày. pdf판.

Vũ Tuấn Anh. (1997). "Nhìn lại mười năm đổi mới văn học". Việt Nam nửa thế kỷ văn học 1945~1995. Hà Nội: NXB. Hội Nhà văn.

〈베트남 저널〉

Hoàng Hưng. (1990). "Lan trì kiến văn lục của Vũ Trinh". Tạp chí Hán Nôm. số 1. Viện Hán Nôm.

Nguyễn Khải. (1984). "Văn xuôi trước yêu cầu của cuộc sống". Tạp chí Văn Nghệ Quân Đội số 1.

Nguyễn Văn Hạnh. (1987). "Đổi mới tư duy. khẳng định sự thật trong văn học nghệ thuật". Tạp chí Văn học. số 2. Viện Văn học.

Nguyễn Văn Long. (1985). "Văn xuôi sau 1975 viết về cuộc kháng chiến chống Mỹ". Hà Nội: Tạp chí Văn Nghệ Quân Đội. số 4.

Sở Cuồng. (1942). Cháu 22 đời vua Lý Anh – Tôn$_{1138~1175}$ hiện ở Cao~ly. Tri Tân tạp chí. số 32.

Trần Nghĩa. (1988). "Bước đầu tìm hiểu kho sách Hán Nôm và lịch sử thư mục học Hán Nôm. Tạp chí Hán Nôm. số 2. Hà Nội: Viện Hán Nôm.

〈베트남 보고서〉

Tổng cục thống kê. (2013). Một số mặt hàng xuất khẩu phân theo nước và vùng lãnh thổ chủ yếu sơ bộ năm 2012.

Tổng cục Thống kê. (2013b). Niên giám Thống kê 2012. Hà Nội: NXB. Thống kê. pp.165~167.

Tổng cục Thống kê. (2023). Niên giám Thống kê 2022. Hà Nội: NXB. Thống kê.

〈베트남 법〉

Bộ Giáo dục và đào tạo. (2012.01.11.). số 149~151/QĐ~BGDĐT.

Bộ Tài Chính. (2012.11.16.). Thông tư Hướng dẫn chính sách thuế đối với hàng nông sản chưa qua chế biến do phía Việt Nam hỗ trợ đầu tư, trồng tại Campuchia nhập khẩu về nước. Số: 201/2012/TT~BTC

Bộ Văn hóa Thông tin. (1996.10.01.). Thông tư số 61/TT~DA Hướng dẫn thực hiện một số quy định của Chính phủ về tổ chức và hoạt động điện ảnh.

Bộ Văn hóa Thông tin. (2000.10.31.). Thông tư số 28 về Nghị định Cp 26 ~ sửa đổi bổ sung Nghị định CP 48 về tổ chức và hoạt động điện ảnh.

Bộ Xây Dựng. (2009.9.30.). Thông tư Quy định chi tiết một số nội dung của Nghị Định 42/2009/NĐ~CP ngày 07/05/2009 của Chính phủ về việc phân loại đô thị.

Chính phủ. (1995.01.27.). Nghị định số 16/CP Về việc thành lập Đại học quốc gia thành phố Hồ Chí Minh.

Chính phủ. (1995.07.17.). Nghị định CP 48 về tổ chức và hoạt động điện ảnh.

Chính phủ. (2000.08.03.). Nghị định CP 26 ~ sửa đổi bổ sung Nghị định CP 48 về tổ chức và hoạt động điện ảnh.

Chính phủ. (2001.08.16.). Quy định chi tiết thi hành một số điều của Luật Mặt trận Tổ quốc Việt Nam. Điều 3.

Chủ tịch Hội đồng Bộ trưởng. (1991.12.26.). Quyết định số 417~CT ngày 26~12~1991 về sắp xếp lại tổ chức ngành điện ảnh.

Điều lệ Đảng Cộng sản Việt Nam. (2011.01.19.)

Điều lệ Đoàn thanh niên Cộng sản Hồ Chí Minh. (2012.12.12.).

Hiệp định giữa Cộng Hòa Xã Hội Chủ Nghĩa Việt Nam và Cộng Hòa Dân Chủ Nhân Dân Triều Tiên về tương trợ tư pháp và pháp lý trong các vấn đề dân sự và hình sự Số 47/2004/LPQT. (2004.05.20.).

Quốc hội. (1999.06.12.). Luật Mặ trận Tổ quốc Việt Nam. Số: 14/1999/QH10.

Quốc Hội. (2000.06.09.). Luật Hôn nhân và Gia đình. Luật số 22/2000/QH10.

Quốc hội. (2001.12.25.). Bộ Luật Tố tụng hình sự.

Quốc hội. (2002.04.02.). Luật Tổ chức tòa án nhân dân.Luật số 33/2002/QH10.

Quốc hội. (2002.04.02.). Luật Tổ chức Viện kiểm sát nhân dân.Luật số 34/2002/QH10.

Quốc hội. (2012.06.18.,). Bộ Luật Lao Động. Số: 10/2012/QH13.

Thủ tướng Chính phủ (1994.08.08.). Chỉ thị về việc cấm sản xuất, buôn bán và đốt pháo Số: 406~TTg.

Ủy ban Thường vụ Quốc hội. (2002.10.4.). Pháp lệnh về phẩm phán và hội thẩm tòa án nhân đan.

Ủy ban Thường vụ Quốc hội. (2005.10.07.).Pháp lệnh Cựu chiến Binh.

〈종이 신문〉

Bích Châu. (2004.10.10.). Đi tìm định nghĩa cho phim thị trường và phim nghệ thuật. *Báo Sài Gòn Giải Phóng*. p.3.

Đỗ Hữu Lực. (2006.10.06.). Những miền gái đẹp kỳ 4: Làng cung nữ dưới chân núi Yên Tử. *Báo Tuổi Trẻ*.

Lão Lai. (1996.8.11.). "Nổi loạn, một quái thai cần được mổ xẻ", *Báo Công An TP. HCM*. p.5.

N.B. (1994.06.23.). Cụ cũng mê, *Báo Hà Nội Mới*.

Nguyễn Ngọc Phan. (1994.06.22.). Đội Hàn Quốc cũng lỳ lắm, *Báo Hà Nội Mới*.

Phan Tường. (1994.06.21.). Phạm nhân đón World Cup. *Báo Hà Nội Mới*.

Quang Vinh. (2006.10.09.). Những miền gái đẹp kỳ cuối: Nhan sắc Gò Công. *Báo Tuổi Trẻ*.

Quốc Việt. (2006.10.03.). Những miền gái đẹp kỳ 1: Vũ điệu sơn cước. *Báo Tuổi Trẻ*.

Quốc Việt. (2006.10.04.). Những miền gái đẹp kỳ 2: Giải mã người đẹp Phong Thổ. *Báo Tuổi Trẻ*.

Quốc Việt. (2006.10.05.). Những miền gái đẹp kỳ 3: Chè Thái Gái Tuyên. *Báo Tuổi Trẻ*.

Quốc Việt. (2006.10.07.). Những miền gái đẹp kỳ 5: Trong "lò" hoa hậu. *Báo Tuổi Trẻ*.

Quốc Việt & Thái Lộc. (2006.10.08.). Những miền gái đẹp kỳ 6: Kinh đô mỹ nhân. *Báo Tuổi Trẻ*.

Thái Hồng. (1996.08.03.). Đứa con dặt dẹo của Phạm Thị Hoài. *Báo Công An TP. HCM*. p.14.

Trần Đức. (1994.06.23.). Tiếp tục vô địch xã, *Báo Hà Nội Mới*.

Vũ Đàm. (1996.07.). Tình trạng khẩn cấp – tảo hô. *Báo Công an Nhân dân*. p.10.

〈인터넷 기사, 자료〉

ANH TUẤN. (2023.03.28.). https://nhandan.vn/cao-su-thien-nhien-viet-nam-duy-tri-vi-tri-thu-ba-the-gioi-ve-san-luong-post745142.html 접속일: 2023.12.27.

Ban Tôn giáo Chính phủ. (2023.12.07.). https://btgcp.gov.vn/ 접속일: 2023.12.07.

Nguyễn Quốc. (2023.05.16.). Campuchia dẫn đầu thị phần xuất khẩu xăng dầu của Việt Nam. https://haiquanonline.com.vn/campuchia-dan-dau-thi-phan-xuat-khau-xang-dau-cua-viet-nam-174333.html. 접속일: 2023.12.27.

Báo Hà Nội Mới. (2005.12.23.). http://www.hanoimoi.com.vn/vn/print/18994/ 접속일: 2005.12.23.

Bình Nguyên. (2012.11.05.). Những vùng đất trồng cà phê nổi tiếng ở Việt Nam, http://www.thanhnien.com.vn/ 접속일: 2013.06.25.

Bình Nguyên. (2012.11.09.). Robusta ~ linh hồn cà phê Việt Nam, http://www.thanhnien.com.vn/ 접속일: 2013.06.08.

Bình Nguyên. (2012.11.12.). Việt Nam ~ cường quốc số 1 về xuất khẩu cà phê. http://www.thanhnien.com.vn/ 접속일: 2013.07.12.

Bình Nguyên. (2012.7.15.). Nguồn gốc cà phê Việt Nam. http://www.thanhnien.com.vn/ 접속일: 2013.07.12.

Bộ GD&ĐT. (2023.05.06.). 20 phương thức xét tuyển đại học năm 2023 do Bộ GD&ĐT quy định. https://baophapluat.vn/20-phuong-thuc-xet-tuyen-dai-hoc-nam-2023-do-bo-gddt-quy-dinh-post474492.html 접속일: 2023.12.22.

Cầm Văn Kình. (2013.5.20.). Dân số Việt Nam trên 88,5 triệu người, đang già hóa nhanh. Báo Tuổi trẻ. https://tuoitre.vn/dan-so-vn-tren-885-trieu-nguoi-dang-gia-hoa-nhanh-549328.htm 접속일: 2013.08.08.

Hội Liên hiệp Phụ nữ Việt Nam. (2023.12.27.). https://hoilhpn.org.vn/.

Công đoàn. (2023.12.23.). http://www.congdoan.vn/gioi-thieu/lich-su-cdvn-489 접속일: 2023.12.23.

Cổng thông tin Lâm Đồng. (2023.07.13.). http://www.lamdong.gov.vn/vi~VN/a/ lehoitrabaoloc/lehoitra201. 접속일: 2013.7.15.

Dân số Việt Nam. (2023.12.20.). https://danso.org/viet-nam/ 접속일: 2023.12.20.

Dương Đình Tường. (2011.09.08.). Sản xuất ngô bền vững vùng Tây Bắc, Báo ngông nghiệp. http://nongnghiep.vn 접속일: 2013.08.20.

Hiệp hội Hồ Tiêu Việt Nam. (2014.07.15.). http://peppervietnam.com/ 접속일: 2014.07.15.

Hội Liên hiệp Phụ nữ Việt Nam. (2013.08.31.). http://vwu.vn/NewsDetail.asp?Cati d=218&NewsId=9892&lang=VN 접속일: 2013.8.31.

http://vi.wikipedia.org. (2012.2.10.).

http://www.doanthanhnien.vn/newsdetail/DoanTNCSHCM/9565/news.htm 접속 일: 2013.8.31.

https://plo.vn/viet~nam~chi~hon~17~ti~usd~nhap~xang~dau~dau~tho~trong~na m~2022~post729710.html

K.T. (2011.10.24.). Chuyện về cái phong bì mùa cưới. VTC News. https://vtc.vn/ chuyen-ve-cai-phong-bi-mua-cuoi-ar55387.html. 접속일: 2012.07.23.).

LIÊN HIỆP CÁC TỔ CHỨC HỮU NGHỊ VIỆT NAM. (2023.12.27.). https://vufo. org.vn/ 접속일: 2023.12.27.

Linh Phương. (2013.02.09.). Báo cáo kinh ngạc về trữ lượng dầu khí tiềm năng ở Biển Đông. http://petrotimes.vn 접속일: 2013.7.23.

Minh Trang. (2023.05.06.). 20 phương thức xét tuyển đại học năm 2023 do Bộ GD&ĐT quy định. Báo Pháp Luật Việt Nam.

Nguyễn Thị Mộng Tuyền. (2012.07.25.). QUÁ TRÌNH ĐẦU TƯ VÀ KHAI THÁC THUỘC ĐỊA VỀ CAO SU CỦA TƯ BẢN PHÁP Ở VIỆT NAM (1858-1945). Hội Khoa học Lịch sử Bình Dương. http://www.sugia.vn/ portfolio/detail/569/qua-trinh-dau-tu-va-khai-thac-thuoc-dia-ve-cao- su-cua-tu-ban-phap-o-viet-nam-1858-1945.html. 접속일: 2023.07.21.

THẾ DŨNG. (2013.06.04.). Không cần thiết đổi tên nước. Người lao động.

https://nld.com.vn/thoi-su-trong-nuoc/khong-can-thiet-doi-ten-nuoc-20130603114127294.htm. 접속일: 2013.07.21.

Tỉnh Bình Phước. (2013.07.18.). http://quadieuvang.binhphuoc.gov.vn/3cms/?cmd=180&art=1257736430570. 접속일: 2013.7.20.

Tổng cục Thống kê. (2012). Tổng số giờ nắng tại một số trạm quan trắc. http://www.gso.gov.vn/default.aspx?tabid=386&idmid=3&ItemID=12813. 접속일: 2013.08.10.

Tổng cục thống kê. (2015.09.30.). THÔNG CÁO BÁO CHÍ CỦA ASEANSTATS: DÂN SỐ VIỆT NAM 2014 VƯỢT MỐC 90 TRIỆU NGƯỜI https://www.gso.gov.vn/su-kien/2019/04/thong-cao-bao-chi-cua-aseanstats-dan-so-viet-nam-2014-vuot-moc-90-trieu-nguoi/. 접속일 2023.12.21.

Trần Đại Sỹ. (2012.07.26.). Đi tìm con cháu thuyền nhân 849 năm trước: Nguyên tổ hai giòng họ Lý tại Đại Hàn. http://www.sugia.vn/portfolio/detail/781/di_tim_con_chau_thuyen_nhan_849_nam_truoc_nguyen_to_hai_giong_ho_ly_tai_dai_han.html. 접속일: 2013.07.21.

Uỷ ban Trung ương Mặt trận Tổ quốc Việt. (2013.08.31.). Namhttp://www.mattran.org.vn/Home/GioithieuMT/gtc4.htm 접속일: 2013.8.31.

VOV. (2013.07.18.). http://vov.vn/Kinh~te/Xuat~khau~dua~tuoi~sang~EU/108479. vov 접속일: 2013.07.18.

VTC. (2013.08.31.). http://vtc.vn/394~394253/phong~su~kham~pha/chuyen~it~biet~ve~dan~toc~moi~xuat~hien~o~viet~nam.htm 접속일: 2013.8.15.

이것이 베트남이다

저　자　배양수

인　쇄　2024. 1. 20
발　행　2024. 1. 25

펴낸곳　다해
전　화　02-2266-9247
주　소　서울 중구 충무로29 아시아미디어타워 703호
등록번호　301-2011-069

값 20,000원
ISBN 979-11-5556-269-7　03300